新 潮 文 庫

阿部一族・舞姫

森 鷗 外著

新 潮 社 版

1790

目次

阿部一族・舞姫

舞姫

石炭をば早や積み果てつ。中等室の卓《つくゑ》のほとりはいと静にて、熾熱燈《しねつとう》*の光の晴れがましきも徒《いたづら》なり。今宵《こよひ》は夜毎《よごと》にここに集ひ来る骨牌《カルタ》仲間も「ホテル」に宿りて、舟に残れるは余一人のみなれば。五年前《いつとせまへ》の事なりしが、平生《ひごろ》の望足りて、洋行の官命を蒙《かうむ》り、このセイゴン*の港まで来し頃は、目に見るもの、耳に聞くもの、一つとして新らぬはなく、筆に任せて書き記しつる紀行文日ごとに幾千言をかなしけむ、当時の新聞に載せられて、世の人にもてはやされしかど、今日になりておもへば、稚《をさな》き思想、身の程知らぬ放言、さらぬも尋常《よのつね》の動植金石、さては風俗抔《など》をさへ珍しげにしるししを、心ある人はいかにか見けむ。こたびは途に上りしとき、日記《にき》ものせむとて買ひし冊子もまだ白紙のままなるは、独逸《ドイツ》にて物学びせし間に、一種の「ニル、アドミラリイ」*の気象をや養ひ得たりけむ、あらず、これには別に故《ゆゑ》あり。

げに東《ひんがし》に還《かへ》る今の我は、西に航せし昔の我ならず、学問こそ猶《なほ》心に飽き足らぬところも多かれ、浮世のうきふしをも知りたり、人の心の頼みがたきは言ふも更なり、われとわが心さへ変り易《やす》きをも悟り得たり。きのふの是《ぜ》はけふの非なるわが瞬間の感触を、筆に写して誰にか見せむ。これや日記の成らぬ縁故なる、あらず、これには別に故あり。

嗚呼《ああ》、ブリンヂイシイ*の港を出《い》でてより、早や二十日《はつか》あまりを経ぬ。世の常ならば生面《せいめん》*の客にさへ交《まじはり》を結びて、旅の憂《う》さを慰めあふが航海の習なるに、微恙《びやう》*にことよせて房《へや》の裡《うち》にのみ籠《こも》りて、同行の人々にも物言ふことの少きは、人知らぬ恨に頭《かしら》のみ悩ましたればなり。此《この》恨は初め一抹《いちまつ》の雲の如《ごと》く我心を掠《かす》めて、瑞西《スヰス》の山色をも見せず、伊太利《イタリア》の古蹟《こせき》にも心を留めさせず、中頃は世を厭《いと》ひ、身をはかなみて、腸《はらわた》日ごとに九廻す*ともいふべき惨痛をわれに負はせ、今は心の奥に凝り固まりて、一点の翳《かげ》とのみなりたれど、文《ふみ》読むごとに、物見るごとに、鏡に映る影、声に応ずる響の如く、限なき懐旧の情を喚《よ》び起して、幾度となく我心を苦む。嗚呼、いかにしてか此恨を銷《せう》せむ。*若《も》し外の恨なりせば、詩に詠じ歌によめる後は心地すがすがしくもなりなむ。これのみは余りに深く我心に彫《ゑ》りつけられたればさはあらじと思へど、今宵はあたりに人も無し、房奴《ばうど》*の来て電気線の鍵《かぎ》を捩《ひね》るには猶程もあるべければ、いで、その概略を文に綴《つづ》りて見む。

余は幼き比《ころ》より厳しき庭の訓《をしへ》*を受けし甲斐《かひ》に、父をば早く喪《うしな》ひつれど、学問の荒《すさ》み衰ふることなく、旧藩の学館にありし日も、東京に出でて予《よ》備黌《びくわう》*に通ひしときも、大学法学部に入りし後も、太田豊太郎《とよたろう》といふ名はいつも一級の首《はじめ》にしるされたりしに、一人子の我を力になして世を渡る母の心は慰みけらし。十九の歳《とし》には学士の称*を受けて、大学の立ちてよりその頃までにまたなき名誉なりと人にも言はれ、某《なにがしの》省に出仕して、故郷なる母を都に呼び迎へ、楽しき年を送ること三とせばかり、官長の覚え殊《こと》なりしかば、洋行して一課の事務を取り調べよとの命を受け、我名を成さむも、我家を興《おこ》さむも、今ぞとおもふ心の勇み立ちて、五十を踰《こ》えし母に別るるをもさまで悲しとは思はず、遥々《はるばる》と家を離れてベルリンの都に来ぬ。

余は模糊《もこ》たる功名の念と、検束*に慣れたる勉強力とを持ちて、忽《たちま》ちこの欧羅巴《ヨオロッパ》の新大都の中央に立てり。何等の光彩ぞ、我目を射むとするは。何等の色沢《しきたく》ぞ、我心を迷はさむとするは。菩提樹下《ぼだいじゅか》と訳するときは、幽静なる境なるべく思はるれど、この大道髪の如き*ウンテル、デン、リンデン*に来て両辺なる石だたみの人道を行く隊々《くみぐみ》の士女を見よ。胸張り肩聳《そび》えたる士官の、まだ維廉《ヰルヘルム》一世*の街に臨める窓に倚《よ》り玉ふ頃なりければ、様々の色に飾り成したる礼装をなしたる、妍《かほよ》き少女《をとめ》の巴里《パリー》まねびの粧《よそほひ》したる、彼も此《これ》も目を驚かさぬはなきに、車道の土瀝青《チャン》*の上を音もせで走るいろいろの馬車、雲に聳ゆる楼閣の少しとぎれたる処《ところ》には、晴れたる空に夕立の音を聞かせて漲《みなぎ》り落つる噴井《ふきゐ》の水、遠く望めばブランデンブルク門*を隔てて緑樹枝をさし交はしたる中より、半天に浮び出《い》でたる凱旋塔《がいせんたふ》*の神女の像、この許多《あまた》の景物目睫《もくせふ》の間*に聚《あつ》まりたれば、始めてここに来しものの応接に遑《いとま》なき*も宜《うべ》なり。されど我胸には縦《たと》ひいかなる境に遊びても、あだなる美観に心をば動《うごか》さじの誓ありて、つねに我を襲ふ外物を遮《さへぎ》り留《とど》めたりき。

余が鈴索《すずなは》を引き鳴らして謁《えつ》を通じ、おほやけの紹介状を出だして東来の意を告げし普魯西《プロシヤ》*の官員は、皆快く余を迎へ、公使館よりの手つづきだに事なく済みたらましかば、何事にもあれ、教へもし伝へもせむと約しき。喜ばしきは、わが故里《ふるさと》にて、独逸、仏蘭西《フランス》の語を学びしことなり。彼等は始めて余を見しとき、いづくにていつの間にかくは学び得つると問はぬことなかりき。

さて官事の暇《いとま》あるごとに、かねておほやけの許をば得たりければ、ところの大学に入りて政治学を修めむと、名を簿冊《ぼさつ》に記させつ。

ひと月ふた月と過す程に、おほやけの打合せも済みて、取調も次第に捗《はかど》り行けば、急ぐことをば報告書に作りて送り、さらぬをば写し留めて、つひには幾巻《いくまき》をかなしけむ。大学のかたにては、穉《をさな》き心に思ひ計りしが如く、政治家になるべき特科のあるべうもあらず、此か彼かと心迷ひながらも、二三の法家の講筵《かうえん》*に列《つらな》ることにおもひ定めて、謝金を収め、往《ゆ》きて聴きつ。

かくて三年《みとせ》ばかりは夢の如くにたちしが、時来《きた》れば包みても包みがたきは人の好尚*

なるらむ、余は父の遺言を守り、母の教に従ひ、人の神童なりなど褒むるが嬉《うれ》しさに怠らず学びし時より、官長の善き働き手を得たりと奨《はげ》ますが喜ばしさにたゆみなく勤めし時まで、ただ所動的、器械的の人物になりて自ら悟らざりしが、今二十五歳になりて、既に久しくこの自由なる大学の風に当りたればにや、心の中なにとなく妥《おだやか》ならず、奥深く潜みたりしまことの我は、やうやう表にあらはれて、きのふまでの我ならぬ我を攻むるに似たり。余は我身の今の世に雄飛すべき政治家になるにも宜《よろ》しからず、また善く法典を諳《そら》じて獄を断ずる法律家になるにもふさはしからざるを悟りたりと思ひぬ。余は私《ひそか》に思ふやう、我母は余を活《い》きたる辞書となさんとし、我官長は余を活きたる法律となさんとやしけん。辞書たらむは猶ほ堪ふべけれど、法律たらんは忍ぶべからず。今までは瑣々《ささ》たる問題にも、極めて丁寧にいらへしつる余が、この頃より官長に寄する書には連《しき》りに法制の細目に拘《かかづら》ふべきにあらぬを論じて、一たび法の精神をだに得たらんには、紛々たる万事は破竹の如くなるべしなどと広言しつ。又大学にては法科の講筵を余所《よそ》にして、歴史文学に心を寄せ、漸《やうや》く蔗《しよ》を嚼《か》む境に入りぬ。

官長はもと心のままに用ゐるべき器械をこそ作らんとしたりけめ。独立の思想を懐《いだ》きて、人なみならぬ面《おも》もちしたる男をいかでか喜ぶべき。危きは余が当時の地位なりけり。されどこれのみにては、なほ我地位を覆《くつが》へすに足らざりけんを、日比《ひ》伯林《ごろベルリン》の留学生の中にて、或《あ》る勢力ある一群《ひとむれ》と余との間に、面白からぬ関係ありて、彼《か》の人々は余を猜疑《さいぎ》し、又遂《つひ》に余を讒誣《ざんぶ》*するに至りぬ。されどこれとても其故《そのゆゑ》なくてやは。

彼人々は余が倶《とも》に麦酒《ビイル》の杯《さかづき》をも挙げず、球突きの棒《キユウ》をも取らぬを、かたくななる心と慾《よく》を制する力とに帰して、且《かつ》は嘲り且は嫉《ねた》みたりけん。されどこは余を知らねばなり。嗚呼、此故よしは、我身だに知らざりしを、怎《いか》でか人に知らるべき。わが心はかの合歓《ねむ》*といふ木の葉に似て、物触《さや》れば縮みて避けんとす。我心は処女に似たり。余が幼き頃より長者の教を守りて、学《まなび》の道をたどりしも、仕《つかへ》の道をあゆみしも、皆な勇気ありて能《よ》くしたるにあらず、耐忍勉強の力と見えしも、皆な自ら欺《あざむ》き、人をさへ欺きつるにて、人のたどらせたる道を、唯《た》だ一条《ひとすぢ》にたどりしのみ。余所《よそ》に心の乱れざりしは、外物を棄てて顧みぬ程の勇気ありしにあらず、唯外物に恐れて自らわが手足を縛せしのみ。故郷を立ちいづる前にも、我が有為の人物なることを疑はず、又我心の能く耐へんことをも深く信じたりき。嗚呼、彼も一時。舟の横浜を離るるまでは、天晴《あつぱれ》豪傑と思ひし身も、せきあへぬ涙に手巾《しゆきん》を濡《ぬ》らしつるを我れ乍《なが》ら怪しと思ひしが、これぞなかなかに我本性なりける。此心は生れながらにやありけん、又早く父を失ひて母の手に育てられしによりてや生じけん。

彼人々の嘲るはさることなり。されど嫉むはおろかならずや。この弱くふびんなる心を。赤く白く面《おもて》を塗りて、赫然《かくぜん》たる色の衣を纏《まと》ひ、珈琲店《カッフェエ》に坐して客を延《ひ》く女を見ては、往《ゆ》きてこれに就かん勇気なく、高き帽を戴《いただ》き、眼鏡に鼻を挟ませて、普魯西にては貴族めきたる鼻音にて物言ふ「レエベマン」*を見ては、往きてこれと遊ばん勇気なし。此等の勇気なければ、彼活溌《くわつぱつ》なる同郷の人々と交らんやうもなし。この交際の疎《うと》きがために、彼人々は唯余を嘲り、余を嫉むのみならで、又余を猜疑することとなりぬ。これぞ余が冤罪《ゑんざい》を身に負ひて、暫時《ざんじ》の間に無量の艱難《かんなん》を閲《けみ》し尽す媒《なかだち》なりける。

或る日の夕暮なりしが、余は獣苑《じゆうえん》*を漫歩して、ウンテル、デン、リンデンを過ぎ、我がモンビシユウ街*の僑居《けうきよ》*に帰らんと、クロステル巷《かう》*の古寺の前に来ぬ。余は彼の燈《ともし》火《び》の海を渡り来て、この狭く薄暗き巷《こうぢ》に入り、楼上の木欄《おばしま》に干したる敷布、襦袢《はだぎ》などまだ取入れぬ人家、頬髭《ほほひげ》長き猶太《ユダヤ》教徒の翁《おきな》が戸前に佇《たたず》みたる居酒屋、一つの梯《はしご》は直ちに楼《たかどの》に達し、他の梯は窖《あなぐら》住まひの鍛冶《かぢ》が家に通じたる貸家などに向ひて、凹字《あふじ》の形に引籠《ひつこ》みて立てられたる、此三百年前の遺跡を望む毎《ごと》に、心の恍惚《くわうこつ》となりて暫《しば》し佇みしこと幾度なるを知らず。

今この処を過ぎんとするとき、鎖《とざ》したる寺門の扉に倚《よ》りて、声を呑《の》みつつ泣くひとりの少女あるを見たり。年は十六七なるべし。被《かぶ》りし巾《きれ》を洩《も》れたる髪の色は、薄きこがね色にて、着たる衣は垢《あか》つき汚れたりとも見えず。我足音に驚かされてかへりみたる面、余に詩人の筆なければこれを写すべくもあらず。この青く清らにて物問ひたげに愁《うれひ》を含める目の、半ば露を宿せる長き睫毛《まつげ》に掩《おほ》はれたるは、何故《なにゆゑ》に一顧したるのみにて、用心深き我心の底までは徹《とほ》したるか。

彼は料《はか》らぬ深き歎《なげ》きに遭ひて、前後を顧みる遑《いとま》なく、ここに立ちて泣くにや。わが臆病《おくびやう》なる心は憐憫《れんびん》の情に打ち勝たれて、余は覚えず側《そば》に倚り、「何故に泣き玉ふか。ところに繫累《けいるい》*なき外人《よそびと》は、却《かへ》りて力を借し易きこともあらん。」といひ掛けたるが、我ながらわが大胆なるに呆《あき》れたり。

彼は驚きてわが黄なる面を打守りしが、我が真率なる心や色に形《あら》はれたりけん。「君は善き人なりと見ゆ。彼の如く酷《むご》くはあらじ。又た我母の如く。」暫し涸《か》れたる涙の泉は又溢《あふ》れて愛らしき頰を流れ落つ。

「我を救ひ玉へ、君。わが恥なき人とならんを。母はわが彼の言葉に従はねばとて、我を打ちき。父は死にたり。明日は葬《はうむ》らでは愜《かな》はぬに、家に一銭の貯《たくはへ》だになし。」

跡は欷歔《ききよ》*の声のみ。我眼《まなこ》はこのうつむきたる少女の顫《ふる》ふ項《うなじ》にのみ注がれたり。

「君が家《や》に送り行かんに、先《ま》づ心を鎮《しづ》め玉へ。声をな人に聞かせ玉ひそ。ここは往来なるに。」彼は物語するうちに、覚えず我肩に倚りしが、この時ふと頭《かしら》を擡《もた》げ、又始てわれを見たるが如く、恥ぢて我側を飛びのきつ。

人の見るが厭《いと》はしさに、早足に行く少女の跡に附きて、寺の筋向ひなる大戸を入れば、欠け損じたる石の梯あり。これを上ぼりて、四階目に腰を折りて潜《くぐ》るべき程の戸あり。少女は鏽《さ》びたる針金の先きを捩《ね》ぢ曲げたるに、手を掛けて強く引きしに、中には咳枯《しはが》れたる老媼《おうな》の声して、「誰《た》ぞ」と問ふ。エリス帰りぬと答ふる間もなく、戸をあららかに引開けしは、半ば白みたる髪、悪《あ》しき相にはあらねど、貧苦の痕《あと》を額《ぬか》に印せし面の老媼にて、古き獣綿*の衣を着、汚れたる上靴を穿《は》きたり。エリスの余に会釈《ゑしやく》して入るを、かれは待ち兼ねし如く、戸を劇《はげ》しくたて切りつ。

余は暫し茫然《ばうぜん》として立ちたりしが、ふと油燈《ラムプ》の光に透《すか》して戸を見れば、エルンスト、ワイゲルトと漆《うるし》もて書き、下に仕立物師と注したり。これすぎぬ*といふ少女が父の名なるべし。内には言ひ争ふごとき声聞えしが、又静になりて戸は再び明きぬ。さきの老媼は慇懃《いんぎん》におのが無礼の振舞せしを詫《わ》びて、余を迎へ入れつ。戸の内は厨《くりや》にて、右《め》手《て》の低き窓に、真白に洗ひたる麻布を懸けたり。左手《ゆんで》には粗末に積上げたる煉瓦《れんぐわ》の竈《かまど》あり。正面の一室の戸は半ば開きたるが、内には白布《しらぬの》を掩へる臥床《ふしど》あり。伏したるはなき人なるべし。竈の側なる戸を開きて余を導きつ。この処は所謂《いはゆる》「マンサルド*」の街に面したる一間なれば、天井もなし。隅の屋根裏より窓に向ひて斜に下れる梁《はり》を、紙にて張りたる下の、立たば頭の支《つか》ふべき処に臥床あり。中央なる机には美しき氈《かも》*を掛けて、上には書物一二巻と写真帖とを列《なら》べ、陶瓶《たうへい》にはここに似合はしからぬ価高き花束を生けたり。そが傍《かたはら》に少女は羞《はぢ》を帯びて立てり。

彼は優れて美なり。乳《ち》の如き色の顔は燈火《ともしび》に映じて微紅《うすくれなゐ》を潮《さ》したり。手足の繊《かぼそ》く裊《たをやか》なるは、貧家の女《をみな》に似ず。老媼の室《へや》を出でし跡にて、少女は少し訛《なま》りたる言葉にて云ふ。「許し玉へ。君をここまで導きし心なさを。君は善き人なるべし。我をばよも憎み玉はじ。明日に迫るは父の葬《はふり》、たのみに思ひしシヤウムベルヒ、君は彼を知らでやおはさん。彼は「ヰクトリア」座*の座頭《ざがしら》なり。彼が抱《かか》へとなりしより、早や二年《ふたとせ》なれば、事なく我等を助けんと思ひしに、人の憂に附けこみて、身勝手なるいひ掛けせんとは。我を救ひ玉へ、君。金をば薄き給金を拆《さ》きて還《かへ》し参らせん。縦令《よしや》我身は食《くら》はずとも。それもならずば母の言葉に。」彼は涙ぐみて身をふるはせたり。その見上げたる目には、人に否《いな》とはいはせぬ媚態《びたい》あり。この目の働きは知りてするにや、又自らは知らぬにや。

我が隠しには二三「マルク」の銀貨あれど、それにて足るべくもあらねば、余は時計をはづして机の上に置きぬ。「これにて一時の急を凌《しの》ぎ玉へ。質屋の使のモンビシユウ街三番地にて太田と尋ね来ん折には価《あたひ》を取らすべきに。」

少女は驚き感ぜしさま見えて、余が辞別《わかれ》のために出《いだ》したる手を唇にあてたるが、はらはらと落つる熱き涙《なんだ》を我手の背《そびら》に濺《そそ》ぎつ。

嗚呼《ああ》、何等の悪因ぞ。この恩を謝せんとて、自ら我僑居に来し少女は、シヨオペンハウエル*を右にし、シルレル*を左にして、終日《ひねもす》兀坐《こつざ》*する我読書の窓下に、一輪の名花を咲かせてけり。この時を始として、余と少女との交《まじはり》漸く繁くなりもて行きて、同郷人にさへ知られぬれば、彼等は速了《そくれう》*にも、余を以《もつ》て色を舞姫の群に漁《ぎよ》するものとしたり。われ等二人の間にはまだ痴騃《ちがい》*なる歓楽のみ存じたりしを。

その名を斥《さ》さんは憚《はばかり》あれど、同郷人の中に事を好む人ありて、余が屢《しばしば》芝居に出入して、女優と交るといふことを、官長の許《もと》に報じつ。さらぬだに余が頗《すこぶ》る学問の岐路に走るを知りて憎み思ひし官長は、遂に旨《むね》を公使館に伝へて、我官を免じ、我職を解いたり。公使がこの命を伝ふる時余に謂《い》ひしは、御身《おんみ》若《も》し即時に郷に帰らば、路用を給すべけれど、若し猶《なほ》ここに在らんには、公《おほやけ》の助をば仰ぐべからずとのことなりき。余は一週日の猶予《いうよ》を請《こ》ひて、とやかうと思ひ煩《わづら》ふうち、我生涯にて尤《もつと》も悲痛を覚えさせたる二通の書状に接しぬ。この二通は殆ど同時にいだしものなれど、一は母の自筆、一は親族なる某《なにがし》が、母の死を、我がまたなく慕ふ母の死を報じたる書《ふみ》なりき。余は母の書中の言をここに反覆するに堪へず、涙の迫り来て筆の運《はこび》を妨ぐればなり。

余とエリスとの交際は、この時までは余所目《よそめ》に見るより清白なりき。彼は父の貧きがために、充分なる教育を受けず、十五の時舞の師のつのりに応じて、この恥づかしき業《わざ》を教へられ、「クルズス」*果てて後、「ヰクトリア」座に出でて、今は場中第二の地位を占めたり。されど詩人ハックレンデル*が当世の奴隷《どれい》といひし如く、はかなきは舞姫の身の上なり。薄き給金にて繫《つな》がれ、昼の温習*、夜の舞台と緊《きび》しく使はれ、芝居の化粧部屋に入りてこそ紅粉をも粧《よそほ》ひ、美しき衣をも纏へ、場外にてはひとり身の衣食も足らず勝なれば、親腹からを*養ふものはその辛苦奈何《いかに》ぞや。されば彼等の仲間にて、賤《いや》しき限りなる業に堕《お》ちぬは稀《まれ》なりとぞいふなる。エリスがこれを遁《のが》れしは、おとなしき性質と、剛気ある父の守護とに依りてなり。彼は幼き時より物読むことをば流石《さすが》に好みしかど、手に入るは卑《いや》しき「コルポルタアジユ」*と唱ふる貸本屋の小説のみなりしを、余と相識《あひし》る頃より、余が借しつる書を読みならひて、漸《やうや》く趣味をも知り、言葉の訛《なまり》をも正し、いくほどもなく余に寄するふみにも誤字《あやまりじ》少なくなりぬ。かかれば余等二人の間には先づ師弟の交りを生じたるなりき。我が不時の免官を聞きしときに、彼は色を失ひつ。余は彼が身の事に関《かかは》りしを包み隠しぬれど、彼は余に向ひて母にはこれを秘め玉へと云ひぬ。こは母の余が学資を失ひしを知りて余を疎《うと》んぜんを恐れてなり。

嗚呼、委《くはし》くここに写さんも要なけれど、余が彼を愛づる心の俄《にはか》に強くなりて、遂に離れ難き中となりしは此折なりき。我一身の大事は前に横《よこたは》りて、洵《まこと》に危急存亡の秋《とき》なるに、この行《おこなひ》ありしをあやしみ、又た誹《そし》る人もあるべけれど、余がエリスを愛する情は、始めて相見し時よりあさくはあらぬに、いま我数奇《さくき》*を憐《あはれ》み、又別離を悲みて伏し沈みたる面に、鬢《びん》の毛の解けてかかりたる、その美しき、いぢらしき姿は、余が悲痛感慨の刺激によりて常ならずなりたる脳髄を射て、恍惚《くわうこつ》の間にここに及びしを奈何《いか》にせむ。

公使に約せし日も近づき、我命《めい》はせまりぬ。このままにて郷にかへらば、学成らずして汚名を負ひたる身の浮ぶ瀬あらじ。さればとて留まらんには、学資を得べき手だてなし。

此時余を助けしは今我同行の一人なる相沢謙吉なり。彼は東京に在りて、既に天方《あまがた》伯《はく》の秘書官たりしが、余が免官の官報に出《い》でしを見て、某《なにがし》新聞紙の編輯長《へんしふちやう》に説きて、余を社の通信員となし、伯林《ベルリン》に留まりて政治学芸の事などを報道せしむることとなしつ。

社の報酬はいふに足らぬほどなれど、棲家《すみか》をもうつし、午餐《ひるげ》に往く食店《たべものみせ》をもかへたらんには、微《かすか》なる暮しは立つべし。兎角《とかう》思案する程に、心の誠を顕《あら》はして、助の綱をわれに投げ掛けしはエリスなりき。かれはいかに母を説き動かしけん、余は彼等親子の家に寄寓《きぐう》することとなり、エリスと余とはいつよりとはなしに、有るか無きかの収入を合せて、憂《う》きがなかにも楽しき月日を送りぬ。

朝の咖啡《カツフエエ》果つれば、彼は温習に往き、さらぬ日には家に留まりて、余はキヨオニヒ街*の間口せまく奥行のみいと長き休息所*に赴《おもむ》き、あらゆる新聞を読み、鉛筆取り出でて彼此《かれこれ》と材料を集む。この截《き》り開きたる引窓より光を取れる室にて、定りたる業なき若人《わかうど》、多くもあらぬ金を人に借して己《おの》れは遊び暮す老人、取引所*の業の隙《ひま》を偸《ぬす》みて足を休むる商人《あきうど》などと臂《ひぢ》を並べ、冷《ひやや》かなる石卓《いしづくゑ》の上にて、忙《いそが》はしげに筆を走らせ、小をんなが持て来る一盞《ひとつき》の咖啡の冷むるをも顧みず、明きたる新聞の細長き板ぎれに挿《はさ》みたるを、幾種《いくいろ》となく掛け聯《つら》ねたるかたへの壁に、いく度となく往来する日本人を、知らぬ人は何とか見けん。又一時近くなるほどに、温習に往きたる日には返り路《ぢ》によぎりて、余と倶《とも》に店を立出づるこの常ならず軽き、掌上の舞*をもなしえつべき少女を、怪み見送る人もありしなるべし。

我学問は荒《すさ》みぬ。屋根裏の一燈微《かすか》に燃えて、エリスが劇場よりかへりて、椅《いす》に寄りて縫ものなどする側の机にて、余は新聞の原稿を書けり。昔しの法令条目の枯葉を紙上に掻寄《かきよ》せしとは殊《こと》にて、今は活潑々《くわつはつはつ》たる政界の運動、文学美術に係《かかは》る新現象の批評など、彼此と結びあはせて、力の及ばん限り、ビヨルネ*よりは寧《むし》ろハイネ*を学びて思を構へ、様々の文《ふみ》を作りし中にも、引続きて維廉《ヰルヘルム》一世と仏得力《フレデリック》三世*との崩殂《ほうそ》*ありて、新帝*の即位、ビスマルク侯*の進退如何《いかん》などの事に就《つい》ては、故《ことさ》らに詳《つまびら》かなる報告をなしき。さればこの頃よりは思ひしよりも忙はしくして、多くもあらぬ蔵書を繙《ひもと》き、旧業をたづぬることも*難く、大学の籍はまだ刪《けづ》られねど、謝金を収むることの難ければ、唯《た》だ一つにしたる講筵《かうえん》だに往きて聴くことは稀なりき。

我学問は荒みぬ。されど余は別に一種の見識を長じき。そをいかにといふに、凡《およ》そ民間学*の流布《るふ》したることは、欧洲諸国の間にて独逸に若《し》くはなからん。幾百種の新聞雑誌に散見する議論には頗る高尚なるも多きを、余は通信員となりし日より、曽《かつ》て大学に繋く通ひし折、養ひ得たる一隻《いつせき》の眼孔*もて、読みては又読み、写しては又写す程に、今まで一筋の道をのみ走りし知識は、自《おのづか》ら綜括《そうくわつ》的になりて、同郷の留学生などの大かたは、夢にも知らぬ境地に到《いた》りぬ。彼等の仲間には独逸新聞の社説をだに善くはえ読まぬがあるに。

明治廿一年の冬は来にけり。表街の人道にてこそ沙《すな》をも蒔《ま》け、鍤《すき》をも揮《ふる》へ、クロステル街のあたりは凸凹坎坷《とつあふかんか》*の処は見ゆめれど、表のみは一面に氷りて、朝《あした》に戸を開けば飢ゑ凍えし雀の落ちて死にたるも哀れなり。室《へや》を温め、竈《かまど》に火を焚《た》きつけても、壁の石を徹《とほ》し、衣の綿を穿《うが》つ北欧羅巴《ヨオロッパ》の寒さは、なかなかに堪へがたかり。エリスは二三日前の夜、舞台にて卒倒しつとて、人に扶《たす》けられて帰り来しが、それより心地あしとて休み、もの食ふごとに吐くを、悪阻《つはり》といふものならんと始めて心づきしは母なりき。嗚呼《ああ》、さらぬだに覚束《おぼつか》なきは我身の行末なるに、若し真《まこと》なりせばいかにせまし。

今朝は日曜なれば家に在れど、心は楽しからず。エリスは床に臥《ふ》すほどにはあらねど、小《ちさ》き鉄炉《てつろ》の畔《ほとり》に椅子さし寄せて言葉寡《すくな》し。この時戸口に人の声して、程なく庖《はう》厨《ちゅう》*にありしエリスが母は、郵便の書状を持て来て余にわたしつ。見れば見覚えある相沢が手なるに、郵便切手は普魯西《プロシャ》のものにて、消印には伯林《ベルリン》とあり。訝《いぶか》りつつも披《ひら》きて読めば、とみの事にて預《あらかじ》め知らするに由《よし》なかりしが、昨夜《よべ》ここに着せられし天方《あまがた》大臣に附きてわれも来たり。伯の汝《なんぢ》を見まほしとのたまふに疾《と》く来よ。汝が名誉を恢復《くわいふく》するも此時にあるべきぞ。心のみ急がれて用事をのみいひ遣《や》るとなり。読み畢《をは》りて茫《ばう》然《ぜん》たる面もちを見て、エリス云ふ。「故郷よりの文なりや。悪《あ》しき便《たより》にてはよも。*」彼は例の新聞社の報酬に関する書状と思ひしならん。「否、心にな掛けそ。おん身も名を知る相沢が、大臣と倶にここに来てわれを呼ぶなり。急ぐといへば今よりこそ。」

かはゆき独り子を出《いだ》し遣る母もかくは心を用ゐじ。大臣にまみえもやせんと思へばならん、エリスは病をつとめて起《た》ち、上襦袢《うはじゆばん》*も極めて白きを撰《えら》び、丁寧にしまひ置きし「ゲエロック*」といふ二列ぼたんの服を出して着せ、襟飾りさへ余が為《た》めに手づから結びつ。

「これにて見苦しとは誰れも得言《え》はじ。我鏡に向きて見玉へ。何故にかく不興なる面もちを見せ玉ふか。われも諸共《もろとも》に行かまほしきを。」少し容《かたち》をあらためて。「否、かく衣を更《あらた》め玉ふを見れば、何となくわが豊太郎の君とは見えず。」又た少し考へて。「縦令《よしや》富貴になり玉ふ日はありとも、われをば見棄て玉はじ。我病は母の宣《のたま》ふ如くならずとも。」

「何、富貴。」余は微笑しつ。「政治社会などに出でんの望みは絶ちしより幾年《いくとせ》をか経ぬるを。大臣は見たくもなし。唯年久しく別れたりし友にこそ逢ひには行け。」エリスが母の呼びし一等「ドロシユケ*」は、輪下にきしる雪道を窓の下まで来ぬ。余は手袋をはめ、少し汚れたる外套《ぐわいたう》を背に被《おほ》ひて手をば通さず帽を取りてエリスに接吻して楼《たかどの》を下りつ。彼は凍れる窓を明け、乱れし髪を朔風《さくふう》に吹かせて余が乗りし車を見送りぬ。

余が車を下りしは「カイゼルホオフ*」の入口なり。門者《かどもり》に秘書官相沢が室の番号を問ひて、久しく踏み慣れぬ大理石の階《きざはし》を登り、中央の柱に「プリユツシユ*」を被へる「ゾフア*」を据《す》ゑつけ、正面には鏡を立てたる前房*に入りぬ。外套をばここにて脱ぎ、廊《わたどの》をつたひて室の前まで往きしが、余は少し踟躕《ちちゅう》*したり。同じく大学に在りし日に、余が品行の方正なるを激賞したる相沢が、けふは怎《いか》なる面もちして出迎ふらん。室に入りて相対して見れば、形こそ旧《もと》に比ぶれば肥えて逞《たく》ましくなりたれ、依然たる快活の気象、我失行《しっかう》をもさまで意に介せざりきと見ゆ。別後の情を細叙するにも遑《いとま》あらず、引かれて大臣に謁《えっ》し、委《ゐ》托《たく》せられしは独逸語《ドイツご》にて記せる文書の急を要するを飜《ほん》訳《やく》せよとの事なり。余が文書を受領して大臣の室を出でし時、相沢は跡より来て余と午餐《ひるげ》を共にせんといひぬ。

食卓にては彼多く問ひて、我多く答へき。彼が生路は概《おほむ》ね平滑なりしに、轗軻《かんか》数奇《さくき》*なるは我身の上なりければなり。

余が胸臆《きょうおく》を開いて物語りし不幸なる閲歴を聞きて、かれは屢〻《しばしば》驚きしが、なかなかに余を譴《せ》めんとはせず、却《かへ》りて他の凡庸なる諸生輩を罵《ののし》りき。されど物語の畢《をは》りしとき、彼は色を正して諫《いさ》むるやう、この一段のことは素《も》と生れながらなる弱き心より出でしなれば、今更に言はんも甲斐なし。とはいへ、学識あり、才能あるものが、いつまでか一少女の情にかかづらひて、目的なき生活《なりはひ》をなすべき。今は天方伯も唯だ独逸語を利用せんの心のみなり。おのれも亦《また》伯が当時の免官の理由を知れるが故《ゆゑ》に、強《しひ》て其《その》成心*を動かさんとはせず、伯が心中にて曲庇《きょくひ》者*なりなんど思はれんは、朋友に利なく、おのれに損あればなり。人を薦《すす》むるは先《ま》づ其能を示すに若《し》かず。これを示して伯の信用を求めよ。又彼《かの》少女との関係は、縦令《よしや》彼に誠ありとも、縦令情交は深くなりぬとも、人材を知りてのこひにあらず、慣習といふ一種の惰性より生じたる交《まじはり》なり。意を決して断てと。これその言《こと》のおほむねなりき。

大洋に舵《かぢ》を失ひしふな人が、遥《はるか》なる山を望む如きは、相沢が余に示したる前途の方《はう》鍼《しん》なり。されどこの山は猶《な》ほ重霧の間に在りて、いつ往きつかんも、否、果して往きつきぬとも、我中心に満足を与へんも定かならず。貧きが中にも楽しきは今の生活、棄て難きはエリスが愛。わが弱き心には思ひ定めんよしなかりしが、姑《しばら》く友の言に従ひて、この情縁を断たんと約しき。余は守る所を失はじと思ひて、おのれに敵するものには抗抵すれども、友に対して否とはえ対《こた》へぬが常なり。

別れて出づれば風面《おもて》を撲《う》てり。二重《ふたへ》の玻璃《ガラス》窓を緊《きび》しく鎖《とざ》して、大いなる陶炉に火を焚《た》きたる「ホテル」の食堂を出でしなれば、薄き外套を透《とほ》る午後四時の寒さは殊さらに堪へ難く、膚粟立《はだへあはだ》つと共に、余は心の中に一種の寒さを覚えき。

飜訳は一夜になし果てつ。「カイゼルホオフ」へ通ふことはこれより漸く繁くなりもて行く程に、初めは伯の言葉も用事のみなりしが、後には近比《ちかごろ》故郷にてありしことなどを挙げて余が意見を問ひ、折に触れては道中にて人々の失錯ありしことどもを告げて打笑ひ玉ひき。

一月ばかり過ぎて、或る日伯は突然われに向ひて、「余は明旦《あす》、魯西亜《ロシア》に向ひて出発すべし。随《したが》ひて来べきか、」と問ふ。余は数日間、かの公務に遑なき相沢を見ざりしかば、此《この》問は不意に余を驚かしつ。「いかで命に従はざらむ。」余は我恥を表はさん。此答はいち早く決断して言ひしにあらず。余はおのれが信じて頼む心を生じたる人に、卒然ものを問はれたるときは、咄嗟《とつさ》の間《かん》、その答の範囲を善くも量らず、直ちにうべなふことあり。*さてうべなひし上にて、その為《な》し難きに心づきても、強て当時の心虚《うつろ》なりしを掩《おほ》ひ隠し、耐忍してこれを実行すること屢々なり。

此日は飜訳の代《しろ》に、旅費さへ添へて賜はりしを持て帰りて、飜訳の代をばエリスに預けつ。これにて魯西亜より帰り来んまでの費《つひえ》をば支へつべし。彼は医者に見せしに常ならぬ身なりといふ。貧血の性《さが》なりしゆゑ、幾月か心づかでありけん。座頭《ざがしら》よりは休むことのあまりに久しければ籍を除きぬと言ひおこせつ。まだ一月ばかりなるに、かく厳しきは故あればなるべし。旅立の事にはいたく心を悩ますとも見えず。偽りなき我心を厚く信じたれば。

鉄路にては遠くもあらぬ旅なれば、用意とてもなし。身に合せて借りたる黒き礼服、新に買求めたるゴタ板《ばん》の魯廷《ろてい》の貴族譜*、二三種の辞書などを、小「カバン」に入れたるのみ。流石《さすが》に心細きことのみ多きこの程なれば、出で行く跡に残らんも物憂《ものう》かるべく、又停車場にて涙こぼしなどしたらんには影護《うしろめた》かるべければとて、翌朝早くエリスをば母につけて知る人がり出《いだ》*しやりつ。余は旅装整へて戸を鎖し、鍵《かぎ》をば入口に住む靴屋の主人に預けて出でぬ。

魯国行につきては、何事をか叙すべき。わが舌人《ぜつじん》*たる任務《つとめ》は忽地《たちまち》に余を拉《らっ》し去りて、青雲の上*に堕《おと》したり。余が大臣の一行に随ひて、ペエテルブルク*に在りし間に余を囲繞《ゐねう》せしは、巴里《パリー》絶頂の驕奢《けうしゃ》を、氷雪の裡《うち》に移したる王城の粧飾《さうしょく》、故《ことさ》らに黄蠟《わうらふ》の燭《しょく》を幾つ共《とも》なく点したるに、幾星の勲章、幾枝の「エポレット」*が映射する光、彫鏤《てうる》の工《たくみ》を尽したる「カミン」*の火に寒さを忘れて使ふ宮女の扇の閃《ひらめ》きなどにて、この間仏蘭西《フランス》語を最も円滑に使ふものはわれなるがゆゑに、賓主の間に周旋して事を弁ずるものもまた多くは余なりき。

この間余はエリスを忘れざりき、否、彼は日毎に書《ふみ》を寄せしかばえ忘れざりき。余が立ちし日には、いつになく独りにて燈火《ともしび》に向はん事の心憂さに、知る人の許《もと》にて夜に入るまでもの語りし、疲るるを待ちて家に還《かへ》り、直ちにいねつ。次の朝目醒《あしためざ》めし時は、猶独り跡に残りしことを夢にはあらずやと思ひぬ。起き出でし時の心細さ、かかる思ひをば、生計《たつき》*に苦みて、けふの日の食なかりし折にもせざりき。これ彼が第一の書の略《あらまし》なり。

又程経てのふみは頗《すこぶ》る思ひせまりて書きたる如くなりき。文をば否といふ字にて起したり。否、君を思ふ心の深き底《そこひ》をば今ぞ知りぬる。君は故里に頼もしき族《やから》なしとのたまへば、此地に善き世渡のたつきあらば、留り玉はぬことやはある。又我愛もて繋《つな》ぎ留めでは止《や》まじ。それも愜《かな》はで東に還り玉はんとならば、親と共に往かんは易けれど、か程に多き路用を何処《いづく》よりか得ん。怎《いか》なる業をなしても此地に留りて、君が世に出で玉はん日をこそ待ためと常には思ひしが、暫《しば》しの旅とて立出で玉ひしより此二十《はつ》日《か》ばかり、別離の思は日にけに茂りゆくのみ。袂《たもと》を分つはただ一瞬の苦艱《くかん》なりと思ひしは迷《まよひ》なりけり。我身の常ならぬが漸くにしるくなれる、それさへあるに、縦令《よしや》いかなることありとも、我をば努《ゆめ》な棄て玉ひそ。母とはいたく争ひぬ。されど我身の過ぎし頃には似で思ひ定めたるを見て心折れぬ。わが東に往かん日には、ステッチンわた*りの農家に、遠き縁者あるに、身を寄せんとぞいふなる。書きおくり玉ひし如く、大臣の君に重く用ゐられ玉はば、我路用の金は兎《と》も角《かく》もなりなん。今は只管《ひたすら》君がベルリンにかへり玉はん日を待つのみ。

嗚呼、余は此書を見て始めて我地位を明視し得たり。恥かしきはわが鈍き心なり。余は我身一つの進退につきても、また我身に係《かかは》らぬ他人《ひと》の事につきても、決断ありと自ら心に誇りしが、此決断は順境にのみありて、逆境にはあらず。我と人との関係を照さんとするときは、頼みし胸中の鏡は曇りたり。

大臣は既に我に厚し。されどわが近眼は唯《た》だおのれが尽したる職分をのみ見き。余はこれに未来の望を繋ぐことには、神も知るらむ、絶えて想到《おもひいた》らざりき。されど今ここに心づきて、我心は猶ほ冷然たりし歟《か》。先に友の勧めしときは、大臣の信用は屋上の禽《とり》*の如くなりしが、今は稍ゝ《やや》これを得たるかと思はるるに、相沢がこの頃の言葉の端に、本国に帰りて後も倶《とも》にかくてあらば云々《しかじか》といひしは、大臣のかく宣《のたま》ひしを、友ながらも公事なれば明《あきらか》には告げざりし歟。今更おもへば、余が軽卒にも彼に向ひてエリスとの関係を絶たんといひしを、早く大臣に告げやしけん。

嗚呼、独逸に来し初に、自ら我本領を悟りきと思ひて、また器械的人物とはならじと誓ひしが、こは足を縛して放たれし鳥の暫し羽を動かして自由を得たりと誇りしにはあらずや。足の糸は解くに由《よし》なし。曩《さき》にこれを繰《あや》つりしは、我某省《なにがししやう》の官長にて、今はこの糸、あなあはれ、天方伯の手中に在り。余が大臣の一行と倶にベルリンに帰りしは、恰《あたか》も是《こ》れ新年の旦《あした》なりき。停車場に別を告げて、我家をさして車を駆りつ。ここにては今も除夜に眠らず、元旦に眠るが習なれば、万戸寂然《せきぜん》たり。寒さは強く、路上の雪は稜角《りようかく》ある氷片となりて、晴れたる日に映じ、きらきらと輝けり。車はクロステル街に曲りて、家の入口に駐《とど》まりぬ。この時窓を開く音せしが、車よりは見えず。駆丁《ぎょてい》*に「カバン」持たせて梯《はしご》を登らんとする程に、エリスの梯を駈け下るに逢ひぬ。彼が一声叫びて我頸《うなじ》を抱きしを見て駆丁は呆《あき》れたる面もちにて、何やらむ髭《ひげ》の内にて云ひしが聞えず。

「善くぞ帰り来玉ひし。帰り来玉はずば我命は絶えなんを。」

我心はこの時までも定まらず、故郷を憶《おも》ふ念と栄達を求むる心とは、時として愛情を圧せんとせしが、唯だ此一刹那《せつな》、低徊踟蹰《ていくわいちちゆう》*の思は去りて、余は彼を抱き、彼の頭《かしら》は我肩に倚《よ》りて、彼が喜びの涙ははらはらと肩の上に落ちぬ。

「幾階か持ちて行くべき。」と鑼《どら》の如く叫びし駆丁は、いち早く登りて梯の上に立てり。

戸の外に出迎へしエリスが母に、駆丁を労《ねぎら》ひ玉へと銀貨をわたして、余は手を取りて引くエリスに伴はれ、急ぎて室に入りぬ。一瞥《いちべつ》して余は驚きぬ、机の上には白き木綿《もめん》、白き「レエス」などを堆《うづたか》く積み上げたれば。

エリスは打笑《うちゑ》みつつこれを指《ゆびさ》して、「何とか見玉ふ、この心がまへを。」といひつつ一つの木綿ぎれを取上ぐるを見れば襁褓《むつき》*なりき。「わが心の楽しさを思ひ玉へ。産れん子は君に似て黒き瞳子《ひとみ》をや持ちたらん。この瞳子。嗚呼、夢にのみ見しは君が黒き瞳子なり。産れたらん日には君が正しき心にて、よもあだし名*をばなのらせ玉はじ。」彼は頭を垂れたり。「穉《をさな》しと笑ひ玉はんが、寺に入らん日*はいかに嬉しからまし。」見上げたる目には涙満ちたり。

二三日の間は大臣をも、たびの疲れやおはさんとて敢《あへ》て訪《とぶ》らはず、家にのみ籠《こも》り居しが、或《あ》る日の夕暮使して招かれぬ。往きて見れば待遇殊《こと》にめでたく、魯西亜行の労を問ひ慰めて後、われと共に東《ひんがし》にかへる心なきか、君が学問こそわが測り知る所ならね、語学のみにて世の用には足りなむ、滞留の余りに久しければ、様々の係累もやあらんと、相沢に問ひしに、さることなしと聞きて落居《おちゐ》たりと*宣ふ。其気色《けしき》辞《いな》むべくもあらず。あなやと思ひしが、流石《さすが》に相沢の言を偽なりともいひ難きに、若しこの手にしも縋《すが》らずば、本国をも失ひ、名誉を挽《ひ》きかへさん道をも絶ち、身はこの広漠たる欧洲大都の人の海に葬《はうむ》られんかと思ふ念、心頭を衝《つ》いて起れり。嗚呼、何等の特操*なき心ぞ、「承はり侍《はべ》り」と応へたるは。

黒がねの額《ぬか》*はありとも、帰りてエリスに何とかいはん。「ホテル」を出でしときの我心の錯乱は、譬《たと》へんに物なかりき。余は道の東西をも分かず、思に沈みて行く程に、往きあふ馬車の馭丁に幾度か叱《しつ》せられ、驚きて飛びのきつ。暫《しばら》くしてふとあたりを見れば、獣苑《じうゑん》の傍《かたはら》に出でたり。倒るる如くに路《みち》の辺の榻《こしかけ》*に倚りて、灼《や》くが如く熱《ねつ》し、椎《つち》にて打たるる如く響く頭を榻背《たふはい》に持たせ、死したる如きさまにて幾時をか過しけん。劇《はげ》しき寒さ骨に徹すと覚えて醒《さ》めし時は、夜に入りて雪は繁く降り、帽の庇《ひさし》、外套《ぐわいたう》の肩には一寸許《ばかり》も積りたりき。

最早《もはや》十一時をや過ぎけん、モハビット*、カルル街*通ひの鉄道馬車の軌道も雪に埋《うづ》もれ、ブランデンブルゲル門の畔《ほとり》の瓦斯《ガス》燈《とう》は寂しき光を放ちたり。立ち上らんとするに足の凍えたれば、両手にて擦《さす》りて、漸《やう》やく歩み得る程にはなりぬ。

足の運びの捗《はかど》らねば、クロステル街まで来しときは、半夜をや過ぎたりけん。ここ迄《まで》来し道をばいかに歩みしか知らず。一月上旬の夜なれば、ウンテル、デン、リンデンの酒家、茶店は猶《な》ほ人の出入盛りにて賑《にぎ》はしかりしならめど、ふつに覚えず。我脳中には唯〻我は免《ゆる》すべからぬ罪人なりと思ふ心のみ満ち満ちたりき。

四階の屋根裏には、エリスはまだ寝《い》ねずと覚《お》ぼしく、烱然《けいぜん》*たる一星の火、暗き空にすかせば、明かに見ゆるが、降りしきる鷺《さぎ》の如き雪片に、乍《たちま》ち掩はれ、乍ちまた顕《あらは》れて、風に弄《もてあそ》ばるるに似たり。戸口に入りしより疲を覚えて、身の節の痛み堪へ難ければ、這《は》ふ如くに梯を登りつ。庖厨《はうちゆう》を過ぎ、室《へや》の戸を開きて入りしに、机に倚りて襁褓《むつき》縫ひたりしエリスは振り返へりて、「あ」と叫びぬ。「いかにかし玉ひし。おん身の姿は。」

驚きしも宜《うべ》なりけり、蒼然《さうぜん》として死人に等しき我面色、帽をばいつの間にか失ひ、髪は蓬《おど》ろと乱れて、幾度か道にて跌《つまづ》き倒れしことなれば、衣は泥まじりの雪に汚《よご》れ、処々は裂けたれば。

余は答へんとすれど声出でず、膝《ひざ》の頻《しき》りに戦《をのの》かれて立つに堪へねば、椅子を握《つか》まんとせしまでは覚えしが、その儘《まま》に地に倒れぬ。

人事を知る程になりしは数週《すしう》の後なりき。熱劇しくて譫語《うはこと》のみ言ひしを、エリスが懇《ねもごろ》にみとる程に、或日相沢は尋ね来て、余がかれに隠したる顚末《てんまつ》を審《つば》らに知りて、大臣には病の事のみ告げ、よきやうに繕《つくろ》ひ置きしなり。余は始めて病牀《びやうしやう》に侍するエリスを見て、その変りたる姿に驚きぬ。彼はこの数週の内にいたく痩《や》せて、血走りし目は窪《くぼ》み、灰色の頰は落ちたり。相沢の助にて日々の生計《たつき》には窮せざりしが、此恩人は彼を精神的に殺ししなり。

後に聞けば彼は相沢に逢ひしとき、余が相沢に与へし約束を聞き、またかの夕べ大臣に聞え上げし一諾《いちだく》を知り、俄《にはか》に座より躍り上がり、面色さながら土の如く、「我豊太郎ぬし、かくまでに我をば欺き玉ひしか」と叫び、その場に僵《たふ》れぬ。相沢は母を呼びて共に扶《たす》けて床に臥《ふせ》させしに、暫くして醒めしときは、目は直視したるままにて傍《かたはら》の人をも見知らず、我名を呼びていたく罵り、髪をむしり、蒲団《ふとん》を嚙《か》みなどし、また遽《にはか》に心づきたる様にて物を探り討《もと》めたり。母の取りて与ふるものをば悉《ことごと》く抛《なげう》ちしが、机の上なりし襁褓を与へたるとき、探りみて顔に押しあて、涙を流して泣きぬ。

　これよりは騒ぐことはなけれど、精神の作用は殆《ほとんど》全く廃して、その痴《ち》なること赤児の如くなり。医に見せしに、過劇なる心労にて急に起りし「パラノイア*」といふ病なれば、治癒の見込なしといふ。ダルドルフ*の癲狂院《てんきやうゐん》*に入れむとせしに、泣き叫びて聴かず、後にはかの襁褓一つを身につけて、幾度か出《いだ》しては見、見ては歔欷《ききよ》す。余が病牀をば離れねど、これさへ心ありてにはあらずと見ゆ。ただをりをり思ひ出したるやうに「薬を、薬を」といふのみ。

　余が病は全く癒《い》えぬ。エリスが生ける屍《かばね》を抱きて千《ち》行《すぢ》の涙を濺《そそ》ぎしは幾度ぞ。大臣に随ひて帰東の途に上ぼりしときは、相沢と議《はか》りてエリスが母に微《かすか》なる生計《たつき》を営むに足るほどの資本を与へ、あはれなる狂女の胎内に遺《のこ》しし子の生れむをりの事をも頼みおきぬ。

　嗚呼、相沢謙吉が如き良友は世にまた得がたかるべし。されど我脳裡《なうり》に一点の彼を憎むこころ今日までも残れりけり。

うたかたの記

上

幾頭の獅子《しし》の挽《ひ》ける車の上に、勢よく突立ちたる、女神《によしん》バワリア*の像は、先王ルウドヰヒ第一世*が此凱旋門《このがいせんもん》*に据《す》ゑさせしなりといふ。その下《もと》よりルウドヰヒ町を左に折れたる処《ところ》に、トリエント*産の大理石にて築きおこしたるおほいへあり。これバワリアの首府に名高き見ものなる美術学校*なり。校長ピロッチイ*が名は、をちこちに鳴りひびきて、独逸《ドイツ》の国々はいふもさらなり、新希臘《しんギリシア》、伊太利《イタリア》、璉馬《デンマルク》などよりも、ここに来りつどへる彫工、画工数を知らず。日課を畢《を》へて後は、学校の向ひなる、「カッフエエ、ミネルワ」*といふ店に入りて、珈琲《カツフエエ》のみ、酒くみかはしなどして、おもひおもひの戯《たはぶれ》す。こよひも瓦斯《ガス》燈《とう》の光、半ば開きたる窓に映じて、内には笑ひさざめく声聞ゆるをり、かどにきかかりたる二人あり。

先に立ちたるは、かち色*の髪のそそけたるを厭《いと》はず、幅広き襟飾《えりかざり》斜に結びたるさま、誰《た》が目にも、ところの美術諸生と見ゆるなるべし。立ち住《どま》りて、後なる色黒き小男に向ひ、「ここなり」といひて、戸口をあけつ。

先《ま》づ二人が面《おもて》を撲《う》つはたばこの烟《けぶり》にて、遽《にはか》に入りたる目には、中なる人をも見わきがたし。日は暮れたれど暑き頃なるに、窓悉《ことごと》くあけ放ちはせで、かかる烟の中に居るも、習となりたるなるべし。「エキステル*ならずや、いつの間にか帰りし。」「なほ死なでありつるよ。」など口々に呼ぶを聞けば、彼《かの》諸生はこの群にて、馴染《なじみ》あるものならむ。その間、あたりなる客は珍らしげに、後につきて入来《いりきた》れる男を見つめたり。見つめらるる人は、座客《ざかく》のなめなるを厭ひてか、暫《しば》し眉根《まゆね》に皺《しわ》寄せたりしが、とばかり思ひかへししにや、僅《わづか》に笑《ゑみ》を帯びて、一座を見度《みわた》しぬ。

この人は今着きし汽車にて、ドレスデン*より来にければ、茶店のさまの、かしこここと殊《こと》なるに目を注ぎぬ。大理石の円卓《まるづくゑ》幾つかあるに、白布《しらぬの》掛けたるは、夕餉《ゆふげ》畢《をは》りし迹《あと》をまだ片附けざるならむ。裸なる卓に倚《よ》れる客の前に据ゑたる土やきの盃《さかづき》あり。盃は円筒形《ゑんとうがた》にて、燗徳利《かんどくり》四つ五つも併せたる大《おほい》さなるに、弓なりのとり手つけて、金《かな》蓋《ふた》を蝶番《てふつがひ》に作りて覆《おほ》ひたり。客なき卓に珈琲碗《わん》置いたるを見れば、みな倒《さかしま》に伏せて、糸底の上に砂糖、幾塊か盛れる小皿載せたるもをかし。

客はみなりも言葉もさまざまなれど、髪もけづらず、服も整へぬは一様なり。されどあながち卑しくも見えぬは、流石《さすが》芸術世界に遊べるからにやあるらむ。中にも際立《きはだ》ちて賑《にぎは》しきは中央なる大卓を占めたる一群《ひとむれ》なり。余所《よそ》には男客のみなるに、独《ひとり》ここには少女《をとめ》あり。今エキステルに伴はれて来し人と目を合はせて、互に驚きたる如《ごと》し。来し人はこの群に珍らしき客なればにや。また少女の姿は、初めて逢《あ》ひし人を動かすに余《あまり》あらむ。前庇《まへびさし》広く飾なき帽を被《か》ぶりて、年は十七八ばかりと見ゆる顔《かん》ばせ、ヱヌス*の古彫像を欺《あざむ》けり。そのふるまひには自《おのづか》ら気高き処ありて、かいなで*の人と覚えず。エキステルが隣の卓なる一人の肩を拍《う》ちて、何事をか語居たるを呼びて、「こなたには面白き話一つする人なし。此様子にては骨牌《カルタ》に遁《のが》れ球突《たまつき》に走るなど、忌《いま》はしき事を見むも知られず。おん連れの方と共に、こなたへ来たまはずや。」と笑みつつ勧むる、その声の清きに、いま来し客は耳傾《かたぶ》けつ。

「マリイの君の居玉ふ処へ、誰か行かざらむ。人々も聞け、けふ此『ミネルワ』の仲間に入れむとて伴ひたるは、巨勢《こせ》*君とて、遠きやまとの画工なり。」とエキステルに紹介せられて、随来《したがひき》ぬる男の近寄りて会釈《ゑしやく》するに、起《た》ちて名《な》告りなどするは、外国人《とつくにびと》のみ。さらぬは坐したる儘《まま》にて答ふれど、侮《あなど》りたるにもあらず、此仲間の癖なるべし。エキステル、「わがドレスデンなる親族《みうち》訪ねにゆきしは人々も知りたり。巨勢君にはかしこなる画堂*にて逢ひ、それより交《まじはり》を結びて、こたび巨勢君、ここなる美術学校に、しばし足を駐《とど》めむとて、旅立ち玉ふをり、われも倶《とも》にかへり路《ぢ》に上りぬ。」人々は巨勢に向ひて、はるばる来ぬる人と相識《あひし》れるよろこびを陳《の》べ、さて、「大学にはおん国人も、をりをり見ゆれど、美術学校に来たまふは、君がはじめなり。けふ着きたまひしことなれば、『ピナコテエク』*、また美術会の画堂なども、まだ見玉はじ。されど余所《よそ》にて見たまひし処にて、南独逸の画を何とか見たまふ。こたび来たまひし君が目的は奈何《いかに》。」など口々に問ふ。マリイはおしとどめて、「しばししばし、かく口を揃《そろ》へて問はるる、巨勢君とやらむの迷惑、人々おもはずや。聞かむとならば、静まりてこそ。」といふを、「さても女主人《をみなあるじ》の厳しさよ、」と人々笑ふ。巨勢は調子こそ異様《ことざま》なれ、拙《つたな》からぬ独逸語にて語りいでぬ。

「わがミユンヘンに来しは、このたびを始とせず。六年《むとせ》前にここを過ぎて、索遜《サクセン》*にゆきぬ。そのをりは『ピナコテエク』に懸けたる画を見しのみにて、学校の人々などに、交を結ぶことを得ざりき。そは故郷を出《い》でし時よりの目あてなるドレスデンの画堂へ往《ゆ》かむと、心のみ急がれしゆゑなり。されど再びここに来て、君等がまとゐ*に入ることとなりし、其《その》因縁をば、早く当時に結びぬ。」

「大人気《おとなげ》なしといひけたで*聞き玉へ。謝肉《カルネワル》の祭*、はつる日の事なりき。『ピナコテエク』の館《やかた》出でし時は、雪いま晴れて、街《ちまた》の中道《なかみち》なる並木の枝は、一つ一つ薄き氷にてつつまれたるが、今点ぜし街燈に映じたり。いろいろの異様なる衣を着て、白く又黒き百眼《ひやくまなこ》*掛けたる人、群をなして往来《ゆきき》し、ここかしこなる窓には毛氈《もうせん》垂れて、物見としたり。カルルの辻《つじ》なる『カッフエエ、ロリアン』に入りて見れば、おもひおもひの仮装色を争ひ、中に雑《まじ》りし常の衣もはえある心地す。みなこれ『コロッセウム』、『ヰクトリア』などいふ舞踏場のあくを待てるなるべし。

かく語る処へ、胸当につづけたる白前垂《まへだれ》掛けたる下女《はしため》、麦酒《ビイル》の泡だてるを、ゆり越すばかり盛りたる例の大杯《おほさかづき》を、四つ五つづつ、とり手を寄せてもろ手に握りもち、「新しき樽《たる》よりとおもひて、遅うなりぬ。許したまへ。」とことわりて、前なる杯飲みほしたりし人々にわたすを、少女、「ここへ、ここへ」と呼びちかづけて、まだ杯持たぬ巨勢が前にも置かす。巨勢は一口飲みて語りつづけぬ。

「われも片隅なる一榻《いつたふ》に腰掛けて、賑はしきさま打見るほどに、門《かど》の戸あけて入りしは、きたなげなる十五ばかりの伊太利栗《イタリアぐり》うりにて、焼栗盛りたる紙筒《かみづつ》を、堆《うづたか》く積みし箱かいこみ、『マロオニイ、セニヨレ。』*（栗めせ、君）と呼ぶ声も勇ましき、後につきて入りしは、十二三と見ゆる女《をみな》の子なりき。旧《ふる》びたる鷹匠頭巾《カプウチエ》*、ふかぶかと被《かぶ》り、凍えて赤うなりし両手さしのべて、浅き目籠《めご》*の縁を持ちたり。目籠には、常盤木《ときはぎ》*の葉、敷き重ねて、その上に時ならぬ菫花《すみれ》の束を、愛らしく結びたるを載せたり。『ファイルヘン、ゲフエルリヒ』*（すみれめせ）と、うなだれたる首《かうべ》を擡《もた》げもあへでいひし声の清さ、今に忘れず。この童《わらべ》と女の子と、道連れとは見えねば、童の入るを待ちて、これをしほに、女の子は来しならむとおもはれぬ。」

「この二人のさまの殊なるは、早くわが目を射き。人を人ともおもはぬ、殆《ほとんど》憎げなる栗うり、やさしくいとほしげなるすみれうり、いづれも群居る人の間を分けて、座敷の真中《まなか》、帳場の前あたりまで来し頃、そこに休み居たる大学々生らしき男の連れたる、英吉利種《イギリスだね》の大狗《おほいぬ》、いままで腹這《はらば》ひて居たりしが、身を起して、背をくぼめ、四足を伸ばし、栗箱に鼻さし入れつ。それと見て、童の払ひのけむとするに、驚きたる狗、あとに附きて来し女の子に突当れば、『あなや、』とおびえて、手に持ちし目籠とり落したり。茎に錫紙《すずがみ》巻きたる、美しきすみれの花束、きらきらと光りて、よもに*散りぼふを、好き物得つと彼《かの》狗、踏みにじりては、嚙《くは》へて引きちぎりなどす。ゆかは煖炉《だんろ》の温《ぬく》まりにて解けたる、靴の雪にぬれたれば、あたりの人々、かれ笑ひ、これ罵《ののし》るひまに、落花狼藉《らうぜき》、なごりなく泥土に委《ゆだ》ねたり。栗うりの童は、逸足《いちあし》*出《いだ》して逃去り、学生らしき男は、欠《あく》びしつつ狗を叱《しつ》し、女の子は呆《あき》れて打守りたり。この菫花うりの忍びて泣かぬは、うきになれて涙の泉涸《か》れたりしか、さらずは驚き惑ひて、一日の生計《たつき》、これがために已《や》まむとまでは想到《おもひいた》らざりしか。しばしありて、女の子は砕けのこりたる花束二つ三つ、力なげに拾はむとするとき、帳場にゐる女の知らせに、ここの主人《あるじ》出でぬ。赤がほにて、腹突きいだしたる男の、白き前垂したるなり。太き拳《こぶし》を腰にあてて、花売りの子を暫し睨《にら》み、『わが店にては、暖簾師《ハウジイレル》*めいたるあきなひ、せさせぬが定《さだめ》なり。疾《と》くゆきね。』とわめきぬ。女の子は唯《ただ》言葉なく出でゆくを、満堂の百《ひやく》眼《まなこ》、一滴の涙なく見送りぬ。」

「われは珈琲《カツフエ》代の白銅貨を、帳場の石板の上に擲《な》げ、外套《ぐわいたう》取りて出でて見しに、花売の子は、ひとりさめざめと泣きてゆくを、呼べども顧みず。追付きて、『いかに、善き子、菫花のしろ取らせむ。』といふを聞きて、始めて仰見《あふぎみ》つ。そのおもての美しさ、濃き藍《あゐ》いろの目には、そこひ*知らぬ憂《うれひ》ありて、一たび顧みるときは人の腸《はらわた》を断たむとす。嚢中《なうちゆう》*の『マルク』*七つ八つありしを、から籠《かご》の木の葉の上に置きて与へ、驚きて何ともいはぬひまに、立去りしが、その面《おもて》、その目《まみ》、いつまでも目に付きて消えず。ドレスデンにゆきて、画堂の額うつすべき許を得て、ヱヌス、レダ、*マドンナ、*ヘレナ、*いづれの図に向ひても、不思議や、すみれ売のかほばせ霧の如く、われと画額との間に立ちて障礙《しやうげ》をなしつ。かくては所詮《しよせん》、我業《わざ》の進まむこと覚束《おぼつか》なしと、旅店の二階に籠《こ》もりて、長椅子《ながいす》の覆革《おほひかは》に穴あけむとせし頃もありしが、一朝大勇猛心を奮ひおこして、わがあらむ限の力をこめて、此花売の娘の姿を無窮に伝へむと思ひたちぬ。さはあれどわが見し花うりの目、春潮を眺むる喜の色あるにあらず、暮雲を送る夢見心あるにあらず、伊太利古跡の間に立たせて、あたりに一群《ひとむれ》の白鳩《しろばと》飛ばせむこと、ふさはしからず。我空想はかの少女《をとめ》をライン*の岸の巌根《いはね》に居らせて、手に一張《ひとはり》の琴を把《と》らせ、嗚咽《をえつ》の声を出させむとおもひ定めにき。下なる流にはわれ一葉の舟を泛《うか》べて、かなたへむきてもろ手高く挙げ、面《おもて》にかぎりなき愛を見せたり。舟のめぐりには数知られぬ、『ニックセン』*、『ニュムフエン』*などの形波間より出でて揶揄《やゆ》す。けふ此のミュンヘンの府に来て、しばし美術学校の『アトリエ』借らむとするも、行李《かうり》の中、唯此一画藁《ぐわかう》、これをおん身等師友の間に議《はか》りて、成しはてむと願ふのみ。」

巨勢はわれ知らず話しいりて、かくいひ畢《をは》りし時は、モンゴリア形《がた》*の狭き目も光るばかりなりき。「いしくも語*りけるかな、」と呼ぶもの二人《ふたり》三人《みたり》。エキステルは冷淡に笑ひて聞居たりしが、「汝《なんぢ》たちもその図見にゆけ、一週が程には巨勢君の『アトリエ』ととのふべきに」といひき。マリイは物語の半《なかば》より色をたがへて、目は巨勢が唇にのみ注ぎたりしが、手に持ちし杯さへ一たびは震ひたるやうなりき。巨勢は初此《はじめ》まとゐに入りし時、已《すで》に少女の我すみれうりに似たるに驚きしが、話に聞きほれて、こなたを見つめたるまなざし、あやまたず是《こ》れなりと思はれぬ。こも例の空想のしわざなりや否《いな》や。物語畢りしとき、少女は暫し巨勢を見やりて、「君はその後、再び花うりを見たまはざりしか、」と問ひぬ。巨勢は直ちに答ふべき言葉を得ざるやうなりしが。「否。花売を見し其夕《ゆふべ》の汽車にてドレスデンを立ちぬ。されどなめなる言葉を咎《とが》め玉はずばきこえ侍《はべ》らむ。我すみれうりの子にもわが『ロオレライ』*の画にも、をりをりたがはず見えたまふはおん身なり。」

この群は声高く笑ひぬ。少女、「さては画額ならぬ我姿と、君との間にも、その花うりの子立てりと覚えたり。我を誰とかおもひ玉ふ。」起ちあがりて、真面目《まじめ》なりとも戯《たはぶれ》なりとも、知られぬ様なる声にて。「われはその菫花うりなり。君が情《なさけ》の報《むくい》はかくこそ。」少女は卓《たく》越しに伸びあがりて、俯《うつむ》きゐたる巨勢が頭《かしら》を、ひら手にて抑へ、その額に接吻《せつぷん》しつ。

この騒ぎに少女が前なりし酒は覆《くつが》へりて、裳《もすそ》を浸し、卓の上にこぼれたるは、蛇の如く這《は》ひて、人々の前へ流れよらむとす。巨勢は熱き手掌《たなごこ》を、両耳《りやうじ》の上におぼえ、驚く間もなく、またこれより熱き唇、額に触れたり。「我友に目を廻させたまふな。」とエキステル呼びぬ。人々は半ば椅子より立ちて「いみじき戯かな、」と一人がいへば、「われらは継子《ままこ》なるぞくやしき、」と外の一人いひて笑ふを、余所《よそ》なる卓よりも、皆興ありげにうち守りぬ。

少女が側《そば》に坐したりし一人は、「われをもすさめ玉はむや、」*といひて、右手《めて》さしのべて少女が腰をかき抱《いだ》きつ。少女は「さても礼儀知らずの継子どもかな、汝等にふさはしき接吻のしかたこそあれ。」と叫び、ふりほどきて突立ち、美しき目よりは稲妻出づと思ふばかり、しばし一座を睨みつ。巨勢は唯呆れに呆れて見居たりしが、この時の少女が姿は、菫花うりにも似ず、「ロオレライ」にも似ず、さながら凱旋門上のバワリアなりと思はれぬ。

少女は誰《た》が飲みほしけむ珈琲碗に添へたりし「コップ」を取りて、中なる水を口に銜《ふく》むと見えしが、唯一噀《ひとふき》。「継子よ、継子よ、汝等誰か美術の継子ならざる。フイレンチエ派*学ぶはミケランジエロ、*ヰンチイ*が幽霊、和蘭《オランダ》派*学ぶはルウベンス、*ファン・ダイク*が幽霊、我国のアルブレヒト・ドユウレル*学びたりとも、アルブレヒト・ドユウレルが幽霊ならぬは稀《まれ》ならむ。会堂に掛けたる『スツヂイ』*二つ三つ、直段《ねだん》好く売れたる暁には、われらは七星われらは十傑、われらは十二使徒*と擅《ほしいまま》に見たてしてのわれぼめ。かかるえり屑《くづ》にミネルワの唇いかで触れむや。わが冷たき接吻にて、満足せよ。」とぞ叫びける。

噴掛《ふきか》けし霧の下なる此演説、巨勢は何事とも弁《わきま》へねど、時の絵画をいやしめたる、諷刺《ふうし》ならむとのみは推測《おしはか》りて、その面を打仰ぐに、女神《によしん》バワリアに似たりとおもひし威厳少しもくづれず、言畢《いひをは》りて卓の上におきたりし手袋の酒に濡《ぬ》れたるを取りて、大《おほ》股《また》にあゆみて出でゆかむとす。

皆すさまじげなる気色*して、「狂人」と一人いへば、「近きに報せでは已《や》まじ」と外の一人いふを、戸口にて振りかへりて。「遺恨に思ふべき事かは、月影にすかして見よ、額に血の迹《あと》はとどめじ。吹きかけしは水なれば。」

中

あやしき少女《をとめ》の去りてより、程なく人々あらけぬ。*帰り路《ぢ》にエキステルに問へば、「美術学校にて雛形《モデル》となる少女の一人にて、『フロイライン』*ハンスルといふものなり。見たまひし如《ごと》く奇怪なる振舞するゆゑ、狂女なりともいひ、また外の雛形娘と違ひて、人に肌見せねば、かたはにやといふもあり。その履歴知るものなけれど、教《をしへ》ありて気象よの常ならず、汚《けが》れたる行《おこなひ》なければ、美術諸生の仲間には、喜びて友とするもの多し。善き首《かうべ》なることは見たまふ如し。」と答へぬ。巨勢、「我画かくにもようあるべきものなり。『アトリエ』ととのはむ日には、来《こ》よと伝へたまへ。」エキステル、「心得たり。されど十三の花売娘にはあらず、裸体の研究、危しとはおもはずや。」巨勢、「裸体の雛形せぬ人と君もいひしが。」エキステル、「現《げ》にいはれたり。されど男と接吻したるも、けふ始めて見き。」エキステルがこの言葉に、巨勢は赤うなりしが、街燈暗き「シルレル、モヌメント*」のあたりなりしかば、友は見ざりけり。巨勢が「ホテル」の前にて、二人は袂《たもと》を分ちぬ。

一週程後の事なりき。エキステルが周旋にて、美術学校の「アトリエ」一間《ひとま》を巨勢に借されぬ。南に廊下ありて、北面の壁は硝子《ガラス》の大窓に半《なかば》を占められ、隣の間とのへだてには唯帆木綿《ほもめん》の幌《とばり》あるのみ。頃はみな月半ば*なれば、旅立ちし諸生多く、隣に人もあらず、業《わざ》妨ぐべき憂なきを喜びぬ。巨勢は画額の架《スタツフアアジユ》の前に立ちて、今入りし少女に「ロオレライ」の画を指さし示して、「君に聞かれしはこれなり。面白げに笑ひたはふれ玉ふときは、さしもおもはれねど、をりをり君がおも影の、ここなる未成の人物にいとふさはしきときあり。」

少女は高く笑ひて。「物忘したまふな。おん身が『ロオレライ』の本の雛形、すみれ売の子は我なりとは、先の夜も告げしものを。」かくいひしが俄《にはか》に色を正して。「おん身は我を信じたまはず、げにそれも無理ならず。世の人は皆我を狂女なりといへば、さおもひたまふならむ。」この声 戯《たはぶれ》 とは聞えず。

巨勢は半信半疑したりしが、忍びかねて少女にいふ、「余りに久しくさいなみ玉ふな*。今も我が額《ぬか》に燃ゆるは君が唇なり。はかなき戯とおもへば、しひて忘れむとせしこと、幾度か知らねど、迷は遂《つひ》に晴れず。あはれ君がまことの身の上、苦しからずは聞かせ玉へ。」

窓の下《もと》なる小机に、いま行李より出したる旧《ふる》き絵入新聞、遣《つか》ひさしたる油ゑの具の錫筒《すずづつ》、粗末なる烟管《きせる》にまだ巻烟草《まきたばこ》の端の残れるなど載せたるその片端に、巨勢はつら杖《つゑ》*つきたり。少女は前なる籐《とう》の椅子に腰かけて、語りいでぬ。

「まづ何事よりか申さむ。此《この》学校にて雛形の鑑札受くるときも、ハンスルといふ名にて通したれど、そは我真《まこと》の名にあらず。父はスタインバハとて、今の国王*に愛《め》でられて、ひと時栄えし画工なりき。わが十二の時、王宮の冬園《キンテルガルデン》*に夜会ありて、二親みな招かれぬ。宴闌《うたげたけなは》なる頃、国王見えざりければ、人々驚きて、移植《うつし》ゑし熱帯艸木《さうもく》いやが上に茂れる、硝子屋根の下、そこかここかと捜しもとめつ。園の片隅にはタンダルヂニスが刻める、ファウストと少女との名高き石像*あり。わが父のそのあたりに来たりし時、胸裂くるやうなる声して、『助けて、助けて』と叫ぶものあり。声をしるべに、黄金《こがね》の穹窿《まるてんじやう》おほひたる、『キオスク』*(四阿屋《あづまや》)の戸口に立寄れば、周囲に茂れる棕櫚《しゆろ》の葉に、瓦斯《ガス》燈《とう》の光支へられたるが、濃き五色にて画きし、窓硝子を洩《も》りてさしこみ、薄暗くあやしげなる影をなしたる裡《うち》に、一人の女《をみな》の逃げむとすまふ*を、ひかへたるは王なりき。その女のおもて見し時の、父が心はいかなりけむ。かれは我母なりき。父はあまりの事に、しばしたゆたひしが、『許したまへ、陛下』と叫びて、王を推《おし》倒しつ。そのひまに母は走りのきしが、不意を打たれて倒れし王は、起き上りて父に組付きぬ。肥えふとりて多力なる国王に、父はいかでか敵し得べき、組敷かれて、側《かたはら》なりし如露《じよろ》にてしたたか打たれぬ。この事知りて諫《いさ》めし、内閣の秘書官チイグレルは、ノイシユワンスタイン*なる塔に押籠《おしこ》めらるる筈《はず》なりしが、救ふ人ありて助けられき。われは其夜家にありて、二親の帰るを待ちしに、下女《はしため》来て父母帰り玉ひぬといふ。喜びて出迎《いでむか》ふれば、父昇《か》かれて帰り、母は我を抱きて泣きぬ。」

　少女は暫《しば》らく黙しつ。けさより曇りたる空は、雨になりて、をりをり窓を打つ雫《しづく》、はらはらと音す。巨勢いふ。「王の狂人となりて、スタルンベルヒの湖*に近き、ベルヒといふ城*に遷《うつ》され玉ひしことは、きのふ新聞にて読みしが、さては其頃よりかかる事ありしか。」

　少女は語を継ぎて。「王の繁華の地を嫌ひて、鄙《ひな》に住まひ、昼寝《い》ねて夜起きたまふは、久しき程の事なり。独逸、仏蘭西《フランス》の戦ありし時*、加特力《カトリック》派の国会に打勝ちて、普魯西《プロシャ》方につきし、王が中年のいさをは、次第に暴政の噂《うはさ》に掩《おほ》はれて、公《おほや》けにこそ言ふものなけれ、陸軍大臣メルリンゲル、大蔵大臣リイデルなど、故《ゆゑ》なくして死刑に行はれむとしたるを、其筋にて秘めたるは、誰知らぬものなし。王の昼寝し玉ふときは、近衆《きんじゆう》みな却《しりぞ》けられしが、囈語《うはこと》にマリイといふこと、あまたたびいひたまふを聞きしもありといふ。我母の名もマリイといひき。望なき恋は、王の病を長ぜしにあらずや。

母はかほばせ我に似たる処ありて、その美しさは宮の内にて類《たぐひ》なかりきと聞きつ。」

「父は間もなく病みて死にき。交《まじはり》広く、もの惜みせず、世事には極めて疎《うと》かりければ、家に遺財つゆばかりもなし。それよりダハハウエル街＊の北のはてに、裏屋の二階明きたりしを借りて住みしが、そこに遷りてより、母も病みぬ。かかる時にうつろふものは、人の心の花なり。数知らぬ苦しき事は、わが穉き心に、早く世の人を憎ましめき。明る年の一月、謝肉祭の頃なりき、家財衣類なども売尽して、日々の烟《けぶり》も立てかぬるやうになりしかば、貧しき子供の群に入りてわれも菫花《すみれ》売ることを覚えつ。母のみまかる前、三日四日の程を安く送りしは、おん身の賜《たまもの》なりき。」

「母のなきがら片付けなどするとき、世話せしは、一階高くすまひたる裁縫師なり。あはれなる孤《みなしご》ひとり置くべきにあらずとて、迎取られしを喜びしこと、今おもひ出しても口惜《くや》しき程なり。裁縫師には、娘二人ありて、いたく物ごのみして、みづから街《てら》ふさまなるを見しが、迎取られてより伺へば、夜に入りて屢《しばしば》客あり。酒など飲みて、＊はては笑ひ罵《ののし》り、また歌ひなどす。客は外国《とつくに》の人多く、おん国の学生なども見えしやうなりき。或る日主人《あるじ》われにも新しき衣《きぬ》着よといひしが、そのをりその男の我を見て笑ひし顔、何となく怖《おそ》ろしく、子供心にもうれしとはおもはざりき。午《ひる》すぎし頃、四十ばかりなる知らぬ人来て、スタルンベルヒの湖水へ往《ゆ》かむといふを、主人も倶《とも》に勧めき。父の世に在りしとき、伴はれてゆきし嬉しさ、猶《なほ》忘れざりしかば、しぶしぶ諾《うべな》ひつるを、「かくてこそ善き子なれ」とみな誉《ほ》めつ。連れなる男は、途《みち》にてやさしくのみ扱ひて、かしこにては『バワリア』といふ座敷船《ザロンダムフエル》に乗り、食堂にゆきて物食はせつ。酒もすすめぬれど、そは慣れぬものなれば、辞《いな》みて飲まざりき。ゼエスハウプト*に船はてしとき、その人はまた小舟を借り、これに乗りて遊ばむといふ。暮れゆくそらに心細くなりしわれは、はやかへらむといへど、聴かずして漕出《こぎい》で、岸辺に添ひてゆくほどに、人げ遠き葦間《あしま》に来りしが、男は舟をそこに停めつ。わが年はまだ十三にて、初は何事ともわきまへざりしが、後には男の顔色もかはりておそろしく、われにもあらで、水に躍入《をどりい》りぬ。暫しありて我にかへりしときは、湖水の畔《ほとり》なる漁師の家にて、貧しげなる夫婦のものに、介抱せられて居たりき。帰るべき家なしと言張りて、一日《ひとひ》二日《ふたひ》と過す中《うち》に、漁師夫婦の質朴なるに馴染《なじ》みて、不幸なる我身の上を打明けしに、あはれがりて娘として養ひぬ。ハンスルといふは、この漁師の名なり。」

「かくて漁師の娘とはなりぬれど、弱き身には舟の櫂《かい》取ることもかなはず、レオニ*のあたりに、富める英吉利人《イギリスびと》の住めるに雇はれて、小間使になりぬ。加特力《カトリツク》教信ずる養父母は、英吉利人に使はるるを嫌ひぬれど、*わが物読むことなど覚えしは、彼《かの》家なりし雇女教師《グエルナント》の恵《めぐみ》なり。女教師は四十余の処女《しよぢよ》なりしが、家の娘のたかぶりたるよりは、我を愛すること深く、三年《みとせ》が程に多くもあらぬ教師の蔵書、悉《ことごと》く読みき。ひがよみ*はさこそ多かりけめ。又ふみの種類もまちまちなりき。クニッゲ*が交際法あれば、フムボルトが長生術*あり。ギヨオテ、*シルレル*の詩抄半ばじゆしてキヨオニヒ*が通俗の文学史を繙《ひもと》き、あるはルウヴル、ドレスデンの画堂の写真絵、繰りひろげて、テエヌ*が美術論の訳書をあさりぬ。」

「去年《こぞ》英吉利人一族を率ゐて国に帰りし後は、然《しか》るべき家に奉公せばやとおもひしが、身元善からねば、ところの貴族などには使はれず。この学校の或る教師に、端《はし》なくも見出されて、雛形勤めしが縁《えにし》になりて、遂に鑑札受くることとなりしが、われを名高きスタインバハが娘なりとは知る人なし。今は美術家の間に立ちまじりて、唯面白くのみ日を暮せり。されどグスタアフ・フライタハ*は流石《さすが》そら言《ごと》いひしにあらず。美術家ほど世に行儀悪《あ》しきものなければ、独立《ひとりだ》ちて交るには、しばしも油断すべからず。寄らず、障《さは》らぬやうにせばやとおもひて、計らず見玉ふ如き不思議の癖者《くせもの》になりぬ。をりをりは我身、みづからも狂人にはあらずやと疑ふばかりなり。これにはレオニにて読みしふみも、少し祟《たたり》をなすかとおもへど、若《も》し然《さ》らば世に博士と呼ばるる人は、抑《そもそも》いかなる狂人ならむ。われを狂人と罵る美術家等、おのれらが狂人ならぬを憂へこそすべきなれ。英雄豪傑、名匠大家となるには、多少の狂気なくて愜《かな》はぬことは、ゼネカ*が論をも、シエエクスピア*が言をも待たず。見玉へ、我学問の博《ひろ》きを。狂人にして見まほしき人の、狂人ならぬを見る、その悲しさ。狂人にならでもよき国王は、狂人になりぬと聞く、それも悲し。悲しきことのみ多ければ、昼は蟬《せみ》と共に泣き、夜は蛙《かはづ》と共に泣けど、あはれといふ人もなし。おん身のみは情《つれ》なくあざみ笑ひ玉はじとおもへば、心のゆくままに語るを咎《とが》め玉ふな。嗚呼《ああ》、かういふも狂気か。」

下

定《さだめ》なき空に雨歇《や》みて、学校の庭の木立のゆるげるのみ曇りし窓の硝子をとほして見ゆ。少女《をとめ》が話聞く間、巨勢が胸には、さまざまの感情戦ひたり。或るときはむかし別れし妹に逢《あ》ひたる兄の心となり、或るときは廃園に僵《たふ》れ伏したるヱヌスの像に、独《ひと》悩める彫工の心となり、或るときは又艶女《えんによ》に心動され、われは堕《お》ちじと戒むる沙門《しやもん》*の心ともなりしが、聞きをはりし時は、胸騒ぎ肉顫《ふる》ひて、われにもあらで、少女が前に跪《ひざまづ》かむとしつ。少女はつと立ちて「この部屋の暑さよ。はや学校の門もさささる頃*なるべきに、雨も晴れたり。おん身とならば、おそろしきこともなし。共にスタルンベルヒ*へ往《ゆ》き玉はずや。」と側《そば》なる帽取りて戴《いただ》きつ。そのさま巨勢が共に行くべきを、つゆ疑はずと覚《おぼ》し。巨勢は唯母に引かるる穉子《をさなご》の如く従ひゆきぬ。

門前にて馬車雇ひて走らするに、程なく停車場に来ぬ。けふは日曜なれど、天気悪《あ》しければにや、近郷よりかへる人も多からで、ここはいと静なり。新聞の号外売る婦人あり。買ひて見れば、国王ベルヒの城に遷りて、容体穏なれば、侍医グッデン*も護衛を弛《ゆる》めさせきとなり。汽車中には湖水の畔《ほとり》にあつさ避くる人の、物買ひに府*に出でし帰るさなるが多し。王の噂いと喧《かまびす》し。「まだホオヘンシユワンガウ*の城に居たまひし時には似ず、心鎮《しづ》まりたるやうなり。ベルヒに遷さるる途中、ゼエスハウプトにて水求めて飲みたまひしが、近きわたりなりし漁師等を見て、やさしく頷《うなづ》きなどしたまひぬ。」と訛《だ》みたることばにて語るは、かひもの籠《かご》手にさげたる老女《おうな》なりき。

車走ること一時間、スタルンベルヒに着きしは夕の五時なり。かちより*往きてやうやう一日程の処《ところ》なれど、はやアルペン*山の近さを、唯《ただ》何となく覚えて、此《この》くもらはしき空の気色にも、胸開きて息せらる。車のあちこちと廻来《まはりこ》し、丘陵の忽《たちまち》開けたる処に、ひろびろと見ゆるは湖水なり。停車場は西南の隅に在りて、東岸なる林木、漁村はゆふ霧に包まれてほのかに認めらるれど、山に近き南の方は一望きはみなし。

案内《あない》知りたる少女に引かれて、巨勢は右手《めて》なる石段をのぼりて見るに、ここは「バワリア」の庭《ホオフ》といふ「ホテル」の前にて、屋根なき所に石卓《いしづくゑ》、椅子《いす》抔《など》並べたるが、けふは雨後なればしめじめと人げ少《すくな》し。給仕する僕《しもべ》の黒き上衣《うはぎ》に、白の前掛したるが、何事をかつぶやきつつも、卓に倒しかけたる椅子を、引起して拭《ぬぐ》ひゐたり。ふと見れば片側の軒にそひて、つた蔓《かづら》からませたる架《たな》ありて、その下《もと》なる円卓《まろづくゑ》を囲みたるひと群の客あり。こは此「ホテル」に宿りたる人々なるべし。男女《なんによ》打ちまじりたる中に、先の夜「ミネルワ」にて見し人ありしかば、巨勢は往きてものいはむとせしに、少女おしとどめて。「かしこなるは、君の近づきたまふべき群にあらず。われは年若き人と二人にて来たれど、愧《は》づべきはかなたにありて、こなたにあらず。彼はわれを知りたれば、見玉へ、久しく座にえ忍びあへで隠るべし。*」とばかりありて、彼美術諸生は果して起《た》ちて「ホテル」に入りぬ。少女は僕を呼びちかづけて、座敷船はまだ出づべしやと問ふに、僕は飛行く雲を指さして、この覚束《おぼつか》なきそらあひなれば、もはや出でざるべしといふ。さらば車にてレオニに行かばやとて言付けぬ。

馬車来ぬれば、二人は乗りぬ。停車場の傍《かたへ》より、東の岸辺を奔《はし》らす。この時アルペンおろしさと吹来て、湖水のかたに霧立ちこめ、今出でし辺《ほとり》をふりかへり見るに、次第々々に鼠色《ねずみいろ》になりて、家の棟、木のいただきのみ一きは黒く見えたり。御者《ぎよしや》ふりかへりて、「雨なり。母衣《ほろ》掩《おほ》ふべきか。」と問ふ。「否」と応《こた》へし少女は巨勢に向ひて。「ここちよの此遊《あそび》や。むかし我命喪《うしな》はむとせしも此湖の中なり。我命拾ひしもまた此湖の中なり。さればいかでとおもふおん身に、真心打明けてきこえむもここにてこそと思へば、かくは誘ひまつりぬ。『カッフエ、ロリアン』にて恥かしき目にあひけるとき、救ひ玉はりし君をまた見むとおもふ心を命にて、幾歳《いくとせ》をか経にけむ。先の夜『ミネルワ』にておん身が物語聞きしときのうれしさ、日頃木のはし*などのやうにおもひし美術諸生の仲間なりければ、人あなづり*して不敵の振舞せしを、はしたなしとや見玉ひけむ。されど人生いくばくもあらず。うれしとおもふ一弾指《いちだんし》*の間に、口張りあけて笑はずば、後にくやしくおもふ日あらむ。」かくいひつつ被《かぶ》りし帽を脱棄《ぬぎす》てて、こなたへふり向きたる顔は、大理石脈に熱血跳《をど》る如くにて*、風に吹かるる金髪は、首《かうべ》打振りて長く断《いば》ゆる駿馬《しゅんめ》の鬣《たてがみ》に似たりけり。「けふなり。けふなり。きのふありて何かせむ。あすも、あさても空《むな》しき名のみ、あだなる声のみ。」

この時、一点二点、粒太《つぶふと》き雨は車上の二人が衣を打ちしが、瞬《また》くひまに繁《しげ》くなりて、湖上よりの横しぶき、あららかにおとづれ来て、紅《べに》を潮《さ》したる少女が片頬《かたほほ》に打ちつくるを、さし覗《のぞ》く巨勢が心は、唯そらにのみやなりゆくらむ。少女は伸びあがりて、「御者、酒手《さかて》*は取らすべし。疾《と》く駆《か》れ。一策《ひとむち》加へよ、今一策。」と叫びて、右手《めて》に巨勢が頸《うなじ》を抱き、己れは項《うなじ》をそらせて仰視《あふぎみ》たり。巨勢は絮《わた》の如き*少女が肩に、我頭《かしら》を持たせ、ただ夢のここちしてその姿を見たりしが、彼凱旋門《がいせんもん》上の女神バワリアまた胸に浮びぬ。

国王の棲《す》めりといふベルヒ城の下《もと》に来し頃は、雨弥々劇《いよいよはげ》しくなりて、湖水のかたを見わたせば、吹寄する風一陣々、濃淡の竪縞《たてじま》おり出して、濃き処には雨白く、淡き処には風黒し。御者は車を停めて、「しばしが程なり。余りに濡《ぬ》れて客人《まらうど》も風や引き玉はむ。又旧《ふる》びたれどもこの車、いたく濡らさば、主人《あるじ》の嗔《いかり》に逢はむ。」といひて、手早く母衣《ほろ》打掩ひ、又一鞭《むち》あてて急ぎぬ。

雨猶《なほ》をやみなくふりて、神*おどろおどろしく鳴りはじめぬ。路《みち》は林の間に入りて、この国の夏の日はまだ高かるべき頃なるに、木下道《このしたみち》ほの暗うなりぬ。夏の日に蒸されたりし草木の、雨に湿《うるほ》ひたるかをり車の中に吹入るを、渇したる人の水飲むやうに、二人は吸ひたり。鳴神《なるかみ》のおとの絶間には、おそろしき天気に怯《おく》れたりとも見えぬ「ナハチガル*」鳥の、玲瓏《れいろう》*たる声振りたてて、しばなけるは*、淋しき路を独ゆく人の、ことさらに歌うたふ類《たぐひ》にや。この時マリイは諸手《もろて》を巨勢が項に組合せて、身のおもりを持たせかけたりしが、木蔭《こかげ》を洩る稲妻に照らされたる顔、見合せて笑《ゑみ》を含みつ。あはれ二人は我を忘れ、わが乗れる車を忘れ、車の外なる世界をも忘れたりけむ。

林を出でて、阪路を下るほどに、風村雲《むらくも》*を払ひさりて、雨も亦歇《またや》みぬ。湖の上なる霧は、重ねたる布を一重、二重と剝《は》ぐ如く、束《つか》の間《ま》に晴れて、西岸なる人家も、また手にとるやうに見ゆ。唯ここかしこなる木下蔭を過ぐるごとに、梢《こずゑ》に残る露の風に払はれて落つるを見るのみ。

レオニにて車を下りぬ。左に高く聳《そばだ》ちたるは、所謂《いはゆる》ロットマンが岡*にて、「湖上第一勝」と題したる石碑の建てる処なり。右に伶人《れいじん》*レオニが開きぬといふ、水に臨める酒店《さかみせ》あり。巨勢が腕《かひな》にもろ手からみて、縋《すが》るやうにして歩みし少女は、この店の前に来て岡の方をふりかへりて、「わが雇はれし英吉利人の住みしは、此半腹《はんぷく》*の家なりき。老いたるハンスル夫婦が漁師小屋も、最早《もはや》百歩が程なり。われはおん身をかしこへ、伴はむとおもひて来しが、胸騒ぎて堪へがたければ、此店にて憩《いこ》はばや。」巨勢は現《げ》にもとて、店に入りて夕餉《ゆふげ》誂《あつら》ふるに、「七時ならでは整はず、まだ三十分待ち給《たま》はではかなはじ、」といふ。ここは夏の間のみ客ある処にて、給仕する人も其年々に雇ふなれば、マリイを識《し》れるもなかりき。

少女はつと立ちて、桟橋《さんばし》に繋《つな》ぎし舟を指さし、「舟漕《こ》ぐことを知り玉ふか。」巨勢、「ドレスデンにありし時、公園のカロラ池*にて舟漕ぎしことあり、善くすといふにあらねど、君独りわたさむほどの事、いかで做得《なしえ》ざらむ。」少女、「庭なる椅子は濡れたり。さればとて屋根の下《もと》は、あまりに暑し。しばし我を載せて漕ぎ玉へ。」

巨勢は脱ぎたる夏外套《ぐわいたう》を少女に被《き》せて小舟《をぶね》に乗らせ、われは櫂《かい》取りて漕出でぬ。雨は歇みたれど、天猶曇りたるに、暮色は早く岸のあなたに来ぬ。さきの風に揺られたるなごりにや、梱敲《かぢたた》くほどの波は猶ありけり。岸に沿ひてベルヒの方へ漕ぎ戻す程に、レオニの村落果つるあたりに来ぬ。岸辺の木立絶えたる処に、真砂路《まさごぢ》の次第に低くなりて、波打際《ぎは》に長椅子据ゑたる見ゆ。蘆《あし》の一叢《ひとむら》舟に触れて、さわさわと声するをりから、岸辺に人の足音して、木の間を出づる姿あり。身の長《たけ》六尺に近く、黒き外套を着て、手にしぼめたる蝙蝠傘《かうもりがさ》を持ちたり。左手《ゆんで》に少し引きさがりて随《したが》ひたるは、鬚《ひげ》も髪も皆雪の如くなる翁《おきな》なりき。前《さき》なる人は俯《うつむ》きて歩み来ぬれば、縁《ふち》広き帽に顔隠れて見えざりしが、今木の間を出でて湖水の方に向ひ、しばし立ちとどまりて、片手に帽をぬぎ持ちて、打ち仰ぎたるを見れば、長き黒髪を、後ざまにかきて広き額を露《あら》はし、面《おもて》の色灰のごとく蒼《あを》きに、窪《くぼ》みたる目の光は人を射たり。舟にては巨勢が外套を背に着て、蹲《うづく》まり居たるマリイ、これも岸なる人を見居たりしが、この時俄《にはか》に驚きたる如く、「彼は王なり」と叫びて立ちあがりぬ。背なりし外套は落ちたり。帽はさきに脱ぎたるまま、酒店に置きて出でぬれば、乱れたるこがね色の髪は、白き夏衣《なつごろも》の肩にたをたとかかりたり。岸に立ちたるは、実に侍医グッデンを引つれて、散歩に出でたる国王なりき。あやしき幻の形を見る如く、王は恍惚《くわうこつ》として少女の姿を見てありしが、忽《たちまち》一声「マリイ」と叫び、持ちたる傘投棄てて、岸の浅瀬をわたり来ぬ。少女は

「あ」と叫びつつ、その儘《まま》気を喪《うしな》ひて、巨勢が扶《たす》くる手のまだ及ばぬ間《ま》に僵《たふ》れしが、傾《かたぶ》く舟の一揺りゆらるると共に、うつ伏になりて水に墜《お》ちぬ。湖水はこの処にて、次第々に深くなりて、勾配《こうばい》ゆるやかなりければ、舟の停まりしあたりも、水は五尺に足らざるべし。されど岸辺の砂は、やうやう粘土まじりの泥となりたるに、王の足は深く陥いりて、あがき自由ならず。その隙《ひま》に随ひたりし翁《おきな》は、これも傘投棄てて追ひすがり、老いても力や衰へざりけむ、水を蹴《け》て二足三足、王の領首《えりくび》むづと握りて引戻さむとす。こなたは引かれじとするほどに、外套は上衣と共に翁が手に残りぬ。翁はこれをかいやり棄てて、猶も王を引寄せむとするに、王はふりかへりて組付き、彼此《かれこれ》たがひに声だに立てず、暫《しば》し揉合《もみあ》ひたり。

是《こ》れ唯一瞬間の事なりき。巨勢は少女が墜つる時、僅《わづか》に裳《も》を握《つか》みしが、少女が蘆間《あしま》隠《がく》れの杙《くひ》に強く胸を打たれて、沈まむとするを、やうやうに引揚げ、汀《みぎは》の二人が争ふを跡に見て、もと来し方《かた》へ漕ぎ返しつ。巨勢は唯奈何《いか》にもして少女が命助けむと思ふのみにて、外に及ぶに遑《いとま》あらざりしなり。レオニの酒店の前に来しが、ここへは寄らず、是《これ》より百歩が程なりと聞きし、漁師夫婦が苫屋《とまや》をさして漕ぎゆくに、日もはや暮れて、岸には「アイヘン*」、「エルレン*」などの枝繁りあひ広ごりて、水は入江の形をなし、蘆にまじりたる水草に、白き花の咲きたるが、ゆふ闇にほの見えたり。舟には解けたる髪の泥水にまみれしに、藻《も》屑《くづ》かかりて僵れふしたる少女の姿、たれかあはれと見ざらむ。をりしも漕来る舟に驚きてか、蘆間を離れて、岸のかたへ高く飛びゆく蛍あり。あはれ、こは少女が魂《たま》のぬけ出でたるにはあらずや。

しばしありて、今まで木影に隠れたる苫屋の燈《ともしび》見えたり。近寄りて、「ハンスルが家はここなりや、」とおとなへば、傾きし簷端《のきば》の小窓開きて、白髪の老女《おうな》、舟をさしのぞきつ。「ことしも水の神の贄《にへ》*求めつるよ。主人はベルヒの城へきのふより駆りとられて、まだ帰らず。手当して見むとおもひ玉はば、こなたへ。」と落付きたる声にていひて、窓の戸ささむとしたりしに、巨勢は声ふりたてて、「水に墜ちたるはマリイなり、そなたのマリイなり、」といふ。老女は聞きも畢《をは》らず、窓の戸を開け放ちたるままにて、桟橋の畔《ほとり》に馳出《はせい》で、泣く泣く巨勢を扶けて、少女を抱きいれぬ。

入りて見れば、半ば板敷にしたるひと間のみ。今火を点《とも》したりと見ゆる小「ランプ」竈《へつひ》の上に微《かすか》なり。四方《よも》の壁にゐがきたる粗末なる耶蘇《やそ》一代記の彩色画は、煤《すす》に包まれておぼろげなり。藁火《わらび》焚《た》きなどして介抱しぬれど、少女は蘇《よみがへ》らず。巨勢は老女と屍《かばね》の傍に夜をとほして、消えて迹《あと》なきうたかた*のうたてき*世を喞《かこ》ちあかしつ。

時は耶蘇暦*千八百八十六年六月十三日の夕《ゆふべ》の七時、バワリア王ルウドヰヒ第二世は、湖水に溺《おぼ》れて殂《そ》せられし*に、年老いたる侍医グッデンこれを救はむとて、共に命を殞《おと》し、顔に王の爪痕《さうこん》を留めて死したりといふ、おそろしき知らせに、翌《あくる》十四日ミユンヘン府の騒動はおほかたならず。街の角々には黒縁取りたる張紙に、此訃音《ふいん》を書きたるありて、その下には人の山をなしたり。新聞号外には、王の屍見出だしつるをりの模様に、さまざまの臆説《おくせつ》附けて売るを、人々争ひて買ふ。点呼に応ずる兵卒の正服つけて、黒き毛植ゑたるバワリア盔《かぶと*》戴《いただ》ける、警察吏の馬に騎《の》り、または徒立《かちだち》にて馳せちがひたるなど、雑沓《ざつたふ》いはんかたなし。久しく民に面《おもて》を見せたまはざりし国王なれど、さすがにいたましがりて、憂《うれひ》を含みたる顔も街に見ゆ。美術学校にも此騒ぎにまぎれて、新に入《いり》し巨勢がゆくへ知れぬを、心に掛くるものなかりしが、エキステル一人は友の上を気づかひ居たり。

六月十五日の朝《あした》、王の柩《ひつぎ》のベルヒ城より、真夜中に府に遷《うつ》されしを迎へて帰りし、美術学校の生徒が「カツフエエ、ミネルワ」に引上げし時、エキステルはもしやと思ひて、巨勢が「アトリエ」に入りて見しに、彼はこの三日が程に相貌《さうばう》変りて、著《し》るく痩《や》せたる如く、「ロオレライ」の図の下に跪《ひざまづ》きてぞ居たりける。

国王の横死《わうし*》の噂《うはさ》に掩《おほ》はれて、レオニに近き漁師ハンスルが娘一人、おなじ時に溺れぬといふこと、問ふ人もなくて已《や》みぬ。

鶏

石田小介が少佐参謀になって小倉《こくら》*に着任したのは六月二十四日であった。徳山と門司《もじ》との間を交通している蒸汽船から上がったのが午前三時である。地方の軍隊は送迎がなかなか手厚いことを知っていたから、石田はその頃の通常礼装というのをして、勲章を佩《お》びていた。故参の大尉参謀が同僚を代表して栈橋《さんばし》まで来ていた。

雨がどっどと降っている。これから小倉までは汽車で一時間は掛からない。川卯《かわう》という家で飯を焚《た》かせて食う。夜が明けてから、大尉は走り廻って、切符の世話やら荷物の世話やらしてくれる。

汽車の窓からは、崖《がけ》の上にぴっしり立て並べてある小家が見える。どの家も戸を開《あ》け放して、女や子供が殆《ほと》ど裸でいる。中には丁度朝飯を食っている家もある。仲為《なかし》*のような為事《しごと》をする労働者の家だと士官が話して聞せた。

田圃《たんぼ》の中に出る。稲の植附はもう済んでいる。おりおり蓑《みの》を着て手籠《たご》*を担《かつ》いで畔道《あぜみち》をあるいている農夫が見える。

段々小倉が近くなって来る。最初に見える人家は旭町《あさひまち》*の遊廓《ゆうかく》である。どの家にも二階の欄干に赤い布団《ふとん》が掛けてある。こんな日に干すのでもあるまい。毎日降るのだから、こうして曝《さら》すのであろう。

がらがらと音がして、汽車が紫川《むらさきがわ》の鉄道橋を渡ると、間もなく小倉の停車場に着く。参謀長を始め、大勢の出迎人がある。一同にそそこに挨拶《あいさつ》をして、室町《むろまち》*の達見《たつみ》という宿屋にはいった。

隊から来ている従卒に手伝って貰《もら》って、石田は早速正装に着更《きか》えて司令部へ出た。その頃は申告の為方《しかた》なんぞは極《き》まっていなかったが、廉《かど》あって上官に謁《えつ》*する時というので、着任の挨拶は正装ですることになっていた。

翌日も雨が降っている。鍛冶《かじ》町に借家があるというのを見に行く。砂地であるのに、道普請《ぶしん》に石炭屑《くず》を使うので、薄墨色の水が町を流れている。

借屋は町の南側になっている。生垣で囲んだ、相応な屋敷である。庭には石炭屑を敷かないので、綺麗《きれい》な砂が降るだけの雨を皆吸い込んで、濡《ぬ》れたとも見えずにいる。真中に大きな百日紅《さるすべり》の木がある。垣の方に寄って夾竹桃《きょうちくとう》が五六本立っている。

車から降りるのを見ていたと見えて、家主が出て来て案内をする。渋紙色《しぶがみ》*の顔をした、萎《しな》びた爺《じい》さんである。

石田は防水布の雨覆《あまおおい》を脱いで、門口を這入《はい》って、脱いだ雨覆を裏返して巻いて縁端《えんばな》に置こうとすると、爺さんが手に取った。石田は縁を濡らさない用心かと思いながら、爺さんの顔を見た。爺さんは言訣《いいわけ》のように、この辺《へん》は往来から見える処《ところ》に物を置くのは危険だということを話した。石田が長靴を脱ぐと、爺さんは長靴も一しょに持って先に立った。

石田は爺さんに案内せられて家を見た。この土地の家は大小の違《ちがい》があるばかりで、どの家も皆同じ平面図に依《よ》って建てたように出来ている。門口を這入って左側が外壁《そとかべ》で、家は右の方へ長方形に延びている。その長方形が表側と裏側とに分れていて、裏側が勝手になっているのである。

東京から来た石田の目には、先《ま》ず柱が鉄丹《べんがら》*か何かで、代赭《たいしゃ》*のような色に塗ってあるのが異様に感ぜられた。しかし不快だとも思わない。唯《ただ》この家なんぞは建ててから余り年数を経たものではないらしいのに、何となく古い、時代のある家のように思われる。それでこんな家に住んでいたら、気が落ち付くだろうというような心持がした。

表側は、玄関から次の間《ま》を経て、右に突き当る西の詰《つめ》が一番好い座敷で、床の間が附いている。爺さんは「一寸《ちょっと》御免なさい」と云って、勝手へ往《い》ったが、外套《がいとう》と靴とを置いて、座布団と烟草盆《たばこぼん》とを持って出て来た。そして百日紅の植わっている庭の方の雨戸が疎《まば》らに締まっているのを、がらがらと繰り開けた。庭は内から見れば、割合に広い。爺さんは生垣を指ざして、この辺は要塞《ようさい》*が近いので石塀《いしべい》や煉瓦塀《れんがべい》を築くことはやかましいが、表だけは立派にしたいと思って問い合せてみたら、低い塀は築いても好いそうだから、その内都合をしてどうかしようと思っていると話した。

表通は中《ちゅう》くらいの横町で、向いの平家の低い窓が生垣の透間《すきま》から見える。窓には竹《たけ》簾《すだれ》が掛けてある。その中で糸を引いている音がぶうんぶうんとねむたそうに聞えている。

石田は座布団を敷居の上に敷いて、柱に靠《よ》り掛かって膝《ひざ》を立てて、ポッケットから金天狗《きんてんぐ》*を出して一本吸い附けた。爺さんは縁端にしゃがんで何か言っていたが、いつか家の話が家賃の話になり、家賃の話が身の上話になった。この薄井という爺さんは夫婦で西隣に住んでいる。遅く出来た息子が豊津*の中学に入れてある。この家を人に貸して、暮しを立てて倅《せがれ》の学資を出さねばならないということである。

それから裏側の方の間取を見た。こちらは西の詰《つめ》が小さい間《ま》になっている。その次が稍《や》や広い。この二間が表側の床の間のある座敷の裏になっている。表側の次の間と玄関との裏が、半ば土間になっている台所である。井戸は土間の隅に掘ってある。

縁側に出て見れば、裏庭は表庭の三倍位の広さである。所々に蜜柑《みかん》の木があって、小さい実が沢山生《な》っている。縁に近い処には、瓦《かわら》で築いた花壇があって、菊が造ってある。その傍《そば》に円石《まるいし》を畳んだ井戸があって、どの石の隙間《すきま》からも赤い蟹《かに》が覗《のぞ》いている。

花壇の向うは畠《はたけ》になっていて、その西の隅に別当部屋の附いた厩《うまや》がある。花壇の上にも、畠の上にも、蜜柑の木の周囲《まわり》にも、蜜蜂《みつばち》が沢山飛んでいるので、石田は大そう蜜蜂の多い処だと思って爺さんに問うて見た。これは爺さんが飼っているので、巣は東側の外壁に弔《つ》り下げてあるのであった。

石田はこれだけ見て、一旦《いったん》爺さんに別れて帰ったが、家はかなり気に入ったので、宿屋のお上《かみ》さんに頼んで、細かい事を取り極めて貰って、二三日立って引き越した。横浜から舟に載せた馬も着いていたので、別当に引き入れさせた。

勝手道具を買う。膳椀《ぜんわん》を買う。蚊帳《かや》を買う。買いに行くのは従卒の島村である。家主はまめな爺さんで、来ていろいろ世話を焼いてくれる。膳椀を買うとき、爺さんが問うた。

「何人前いりまするかの。」

「二人前です。」

「下《しも》のもののはいりませんかの。」

「僕のと下女のとで二人前です。従卒は隊で食います。別当も自分で遣《や》るのです。」

蚊帳は自分のと下女のと別当のと三張《みはり》買った。その時も爺さんが問うた。

「布団はいりませんかの。」

「毛布があります。」

　万事こんな風である。それでも五十円程掛かった。

　女中を傭《やと》うというので、宿屋の達見のお上さんが口入屋《くちいれや》*の上さんをよこしてくれた。石田は婆《ばあ》さんを置きたいという注文をした。時という五十ばかりの婆あさんが来た。夫婦で小学校の教員の弁当をこしらえているもので、その婆あさんの方が来てくれたのだそうだ。不思議に饒舌《しゃべ》らない。黙って台所をしてくれる。

　二三日立った。毎日雨は降ったり歇《や》んだりしている。石田は雨覆をはおって馬で司令部に出る。東京から新《あらた》に傭って来た別当の虎吉が、始て伴《とも》をするとき、こう云った。

「旦那《だんな》。馬の合羽《かっぱ》がありませんがなあ。」

「有る。」

「ええ。それは鞍《くら》だけにかぶせる小さい奴《やつ》ならあります。旦那の膝に掛けるのがありません。」

「そんなものはいらない。」

「それでもお膝が濡れます。どこの旦那も持っています。」

「膝なんざあ濡れても好《い》い。馬装に膝掛なんというものはない。外の人は持っておっても、己《おれ》はいらない。」

「へへへへ。それでは野木さんのお流義で。*」

「己がいらないのだ。野木閣下の事はどうか知らん。」

「へえ。」

その後は別当も敢《あえ》て言わない。

石田は司令部から引掛《ひきがけ》に、師団長*はじめ上官の家に名刺を出す。その頃は都督《ととく》*がおられたので、それへも名刺を出す。中には面会せられる方《かた》もある。内へ帰ってみると、部下のものが名刺を置きに来るので、いつでも二三枚ずつはある。商人が手土産なんぞを置いて帰ったのもある。そうすると、石田はすぐに島村に持たせて返しに遣る。それだから、島村は物を貰うのを苦に病んでいて、自分のいる時に持って来たのは大抵受け取らない。

或日《あるひ》帰って見ると、島村と押問答をしているものがある。相手は百姓らしい風体《ふうてい》の男である。見れば鶏の生きたのを一羽持っている。その男が、石田を見ると、にこにこして傍《そば》へ寄って来て、こう云った。

「少佐殿。お見忘《みわすれ》になりましたか知れませんが、戦地でお世話になった輜重輸卒《しちょうゆそつ》*の麻《あそ》生《う》でございます。」

「うむ。軍司令部にいた麻生か。」

「はい。」

「どうして来た。」

「予備役*になりまして帰っております。内は大里《だいり》*でございます。少佐殿におなりになって、こちらへお出《いで》だということを聞きましたので、御機嫌伺《うかがい》に参りました。これは沢山飼っております内の一羽でございますが、丁度好い頃のでございますから、持って上りました。」

「ふむ。立派な鳥だなあ。それは徴発*ではあるまいな。」

　麻生は五分刈の頭を掻《か》いた。

「恐れ入ります。ついみんなが徴発徴発と申すもんでございますから、ああいうことを申しましてお叱《しかり》を受けました。」

「それでも貴様はあれきり、支那《シナ》人の物を取らんようになったから感心だ。」

「全くお蔭《かげ》を持ちまして心得違を致しませんものですから、凱旋《がいせん》いたしますまで、どの位肩身が広かったか知れません。大連《だいれん》*でみんなが背嚢《はいのう》*を調べられましたときも、銀の簪《かんざし》が出たり、女の着物が出たりして恥を掻く中で、わたくしだけは大息張《おおいばり》でござりました。あの金州《きんしゅう》*の鶏なんぞは、ちゃん*が、ほい、又お叱を受け損う処でござりました、支那人が逃げた跡に、卵を抱いていたので、主《ぬし》はないのだと申しますのに、そんならその主のない家に持って行って置いて来いと仰《おっし》ゃったのには、実に驚きましたのでござります。」

「はははは。己は頑固だからなあ。」

「どう致しまして。あれがわたくしの一生の教訓になりましたのでござりました。もう お暇《いとま》を致します。」

「泊って行かんか。己の内は戦地と同じで御馳走はないが。」

「奥様はいらっしゃりませんか。」

「妻《さい》は此間《こないだ》死んだ。」

「へえ。それはどうも。」

「島村が知っているが、まるで戦地のような暮しを遣っているのだ。」

「それは御不自由でいらっしゃりましょう。つまらないことを申し上げて、お召替のお邪魔を致しました。これでお暇を致します。」

麻生は鶏を島村に渡して、鞋《わらじ》をびちゃびちゃ言わせて帰って行った。

石田は長靴を脱いで上がる。雨覆を脱いで島村にわたす。島村は雨覆と靴を持って勝手へ行く。石田は西の詰の間に這入って、床の間の前に往って、帽をそこに据えてある将校行李《こうり》の上に置く。軍刀を床の間に横に置く。これを初て来た日に、お時婆あさんが床の壁に立て掛けて、叱られたのである。立てた物は倒れることがある。倒れれば刀《とう》が傷《いた》む。壁にも疵《きず》が附くかも知れないというのである。

床の間の前には、子供が手習に使うような机が据えてある。その前に毛布が畳んで敷いてある。石田は夏衣袴《なついこ》*のままで毛布の上に胡坐《あぐら》を掻いた。そこへ勝手から婆あさんが出て来た。

「鳥はどうしなさりますするかの。」

「飯《めし》の菜《さい》がないのか。」

「茄子《なす》に隠元豆《いんげんまめ》が煮えておりますするが。」

「それで好《い》い。」

「鳥は。」

「鳥は生かして置け。」

「はい。」

婆あさんは腹の中で、相変らず吝嗇《けち》な人だと思った。この婆あさんの観察した処では、石田に二つの性質がある。一つは吝嗇である。肴《さかな》は長浜*の女が盤台《はんだい》を頭の上に載せて売りに来るのであるが、まだ小鯛《こだい》を一度しか買わない。野菜が旨《うま》いというので、胡瓜《きゅうり》や茄子ばかり食っている。酒はまるで呑《の》まない。菓子は一度買って来いと云われて、名物の鶴の子*を買って来た処が、「まずいなあ」と云いながら皆平《たいら》げてしまって、それきり買って来いと云わない。今一つは馬鹿《ばか》だということである。物の直段《ねだん》が分らない。いくらと云っても黙って払う。人が土産を持って来るのを一々返しに遣る。婆あさんは先ずこれだけの観察をしているのである。

婆あさんが立つとき、石田は「湯が取ってあるか」と云った。「はい」と云って、婆あさんは勝手へ引込んだ。

石田は、裏側の詰の間に出る。ここには水指《みずさし》と漱茶碗《うがいちゃわん》と湯を取った金盥《かなだらい》とバケツとが置いてある。これは初の日から極めてあるので、朝晩とも同じである。

石田は先ず楊枝《ようじ》を使う。漱をする。湯で顔を洗う。石鹸《せっけん》は七十銭位の舶来品を使っている。何故《なぜ》そんな贅沢《ぜいたく》をするかと人が問うと、石鹸は石鹸でなくてはいけない、贋《にせ》物《もの》を使う位なら使わないと云っている。五分刈頭を洗う。それから裸になって体じゅうを丁寧に揩《ふ》く。同じ金盥で下湯《しもゆ》を使う。足を洗う。人が穢《きたな》いと云うと、己の体は清潔だと云っている。湯をバケツに棄てる。水をその跡に取って手拭を洗う。水を棄てる。手拭《てぬぐい》を絞って金盥を揩く。又手拭を絞って掛ける。一日に二度ずつこれだけの事をする。湯屋には行かない。その代り戦地でも舎営*をしている間は、これだけの事を廃《よ》せないのである。

石田は襦袢袴下《じゆばんこした》*を着替えて又夏衣袴を着た。常の日は、寝巻に湯帷子《ゆかた》を着るまで、このままでいる。それを客が来て見て、「野木さんの流義か」と云うと、「野木閣下の事は知らない」と云うのである。

机の前に据わる。膳が出る。どんなにゆっくり食っても、十五分より長く掛かったことはない。

外を見れば雨が歇んでいる。石田は起《た》って台所に出た。飯を食っている婆あさんが箸《はし》を置くのを見て「用ではない」と云いながら、土間に降りる縁に出た。土間には虎吉が鳥に米を蒔《ま》いて遣って、蹲《しゃが》んで見ている。石田も鳥を見に出たのである。

大きな雄鶏《おんどり》である。総身の羽が赤褐色で、頸《くび》に柑子《こうじ》色*の領巻《くびまき》があって、黒い尾を長く垂れている。

虎吉は人の悪そうな青黒い顔を挙げて、ぎょろりとした目で主人を見て、こう云った。

「旦那。こいつは肉が軟《やわらか》ですぜ。」

「食うのではない。」

「へえ。飼って置くのですか。」

「うむ。」

「そんなら、大屋さんの物置に伏籠《ふせご》の明いているのがあったから、あれを借りて来ましょう。」

「買うまでは借りても好い。」

こう云って置いて、石田は居間に帰って、刀を弔《つ》って、帽を被《かぶ》って玄関に出た。玄関には島村が磨いて置いた長靴がある。それを庭に卸して穿《は》く。がたがたいう音を聞き附けて婆あさんが出て来た。

「お外套《がいとう》は。」

「すぐ帰るからいらん。」

石田は鍛冶町を西へ真直に鳥町まで出た。そこに此間《こないだ》名刺を置いて歩いたとき見て置いた鳥屋がある。そこで牝鶏《めんどり》を一羽買って、伏籠を職人に注文して貰《もら》うように頼んだ。鳥は羽の色の真白な、むくむくと太ったのを見立てて買った。跡から持たせておこすということである。石田は代を払って帰った。

牝鶏を持《も》て来た。虎吉は鳥屋を厩《うまや》の方へ連れて行って何か話し込んでいる。石田は雌雄《めすおす》を一しょに放して、雄鶏が片々《かたかた》の羽をひろげて、雌の周囲《まわり》を半圏状＊に歩いて挑むのを見ている。雌はとかく逃げよう逃げようとしているのである。間もなく、まだ外は明るいのに、鳥は不安の様子をして来た。その内、台所の土間の隅に棚のあるのを見附けて、それへ飛び上がろうとする。塒《ねぐら》を捜すのである。石田は別当に、「鳥を寝かすようにして遣れ」と云って居間に這入《はい》った。

　翌日からは夜明に鶏が鳴く。石田は愉快だと思った。ところが午後引けて帰って見ると、牝鶏が二羽になっている。婆あさんに問えば、別当が自分のを一羽一しょに飼わせて貰いたいと云ったということである。石田は嫌《いや》な顔をしたが、咎《とが》めもしなかった。二三日立つうちに、又牝鶏が一羽殖えて雄鶏共に四羽になった。今度のも別当ので、どこかから貰って来たのだということであった。石田は又嫌な顔をしたが、やはり別当には何とも云わなかった。

　四羽の鶏が屋敷中を蹇《あさ》って歩く。薄井の方の茄子畠《なすばたけ》に侵入して、爺さんに追われて帰ることもある。牝鶏同志で喧嘩《けんか》をするので、別当が強い奴を摑《つか》まえて伏籠に伏せて置く。伏籠はもう出来て来た新しいので、隣から借りた分は返してしまったのである。鳥屋《とや》は別当が薄井の爺さんにことわって、縁の下を為切《しき》って拵《こしら》えて、入口には板切と割竹とを互違《たがいちがい》に打ち附けた、不細工な格子戸《こうしど》を嵌《は》めた。

　或日婆あさんが、石田の司令部から帰るのを待ち受けて、こう云った。

「別当さんの鳥が玉子を生んだそうで、旦那様が上がるなら上げてくれえと云いなさりますが。」

「いらんと云え。」

婆あさんは驚いたような顔をして引き下がった。これからは婆あさんが度々《たびたび》卵の話をする。どうも別当の牝鶏に限って卵を生んで、旦那様のは生まないというのである。婆あさんはこの話をするたびに、極めて声を小さくする。そして不思議だ不思議だという。婆あさんはこの話の裏面に、別に何物かがあるのを、石田に発見して貰いたいのである。ところが石田にはどうしてもそれが分らないらしい。どうも馬鹿なのだから、分らないでも為《し》ようがない。そこでじれったがりながら、反復して同じ事を言う。しかし自分の言うことが別当に聞えるのは強《こわ》いので、次第に声は小さくなるのである。とうとうしまいには石田の耳の根に摩《す》り寄って、こう云った。

「こねえな事を言うては悪うござりまするが、玉子は旦那様の鳥も生まんことはござりません。どれが生んでも、別当さんが自分の鳥が生んだというのでござりますがな。」

婆あさんはおそるおそるこう云って、石田が怒って大声を出さねば好いがと思っていた。ところが石田は少しも感動しない。平気な顔をしている。婆あさんはじれったくてたまらない。今度は別当に知れても好いから怒って貰いたいような気がする。そしてとうとう馬鹿に附ける薬はないとあきらめた。

石田は暫《しばら》く黙っていて、極めて冷然としてこう云った。

「己は玉子が食いたいときには買うて食う。」

婆あさんは歯《は》痒《がゆ》いのを我慢するという風で、何か口の内でぶつぶつ云いながら、勝手へ下った。

七月十日は石田が小倉へ来てからの三度目の日曜日であった。石田は早く起きて、例の狭い間《ま》で手水《ちょうず》を使った。*これまでは日曜日にも用事があったが、今日は始て日曜日らしく感じた。寝巻の浴帷子《ゆかた》を着たままで、兵児帯《へこおび》をぐるぐると巻いて、南側の裏縁に出た。南国《なんこく》の空は紺青《こんじょう》いろに晴れていて、蜜柑の茂みを洩《も》れる日が、きらきらした斑紋《はんもん》を、花壇の周囲《まわり》の砂の上に印している。厩には馬の手入をする金櫛《かなぐし》の音がしている。折々馬が足を踏み更《か》えるので、蹄鉄《ていてつ》が厩の敷板に触れてことことという。そうすると別当が「こら」と云って馬を叱《しか》っている。石田は気がのんびりするような心持で、朝の空気を深く呼吸した。

石田は、縁の隅に新聞反古《ほご》の上に、裏と裏とを合せて上げてあった麻裏*を取って、庭に卸して、縁から降り立った。

花壇のまわりをぶらぶら歩く。庭の井戸の石畳にいつもの赤い蟹《かに》のいるのを見て、井戸を上から覗《のぞ》くと、蟹は皆隠れてしまう。苔《こけ》の附いた弔瓶《つるべ》に短い竿《さお》を附けたのが抛《ほう》り込んである。弔瓶と石畳との間を忙《いそが》しげに水馬《みずすまし》が走っている。

一本の蜜柑の木を東へ廻ると勝手口に出る。婆あさんが味噌《みそ》汁を煮ている。別当は馬の手入をしまって、蹄《ひづめ》に油を塗って、勝手口に来た。手には飼桶《かいおけ》を持っている。主人に会釈《えしゃく》をして、勝手口に置いてある麦箱の蓋《ふた》を開けて、麦を飼桶に入れている。石田は暫く立って見ている。

「いくら食うか。」

「ええ。これで三杯ぐらいが丁度宜《よろ》しいので。」

別当はぎょろっとした目で、横に主人を見て、麦箱の中に抛り込んである、縁《ふち》の虧《か》けた轆轤《ろくろ》細工の飯鉢《めしばち》を取って見せる。石田は黙って背中を向けて、縁側の方へ引き返した。

花壇の処まで帰った頃に、牝鶏が一羽けたたましい鳴声をして足元に駈《か》けて来た。それと一しょに妙な声が聞えた。まるで聒々児《くつわむし》の鳴くようにやかましい女の声である。石田が声の方角を見ると、花壇の向うの畠を為切《しき》った、南隣の生垣の上から顔を出している四十くらいの女がいる。下太《しもぶと》りのかぼちゃのように黄いろい顔で頭のてっぺんには、油固めの小さい丸髷《まるまげ》が載っている。これが声の主である。

何か盛んにしゃべっている。石田は誰に言っているかと思って、自分の周囲《まわり》を見廻したが、別に誰もいない。石田の感ずる所では、自分に言っているとは思われない。しかし自分に聞せる為《た》めに言っているらしい。日曜日で自分の内にいるのを候《うかが》っていてしゃべり出したかと思われる。謂《い》わば天下に呼号して、旁《かたわ》ら石田をして聞かしめんとするのである。

言うことが好くは分からない。一体この土地には限らず、方言というものは、怒って悪口を言うような時、最も純粋に現れるものである。目上の人に物を言ったり何かすることになれば、修飾するから特色がなくなってしまう。この女の今しゃべっているのが、純粋な豊前語《ぶぜんご》である。

そこで内のお時婆あさんや家主の爺《じい》さんの話と違って、おおよその意味は聞き取れるが、細かい nuances* は聞き取れない。なんでも鶏が垣を踰《こ》えて行って畠を荒らして困まるということらしい。それを主題にして堂々たる Philippica* を発しているのである。女はこんな事を言う。豊前には諺《ことわざ》がある。何町歩とかの畑を持たないでは、鶏を飼ってはならないというのである。然《しか》るに借屋ずまいをしていて鶏を飼うなんぞというのは僭越《せんえつ》もまた甚《はなはだ》しい。サアベルをさして馬に騎《の》っているものは何をしても好いと思うのは心得違である。大抵こんな筋であって、攻撃余力を残さない。女はこんな事も言う。鶏が何をしているか知らないばかりではない。傭婆《やといば》あさんが勝手の物をごまかして、自分の内の暮しを立てているのも知るまい。別当が馬の麦をごまかして金を溜《た》めようとしているのも知るまい。こういうときは声を一層張り上げる。婆あさんにも別当にも聞せようとするのである。女はこんな事も言う。借家人の為《す》ることは家主の責任である。サアベルが強《こわ》くて物が言えないようなら、サアベルなんぞに始から家を貸さないが好い。声はいよいよ高くなる。薄井の爺さんにも聞せようとするのである。

石田は花壇の前に棒のように立って、しゃべる女の方へ真向《まむき》に向いて、黙って聞いている。顔にはおりおり微笑の影が、風の無い日に木葉《このは》が揺らぐように動く外には、何の表情もない。軍服を着て上官の小言を聞いている時と大抵同じ事ではあるが、少し筋肉が弛《ゆる》んでいるだけ違う。微笑の浮ぶのを制せないだけ違う。

石田はこんな事を思っている。鶏は垣を越すものと見える。坊主が酒を般若湯《はんにゃとう》*というということは世間に流布《るふ》しているが、鶏を鑽籬菜《さんりさい》*ということは本を読まないものは知らない。鶏を貰った処が、食いたくもなかったので、生かして置こうと思った。生かして置けば垣も越す。垣を越すかも知れないということまで、初めに考えなかったのは、用意が足りないようではあるが、何を為《す》るにもそんな éventualité* を眼中に置いては出来ようがない。鶏を飼うという事実に、この女が怒るという事実が附帯して来るのは、格別驚くべきわけでもない。なんにしろ、あの垣の上に妙な首が載っていて、その首が何の遠慮もなく表情筋を伸縮させて、雄弁を揮《ふる》っている処は面白い。東京にいた時、光線の反射を利用して、卓の上に載せた首が物を言うように思わせる見世物を見たことがあった。あれは見世物師が余り prétentieux* であったので、こっちの反感を起して面白くなかった。あれよりは此方が余程面白い。石田はこんなことを思っている。

　垣の上の女は雄弁家ではある。しかしいかなる雄弁家も一の論題に就いてしゃべり得る論旨には限がある。垣の上の女もとうとう思想が涸渇《こかつ》した。察するに、彼は思想の涸渇を感ずると共に失望の念を作《な》すことを禁じ得なかったであろう。彼は経験上こんな雄弁を弄《ろう》する度に、誰か相手になってくれる。少くも一言くらい何とか言ってくれる。そうすれば、水の流が石に触れて激するように、弁論に張合が出て来る。相手も雄弁を弄することになれば、旗鼓《きこ》相当って、*彼の心が飽き足るであろう。彼は石田のような相手には始て出逢《であ》ったであろう。そして暖簾《のれん》に腕押をしたような不愉快な感じをしたであろう。彼は「ええとも、今度来たら締めてしまうから」と言い放って、境の生垣の蔭《かげ》へ南瓜《かぼちゃ》に似た首を引込めた。結末は意味の振《ふる》っている割に、声に力がなかった。

「旦那さん。御膳が出来ましたが。」

婆あさんに呼ばれて、石田は朝飯を食いに座敷へ戻った。給仕をしながら婆あさんが、南裏の上さんは評判の悪者で、誰も相手にならないのだというような意味の事を話した。石田はなるたけ鳥を伏籠《ふせご》に伏せて置くようにしろと言い付けた。その時婆あさんは声を低うしてこういうことを言った。主人の買って来た、白い牝鶏が今朝は卵を抱いている。別当も白い牝鶏の抱いているのを、外の牝鶏が生んだのだとは言いにくいと見えて黙っている。卵をたった一つ孵《かえ》させるのは無駄だから、取って来ようかと云うのである。石田は、「抱いているなら構わずに抱かせて置け」と云った。

石田は飯を済ませてから、勝手へ出て見た。まだ縁の下の鳥屋《とや》の出来ない内に寝かしたことのある、台所の土間の上の棚が藁《わら》を布《し》いたままになっていた。白い牝鶏はその上に上がっている。常からむくむくした鳥であるのが、羽を立てて体をふくらまして、いつもの二倍位の大《おお》きさになって、首だけ動かしてあちこちを見ている。茶碗《ちゃわん》を洗っていた婆あさんが来て鳥の横腹をつつく。鳥は声を立てる。石田は婆あさんの方を見て云った。

「どうするのだ。」

「旦那さんに玉子を見せて上ぎょうと思いまして。」

「廃《よ》せ。見んでも好い。」

石田は思い出したように、婆あさんにこう云うことを問うた。世帯を持つとき、桝《ます》を買った筈《はず》だが、別当はあれで麦を量りはしないかと云うのである。婆あさんは、別当の桝を使ったのは見たことがないと云った。石田は「そうか」と云って、ついと部屋に帰った。そして将校行李《こうり》の蓋を開けて、半切毛布に包んだ箱を出した。Havana*の葉巻である。石田は平生天狗《てんぐ》を呑《の》んでいて、これならどんな田舎に行軍をしても、補充の出来ない事はないと云っている。偶《たま》には上等の葉巻を呑む。そして友達と雑談をするとき、「小説家なんぞは物を知らない、金剛石《こんごうせき》入の指環《ゆびわ》を嵌《は》めた金持の主人公にManila*を呑ませる」なぞと云って笑うのである。石田が偶に呑む葉巻を毛布にくるんで置くのは、火薬の保存法を応用しているのである。石田はこう云っている。己《おれ》だって大将にでもなれば、烟草《たばこ》も毎日新しい箱を開けるのだ。今のうちは箱を開けてから一月《ひとつき》も保存しなくてはならないのだから、工夫を要すると云っている。

石田は葉巻に火を附けて、さも愉快げに、一吸《ひとすい》吸って、例の手習机に向った。北向の表庭は、百日紅《さるすべり》の疎《まばら》な葉越に、日が一ぱいにさして、夾竹桃《きょうちくとう》にはもうところどころ花が咲いている。向いの内の糸車は、今日もぶうんぶうんと鳴っている。

石田は床の間の隅に立て掛けてある洋書の中からLa Bruyère*の性格という本を抽《ぬ》

き出して、短い鋭い章を一つ読んではじっと考えて見る。又一つ読んではじっと考えて見る。五六章も読んだかと思うと本を措《お》いた。

それから舶来の象牙紙《ぞうげし》*と封筒との箱入になっているのを出して、ペンで手紙を書き出した。石田はペンと鉛筆とで万事済ませて、硯《すずり》というものを使わない。稀《まれ》に願届《ねがいとどけ》なぞがいれば、書記に頼む。それは陸軍に出てから病気引籠《ひきこもり》をしたことがないという位だから、めったにいらない。

人から来た手紙で、返事をしなくてはならないのは、図嚢《ずのう》*の中に入れているのだから、それを出して片端から返事を書くのである。東京に、中学に這入《はい》っている息子を母に附けて置いてある。第一に母に遣《や》る手紙を書いた。それから筆を措かずに二つ三つ書いた。そして母の手紙だけを将校行李にしまって、外の手紙は引き裂いてしまった。

午《ひる》になった。飯を済ませて、さっき手紙を書き始めるとき、灰皿の上に置いた葉巻の呑みさしに火を附けて、北表の縁《えん》に出た。空はいつの間にか薄い灰色になっている。汽車の音がする。

「蝙蝠傘《こうもりがさ》張替修繕は好うがすの」と呼んで、前の往来を通るものがある。糸車のぶうんぶうんは相変らず根調*をなしている。

　石田はどこか出ようかと思ったが、空模様が変っているので、止《や》める気になった。暫くして座敷へ這入って、南アフリカの大きい地図をひろげて、この頃戦争が起りそうになっているTransvaal*の地理を調べている。こんな風で一日は暮れた。

　三四日立ってからの事である。もう役所は午引《ひるびけ》になっている。石田は馬に蹄鉄《ていてつ》を打たせに遣ったので、司令部から引掛《ひきがけ》に、紫川《むらさきがわ》の左岸《さがん》の狭い道を常磐橋《ときわばし》の方へ歩いていると、戦役《せんえき》以来*心安くしていた中野という男に逢った。中野の方から声を掛ける。

「おい。今日は徒歩かい。」

「うむ。鉄を打ちに遣ったのだ。君はどうしたのだ。」

「僕のは海に入れに遣った。」

「そうかい。」

「非常に喜ぶぜ。」

「そんなら僕も一遍遣って見よう。」

「別当が泳げなくちゃあだめだ。」

「泳げるような事を言っていた。」

　中野は石田より早く卒業した士官である。今は石田と同じ歩兵少佐で、大隊長をしている。少し太り過ぎている男で、性質から言えば老実家*である。馬をひどく可哀《かわい》がる。中野は話を続けた。

「君に逢ったら、いつか言って置こうと思ったが、ここには大きな溝《どぶ》に石を並べて蓋《ふた》をした処があるがなあ。」

「あの馬借《ばしゃく》*に往《ゆ》く通だろう。」

「あれだ。魚町《うおまち》*だ。あの上を馬で歩いちゃあいかんぜ。馬は人間とは目方が違うからなあ。」

「うむ。そうかも知れない。ちっとも気が附かなかった。」

こんな話をして常磐橋に掛かった。中野が何か思い出したという様子で、歩度を緩めてこう云った。

「おう。それからも一つ君に話して置きたいことがあった。馬鹿な事だがなあ。」

「何だい。僕はまだ来たばかりで、なんにも知らないんだから、どしどし注意を与えてくれ給え。」

「実は僕の内の縁がわからは、君の内の門が見えるので、妻《さい》の奴が妙な事を発見したというのだ。」

「はてな。」

「君が毎日出勤すると、あの門から婆あさんが風炉敷包《ふろしきづつみ》を持って出て行くというのだ。

ところが一昨日《おとつい》だったかと思う、その包が非常に大きいというので、妻がひどく心配していたよ。」

「そうか。そう云われれば、心当《こころあたり》がある。いつも漬物を切らすので、あの日には茄子と胡瓜を沢山に漬けて置けと云ったのだ。」

「それじゃあ自分の内へも沢山漬けたのだろう。」

「はははは。しかしとにかく難有《ありがと》う。奥さんにも宜《よろ》しく云ってくれ給《たま》え。」

話しながら京町*の入口まで来たが、石田は立ち留まった。

「僕は寄って行く処があった。ここで失敬する。」

「そうか。さようなら。」

石田は常磐橋を渡って跡へ戻った。そして室町《むろまち》の達見《たつみ》へ寄って、お上さんに下女を取り替えることを頼んだ。お上さんは狆《ちん》の頭をさすりながら、笑ってこう云った。

「あんた様は婆あさんがええとお云《いい》なされたがな。」

「婆あさんはいかん。」

「何かしましたかな。」

「何もしたのじゃない。大分えらそうだから、丈夫な若いのをよこすように、口入の方へ頼んで下さい。」

「はいはい。別品さんを上げるように言うて遣ります。」

「いや、下女に別品は困る。さようなら。」

石田はそれから帰掛《かえりがけ》に隣へ寄って、薄井の爺《じい》さんに、下女の若いのが来るから、どうぞお前さんの処の下女を夜だけ泊りに来させて下さいと頼んだ。そして内へ帰って黙っていた。

翌日口入の上さんが来て、お時婆あさんに話をした。年寄に骨を折らせるのが気の毒だと、旦那が云うからと云ったそうである。婆あさんは存外素直に聞いて帰ることになった。石田はまだ月の半ばであるのに、一箇月分の給料を遣った。

夕方になって、口入の上さんは出直して、目見《めみ》*えの女中を連れて来た。二十五六位の髪の薄い女で、お辞儀をしながら、横目で石田の顔を見る。襦袢《じゅばん》の袖《そで》にしている水《みず》浅葱《あさぎ》*のめりんすが、一寸位袖口から覗《のぞ》いている。

石田は翌日島村を口入屋へ遣って、下女を取り替えることを言い付けさせた。今度は十六ばかりの小柄で目のくりくりしたのが来た。気性もはきはきしているらしい。これが石田の気に入った。

二三日置いてみて、石田はこれに極めた。比那古《ひなこ》*のもので、春というのだそうだ。男のような肥後詞《ひごことば》を遣って、動作も活潑《かっぱつ》である。肌に琥珀《こはく》色の沢《つや》があって、筋肉が締まっている。石田は精悍《せいかん》な奴だと思った。

しかし困る事には、いつも茶の竪縞《たてじま》の単物《ひとえもの》を着ているが、膝《ひざ》の処には二所《ふたところ》ばかりつぎが当っている。それで給仕をする。汗臭い。

「着物はそれしか無いのか。」

「ありまっせん。」

平気で微笑を帯びて答える。石田は三枚持っている浴帷子《ゆかた》を一枚遣った。

一週間程立った。春と一しょに泊らせていた薄井の下女が暇を取って、師団長の内へ住み込んだ。春の給料が自分の給料の倍だというので、羨《うらや》ましがって主人を取り替えたそうである。そこで薄井では、代《かわり》に入れた分の下女を泊りによこさないことになった。石田は口入の上さんを呼んで、小女《こおんな》をもう一人傭《やと》いたいと云った。上さんが、そんなら内の娘をよこそうと云って帰った。

口入屋の娘が来た。年は十三で久というのである。色の真黒な子で、頗《すこぶ》る不潔で、頗る行儀が悪い。翌朝五時頃にぷっという妙な音がするので、石田は目を醒《さ》ました。後に聞けば、勝手では朝起きて戸を開けるまで、提灯《ちょうちん》に火を附けることにしている。提灯の柄《え》の先に鉤《かぎ》が附いているのを、春はいつも長押《なげし》の釘《くぎ》に懸けていたのだそうだ。その提灯を久に持っていろと云ったところが、久が面倒がって、提灯の柄で障子を衝《つ》き破って、提灯を障子にぶら下げたということである。石田は障子に穴のあるのが嫌《きらい》で、一々自分で切張をしているのだから、この話を聞いて嫌《いや》な顔をした。石田は口入屋の上さんを呼んで、久を返したいと云った。返して代を傭う積《つもり》であった。ところが、上さんは何が悪いか聞いて直させると云う。何一つ悪くないことのない子である。石田は窮して、なんにも悪くはない。女中は一人で好いと云った。

石田は達見に往って、第二の下女の傭聘《ようへい》*を頼んだ。お上さんは狆をいじりながら、石田の話を聞いて、にやりにやり笑っている。そしてこう云うのである。

「あんたさん、立派なお妾《めかけ》でも置きなされればええにな。」

「馬鹿な事を言っちゃいかん。」

とにかく頼むと言い置いて、石田は帰った。しかし第二の下女はなかなか来ない。

石田はとうとう若い下女一人を使っていることになった。

三四日立った。七月三十一日になった。朝起きて顔を洗いに出ると、春が雛《ひよこ》の孵《か》えたのを知らせた。石田は急いで顔を洗って台所へ出て見た。白い牝鶏の羽の間から、黄いろい雛の頭が覗《のぞ》いているのである。

商人が勘定を取りに来る日なので、旦那が帰ってから払うと云えと、言い置いて役所へ出た。午《ひる》になって帰ってみると、待っているものもある。石田はノオトブックにペンで書き留めて、片端から払った。

晩になってから、石田は勘定を当ってみた。小倉に来てから、始て纏《まと》まった一月間の費用を調べることが出来るのである。春を呼んで、米はどうなっているかと問うてみると、丁度米櫃《こめびつ》が虚《から》になって、跡は明日《あした》持って来るのだと云う。そこで石田は春を勝手へ下らせて、跡で米の量を割ってみた。陸軍で極《き》めている一人一日精米六合というのを迥《はるか》に超過している。石田は考えた。自分はどうしても兵卒の食う半分も食わない。お時婆あさんも春も兵卒ほど飯を食いそうにはない。石田は直《すぐ》にお時婆あさんの風炉敷包の事を思い出した。そして徐《しずか》にノオトブックを将校行李の中《うち》へしまった。

八月になって、司令部のものもてんでに休暇を取る。師団長は家族を連れて、船小屋の温泉へ立たれた。石田は纏まった休暇を貰《もら》わずに、隔日に休むことにしている。

表庭の百日紅に、ぽつぽつ花が咲き始める。おりおり蟬《せみ》の声が向いの家の糸車の音にまじる。六日は日曜日で、石田の処《ところ》へも暑中見舞の客が沢山来た。初め世帯を持つときに、渋紙《しぶがみ》のようなもので拵《こしら》えた座布団を三枚買った。まだ余り使わないのに中に入れた綿が方々に寄って塊《かたまり》になっている。客が三人までは座布団を敷かせることが出来るが、四人落ち合うと、畳んだ毛布の上に据《す》わらせられる。今日なぞはとうとう毛布に乗ったお客があった。

客は大抵帷子《かたびら》*に袴《はかま》を穿《は》いて、薄羽織を被《き》て来る。薄羽織は勿論《もちろん》、袴というものも石田なぞは持っていないのである。石田はこんな日には、朝から夏衣袴《なついこ》を着て応対する。客は大抵同じような事を言って帰る。今年は暑が去年より軽いようだ。小倉は人気が悪くて、物価が高い。殊《こと》に屋賃をはじめ、将校の階級によって価《あたい》が違うのは不都合である。休暇を貰っても、こんな土地では日の暮らしようがない。町中《まちじゅう》に見る物はない。温泉場に行くにしても、二日市《ふつかいち》*のような近い処はつまらず、遠い処は不便で困る。先《ま》ずこんな事である。石田は只《ただ》はあ、はあと返事をしている。

中には少し風流がって見る人もある。庭の方を見て、海が見えないのが遺憾だと云ったり、掛物を見て書画の話をしたりする。石田は床の間に、軍人に賜わった勅語を細字に書かせたのを懸けている。これを将校行李に入れてどこへでも持って行くばかりで、外に掛物というものは持っていないのである。書画の話なんぞが出ると、自分には分らないと云って相手にならない。

翌日あたりから、石田も役所へ出掛に、師団長、旅団長、師団の参謀長、歩兵の聯《れん》隊《たい》長、それから都督と都督部参謀長との宅位に名刺を出して、それで暑中見舞を済ませた。

時候は段々暑くなって来る。蟬の声が、向いの家の糸車の音と同じように、絶間なく聞える。夕凪《ゆうなぎ》の日には、日が暮れてから暑くて内にいにくい。さすがの石田も湯帷子《ゆかたびら》に着更《きか》えてぶらぶらと出掛ける。初のうちは小倉《こくら》の町を知ろうと思って、ぐるぐる廻った。南の方は馬借から北方《きたかた》*の果まで、北方には特科隊が置いてあるので、好く知っている。そこで東の方へ、舟を砂の上に引き上げてある長浜の漁師村のはずれまで歩く。西の方へ、道普請《ぶしん》に使う石炭屑《くず》が段々少くなって、天然の砂の現れて来る町を、西鍛冶屋《かじや》町のはずれまで歩く。しまいには紫川の東の川口で、旭町《あさひまち》という遊廓《ゆうかく》の裏手になっている、お台場の址《あと》が涼むには一番好いと極めて、材木の積んであるのに腰を掛けて、夕凪の蒸暑い盛を過すことにした。そんな時には、今度東京に行ったら、三本足の床几《しょうぎ》を買って来て、ここへ持って来ようなんぞと思っている。

孵えた雛《ひよこ》は雌であった。至極丈夫で、見る見る大きくなる。大きくなるに連れて、羽の色が黒くなる。石田が摑《つか》まえようとすると、親鳥が鳴くので、石田は止《や》めてしまう。まるで鴉《からす》の子のようである。

十一日は陰暦の七夕《たなばた》の前日である。「笹《ささ》は好しか」と云って歩く。翌日になって見ると、五色の紙に物を書いて、竹の枝に結び附けたのが、家毎《いえごと》に立ててある。小倉にはまだ乞巧奠《きこうでん》*の風俗が、一般に残っているのである。十五六日になると、「竹の花立《はなたて》はいりませんかな」と云って売って歩く。盂蘭盆《うらぼん》*が近いからである。

十八日が陰暦の七月十三日である。百日紅の花の上に、雨が降ったり止んだりしている。向いの糸車は、相変らず鳴っているが、蟬の声は少しとぎれる。おりおり生垣の外を、跣足《はだし》の子供が、「花柴々《はなしば》」と呼びながら、走って通る。樒《しきみ》*を売るのである。雨の歇《や》んでいる間は、ひどく蒸暑い。石田はこの夏中で一番暑い日のように感じた。

翌日もやはり雨が降ったり止んだりして蒸暑い。夕方に町に出てみると、どの家にも盆燈籠《ぼんどうろう》が点《とも》してある。中には二階を開け放して、数十の大燈籠を天井に隙間《すきま》なく懸けている家がある。長浜村まで出てみれば、盆踊が始まっている。浜の砂の上に大きな圏《わ》を作って踊る。男も女も、手拭《てぬぐい》の頰冠《ほおかむり》をして、着物の裾《すそ》を片折《はしょ》って帯に挟んでいる。襪《たび》はだしもあるが、多くは素足である。女で印袢纏《しるしばんてん》に三尺帯を締めて、股引《ももひき》を穿《は》かずにいるものもある。口々に口説《くどき》*というものを歌って、「えとさっさ」と囃《はや》す。好《よ》いとさの訛《なまり》であろう。石田は暫《しばら》く見ていて帰った。

雛は日にまし大きくなる。初のうち油断なく庇《かば》っていた親鳥も、大きくなるに連れて構わなくなる。石田は雛を畳の上に持って来て米を遣る。段々馴れて手掌《てのひら》に載せた米を啄《ついば》むようになる。又少し日が立って、石田が役所から帰って机の前に据わると、庭に遊んでいたのが、走って縁に上って来て、鶴嘴《つるはし》を使うような工合に首を sagittale* の方向に規則正しく振り動かして、膝の傍《そば》に寄るようになる。石田は毎日役所から帰《かえり》掛《がけ》に、内が近くなると、雛の事を思い出すのである。

八月の末に、師団長は湯治場《とうじば》から帰られた。暑中休暇も残少なになった。二十九日には、土地のものが皆地蔵様へ詣《まい》るというので、石田も寺町へ往って見た。地蔵堂の前に盆燈籠の破れたのを懸け並べて、その真中に砂を山のように盛ってある。男も女も、線香に火を附けたのを持って来て、それを砂に立てて置いて帰る。

中一日置いて三十一日には、又商人が債《かけ》を取りに来る。* 石田が先月の通に勘定をしてみると、米がやっぱり六月と同じように多くいっている。今月は風炉敷包を持ち出す婆《ば》あさんはいなかったのである。石田は暫く考えてみたが、どうも春はお時婆あさんのような事をしそうにはない。そこで春を呼んで、米が少し余計にいるようだがどう思うと問うて見た。

春はくりくりした目で主人を見て笑っている。彼は米の多くいるのは当前だと思うのである。彼は多くいるわけを知っているのである。しかしそのわけを言って好《い》いかどうかと思って、暫く考えている。

石田は春に面白い事を聞いた。それは別当の虎吉が、自分の米を主人の米櫃《こめびつ》に一しょに入れて置くという事実である。虎吉の給料には食料が這入《はい》っている。馬糧なんぞは余り馬を使わない司令部勤務をしているのに、定則だけの金を馬糧屋に払っているのだから虎吉が随分利益を見ているということを、石田は知っている。しかし馬さえ痩《や》せさせなければ好いと思って、あなぐろうとはしない。*そうしてあるのに、虎吉が主人の米櫃に米を入れて置くことにして、勝手に量り出して食うというに至っては、石田といえども驚かざることを得ない。虎吉は米櫃の中へ、米をいくら入れるか、何遍入れるか少しも分らないのである。そうして置いて、量り出す時にはいくらでも勝手に量り出すのである。段々春の云うのを聞いて見れば、味噌《みそ》も醤油《しょうゆ》も同じ方法で食っている。内で漬ける漬物も、虎吉が「この大きい分は己《おれ》の茄子《なす》だ」と云って出して食うということである。虎吉は食料は食料で取って、実際食う物は主人の物を食っているのである。春は笑ってこう云った。割木《わりき》も別当さんのは「見せ割木」*で、いつまで立っても減ることはないと云った。勝手道具もそうである。土間に七釐《しちりん》が二つ置いてある。春の来た時に別当が、「壊れているのは旦那ので、満足なのは己のだ」と云った。その内に壊れたのがまるで使えなくなったので、春は別当と同じ七釐で物を烹《に》る。別当は「旦那の事だから貸して上げるが、手めえはお辞儀をして使え」と云っているということである。

石田は始て目の開《あ》いたような心持がした。そして別当の手腕に対して、少からぬ敬意を表せざることを得なかった。

石田は鶏の事と卵の事とを知っていた。知って黙許していた。然《しか》るに鶏と卵とばかりではない。別当には systématiquement* に発展させた、一種の面白い経理法*があって、それを万事に適用しているのである。鶏を一しょに飼って、生んだ卵を皆自分で食うのは、唯《ただ》この système* を鶏に適用したに過ぎない。

石田はこう思って、覚えず微笑《ほほえ》んだ。春が、若《も》し自分のこんな話をしたことが、別当に知れては困るというのを、石田はなだめて、心配するには及ばないと云った。

石田は翌日米櫃やら、漬物桶《おけ》やら、七輪やら、いろいろなものを島村に買い集めさせた。そして虎吉を呼んで、これまであった道具を、米櫃には米の這入っているまま、漬物桶には漬物の這入っているままで、みんな遣って、平気な顔をしてこう云った。

「これまで米だの何だのが、お前のと一しょになっていたそうだが、あれは己が気が附かなかったのだ。己は新しい道具を買ったから、これまでの道具はお前に遣る。まだこの外にもお前の物が台所にまぎれ込んでいるなら、遠慮をせずに皆持って行ってくれい。それから鶏が四五羽いるが、あれは皆お前に遣るから、食うとも売るとも、勝手にするが好《い》い。」

虎吉は呆《あき》れたような顔をして、石田の云うことを聞いていて、石田の詞《ことば》が切れると、何か云いそうにした。石田はそれを言わせずにこう云った。

「いや。お前の都合はあるかも知れないが、己はそう極めたのだから、お前の話を聞かなくても好い。」

石田はついと立って奥に這入った。虎吉は春に、「旦那からお暇《ひま》が出たのだかどうだか、伺ってくれろ」と頼んだ。石田は笑って、「己はそんな事は云わなかったと云え」と云った。

その晩は二十六夜待《やまち》*だというので、旭町で花火が上がる。石田は表側の縁に立って、百日紅の薄黒い花の上で、花火の散るのを見ている。そこへ春が来て、こう云った。

「今別当さんが鶏を縛って持って行きよります。雛《ひよこ》は置こうかと云いますが、置けと云いまっしょうか。」

「雛なんぞはいらんと云え。」

石田はやはり花火を見ていた。

かのように

朝小間使の雪が火鉢に火を入れに来た時、奥さんが不安らしい顔をして、「秀麿《ひでまろ》の部屋にはゆうべも又電気が附いていたね」と云った。

「おや。さようでございましたか。先《さ》っき瓦斯煖炉《ガスだんろ》に火を附けにまいりました時は、明りはお消しになって、お床の中で煙草《たばこ》を召し上がっていらっしゃいました。」

雪はこの返事をしながら、戸を開けて自分が這入《はい》った時、大きい葉巻の火が、暗い部屋の、しんとしている中で、ぼうっと明るくなっては、又微《かす》かになっていた事を思い出して、折々あることではあるが、今朝もはっと思って、「おや」と口に出そうであったのを呑《の》み込んだ、その瞬間の事を思い浮べていた。

「そうかい」と云って、奥さんは雪が火を活《い》けて、大きい枠火鉢の中の、真っ白い灰を綺麗《きれい》に、盛り上げたようにして置いて、起《た》って行くのを、やはり不安な顔をして、見送っていた。邸《やしき》では瓦斯が勝手にまで使ってあるのに、奥さんは逆上《のぼ》せると云って、炭火に当っているのである。

電燈は邸《やしき》ではどの寝間にも夜どおし附いている。しかし秀麿は寝る時必ず消して寝る習慣を持っているので、それが附いていれば、又徹夜して本を読んでいたと云うことが分かる。それで奥さんは手水《ちょうず》*に起きる度に、廊下から見て、秀麿のいる洋室の窓の隙《すき》から、火の光の漏れるのを気にしているのである。

　秀麿は学習院*から文科大学*に這入って、歴史科で立派に卒業した。卒業論文には、国史は自分が畢生《ひっせい》*の事業として研究する積りでいるのだから、苟《いやし》くも筆を著《つ》けたくないと云って、古代印度《インド》史の中から、「迦膩色迦王《かにしかおう》*と仏典結集《ぶってんけつじゅう》*」と云う題を選んだ。これは阿輸迦王《あそかおう》*の事はこれまで問題になっていて、この王の事がまだ研究してなかったからである。しかしこれまで特別にそう云う方面の研究をしていたのでないから、秀麿は一歩一歩非常な困難に撞著《どうちゃく》して、どうしてもこれはサンスクリット*をまるで知らないでは、正確な判断は下されないと考えて、急に高楠博士《たかくすはくし》*の所へ駈《か》け附けて、梵語《ぼんご》*研究の手ほどきをして貰《もら》った。しかしこう云う学問はなかなか急拵《きゅうごしら》えに出来る筈《はず》のものでないから、少しずつ分かって来れば来る程、困難を増すばかりであった。それでも屈せずに、選んだ問題だけは、どうにかこうにか解決を附けた。自分ではひどく不満足に思っているが、率直な、一切の修飾を却《しりぞ》けた秀麿の記述は、これまでの卒業論文には余り類がないと云うことであった。

丁度この卒業論文問題の起った頃からである。秀麿は別に病気はないのに、元気がなくなって、顔色が蒼《あお》く、目が異様に赫《かがや》いて、これまでも多く人に交際をしない男が、一層社交に遠ざかって来た。五条家では、奥さんを始として、ひどく心配して、医者に見せようとしたが、「わたくしは病気なんぞはありません」と云って、どうしても聴かない。奥さんは内証《ないしょう》で青山博士*が来た時尋ねてみた。青山博士は意外な事を問われたと云うような顔をしてこう云った。

「秀麿さんですか。診察しなくちゃ、なんとも云われませんね。ふん。そうですか。病気はないから、医者には見せないと云うのでしたっけ。そうかも知れません。わたくしなんぞは学生を大勢見ているのですが、少し物の出来る奴《やつ》が卒業する前後には、皆あんな顔をしていますよ。毎年卒業式の時、側《そば》で見ていますが、お時計を頂戴《ちょうだい》しに出て来る優等生*は、大抵秀麿さんのような顔をしていて、卒倒でもしなければ好いと思う位です。も少しで神経衰弱になると云うところで、ならずに済んでいるのです。卒業さえしてしまえば直ります。」

　奥さんもなる程そうかと思って、強《し》いて心配を押さえ附けて、今に直るだろう、今に直るだろうと、自分で自分に暗示を与えるように努めていた。秀麿が目の前にいない時は、青山博士の言った事を、一句一句繰り返して味ってみて、「なる程そうだ、なんの秀麿に病気があるものか、大丈夫だ、今に直る」と思ってみる。そこへ秀麿が蒼い顔をして出て来て、何か上《うわ》の空《そら》で言って、跡は黙り込んでしまう。こっちから何か話し掛けると、実《み》の入《い》っていないような、責《せめ》を塞《ふさ》ぐ*ような返事を、詞《ことば》の調子だけ優しくしてする。なんだか、こっちの詞は、子供が銅像に吹矢を射掛けたように、皮膚から弾《はじ》き戻されてしまうような心持がする。それを見ると、切角青山博士の詞を基礎にして築き上げた楼閣《ろうかく》が、覚束《おぼつか》なくぐらついて来るので、奥さんは又心配をし出すのであった。

秀麿は卒業後直《ただち》に洋行した。秀麿と大した点数の懸隔もなくて、優等生として銀時計を頂戴した同科の新学士は、文部省から派遣せられる筈だのに、現にヨオロッパにいる一人が帰らなくては、経費が出ないので、それを待っているうちに、秀麿の方は当主の五条子爵《ししゃく》*が先へ立たせてしまった。子爵は財政が割合に豊かなので、嫡子《ちゃくし》*に外国で学生並の生活をさせる位の事には、さ程困難を感ぜないからである。

洋行すると云うことになってから、余程元気附いて来た秀麿が、途中からよこした手紙も、ベルリンに著《つ》いてからのも、総《すべ》ての周囲の物に興味を持っていて書いたものらしく見えた。印度の港で魚《うお》のように波の底に潜《くぐ》って、銀銭を拾う黒ん坊の子供の事や、ポルトセエド*で上陸して見たと云う、ステレオチイプ*な笑顔の女芸人が種々の楽器を奏する国際的団体の事や、マルセイユ*で始て西洋の町を散歩して、嘘《うそ》と云うものを衝《つ》かぬ店で、掛値*と云うもののない品物を買って、それを持って帰ろうとして、紳士がそんな物をぶら下げてお歩きにならなくても、こちらからお宿へ届けると云われ、頼んで置いて帰ってみると、品物が先へ届いていた事や、それからパリイに滞在していて、或《あ》る同族の若殿に案内せられてオペラを見に行った時、フォアイエエ*で立派な貴夫人が来て何《なん》か云うと、若殿がつっけんどんに、わたし共はフランス語は話しませんと云って置いて、自分が呆《あき》れた顔をしたのを見て女に聞えたかと思う程大きい声をして、「Tout《ツウ》 ce《ショ》 qui《キイ》 brille《ブリユ》, n'est《ネエ》 pas《パア》 or《ソオル》*」と云ったので、始てなる程と悟った事や、それからベルリンに著いた当時の印象を瑣《さ》細《さい》な事まで書いてあって、子爵夫婦を面白がらせた。子爵は奥さんに三省堂*の世界地図を一枚買って渡して、電報や手紙が来る度に、鉛筆で点を打ったり線を引いたりして、秀麿はここに著いたのだ、ここを通っているのだと言って聞かせた。

ヨオロッパではベルリンに三年いた。その三年目がエエリヒ・シュミット総長*の下《もと》に、大学の三百年祭をする年に当ったので、秀麿も鍔《つば》の嵌《は》まった松明《たいまつ》を手に持って、松明行列の仲間に這入って、ベルリンの町を練って歩いた。大学にいる間、秀麿はこの期にはこれこれの講義を聴くと云うことを、精《くわ》しく子爵の所へ知らせてよこしたが、その中にはイタリア復興時代*だとか、宗教革新*の起原だとか云うような、歴史その物の講義と、史的研究の原理と云うような、抽象的な史学の講義とがあるかと思うと、民族心理学やら神話成立やらがある。プラグマチスムス*の哲学史上の地位と云うのがある。或る助教授の受け持っているフリイドリヒ・ヘッベル*と云う文芸史方面のものがある。ずっと飛び離れて、神学科の寺院史や教義史がある。学期ごとにこんな風で、専門の学問に手を出した事のない子爵には、どんな物だか見当の附かぬ学科さえあるが、とにかく随分雑駁《ざっぱく》な学問のしようをしているらしいと云う事だけは判断が出来た。しかし子爵はそれを苦にもしない。息子を大学に入れたり、洋行をさせたりしたのは、何も専門の職業がさせたいからの事ではない。追って家督相続をさせた後に、恐多いが皇室の藩屛《はんぺい》*になって、身分相応な働きをして行くのに、基礎になる見識があってくれれば好い。その為《た》めに普通教育より一段上の教育を受けさせて置こうとした。だから本人の気の向く学科を、勝手に選んでさせて置いて好いと思っているのであった。

ベルリンにいる間、秀麿が学者の噂《うわさ》をしてよこした中に、エエリヒ・シュミットの文才や弁説も度々褒《ほ》めてあったが、それよりも神学者アドルフ・ハルナック*の事業や勢力がどんなものだと云うことを、繰り返してお父うさんに書いてよこしたのが、どうも特別な意味のある事らしく、帰って顔を見て、土産話《みやげばなし》にするのが待ち遠いので、手紙でお父うさんに飲み込ませたいとでも云うような熱心が文章の間に見えていた。殊《こと》に大学の三百年祭の事を知らせてよこした時なんぞは、秀麿はハルナックをこの日覚ましい祭の中心人物として書いて、ウィルヘルム第二世*とハルナックとの君臣の間柄は、人主が学者を信用し、学者が献身的態度を以《もっ》て学術界に貢献しながら、同時に君国の用をなすと云う方面から見ると、模範的だと云って、ハルナックが事業の根柢《こんてい》をはっきりさせる為めに、とうとう父テオドジウス*の事にまで溯《さかのぼ》って、精《くわ》しく新教*神学発展の跡を辿《たど》って述べていた。自分の専門だと云っている歴史の事に就いても、こんなに力を入れて書いてよこしたことはないのに、どうしてハルナックの事ばかりを、特別に言ってよこすのだろうと子爵は不審に思って、この手紙だけ念を入れて、度々読み返して見た。そしてその手紙の要点を攫《つか》まえようと努力した。手紙の内容を約《つづ》めて見れば、こうである。政治は多数を相手にした為事《しごと》である。それだから政治をするには、今でも多数を動かしている宗教に重きを置かなくてはならない。ドイツは内治の上では、全く宗教を異《こと》にしている北と南とを擣《つ》きくるめて*、人心の帰《き》嚮《こう》*を繰《あやつ》って行かなくてはならないし、外交の上でも、いかに勢力を失墜しているとは云え、まだ深い根柢を持っているロオマ法王*を計算の外に置くことは出来ない。それだからドイツの政治は、旧教の南ドイツを逆《さか》わないように抑えていて、北ドイツの新教の精神で、文化の進歩を謀《はか》って行かなくてはならない。それには君主が宗教上の、しっかりした基礎を持っていなくてはならない。その基礎が新教神学に置いてある。その新教神学を現に代表している学者はハルナックである。そう云う意味のある地位に置かれたハルナックが、少しでも政治の都合の好いように、神学上の意見を曲げているかと云うに、そんな事はしていない。君主もそんな事をさせようとはしていない。そこにドイツの強みがある。それでドイツは世界に羽をのして、息張《いば》っていることが出来る。それで今のような、社会民政党の跋扈《ばっこ》している時代になっても、ウィルヘルム第二世は護衛兵も連れずに、侍従武官と自動車に相乗をして、ぷっぷと喇叭《らっぱ》を吹かせてベルリン中を駈け歩いて、出し抜に展覧会を見物しに行ったり、店へ買物をしに行ったりすることが出来るのである。ロシアとでも比べて見るが好い。グレシア正教*の寺院を沈滞のままに委《まか》せて、上辺《うわべ》を真綿にくるむようにして、そっとして置いて、黔首《けんしゅ》*を愚《ぐ》にするとでも云いたい政治をしている。その愚にせられた黔首が少しでも目を醒《さ》ますと、極端な無政府主義者*になる。だからツアアル*は平服を著《き》た警察官が垣を結ったように立っている間でなくては歩かれないのである。一体宗教を信ずるには神学はいらない。

ドイツでも、神学を修めるのは、牧師になる為めで、ちょっと思うと、宗教界に籍を置かないものには神学は不用なように見える。しかし学問なぞをしない、智力の発展していない多数に不用なのである。学問をしたものには、それが有用になって来る。原来《がんらい》学問をしたものには、宗教家の謂《い》う「信仰」は無い。そう云う人、即《すなわ》ち教育があって、信仰のない人に、単に神を尊敬しろ、福音《ふくいん》*を尊敬しろと云っても、それは出来ない。そこで信仰しないと同時に、宗教の必要をも認めなくなる。そう云う人は危険思想家である。中には実際は危険思想家になっていながら、信仰のないのに信仰のある真似《まね》をしたり、宗教の必要を認めないのに、認めている真似をしている。実際この真似をしている人は随分多い。そこでドイツの新教神学のような、教義や寺院の歴史をしっかり調べたものが出来ていると、教育のあるものは、志さえあれば、専門家の綺麗に洗い上げた、滓《かす》のこびり付いていない教義をも覗《のぞ》いて見ることが出来る。それを覗いて見ると、信仰はしないまでも、宗教の必要だけは認めるようになる。そこで穏健な思想家が出来る。ドイツにはこう云う立脚地を有している人の数がなかなか多い。ドイツの強みが神学に基づいていると云うのは、ここにある。秀麿はこう云う意味で、ハルナックの人物を称讃《しょうさん》している。子爵にも手紙の趣意はおおよそ呑み込めた。

西洋事情*や輿地誌略《よちしりゃく》*の盛んに行われていた時代に人となって、翻訳書で当用を弁ずることが出来、華族仲間で口が利《き》かれる程度に、自分を養成しただけの子爵は、精神上の事には、朱子《しゅし》*の註《ちゅう》に拠《よ》って論語を講釈するのを聞いたより外、なんの智識もないのだが、頭の好い人なので、これを読んだ後に内々《ないない》自ら省みて見た。倅《せがれ》の手紙にある宗教と云うのはクリスト教で、神と云うのはクリスト教の神である。そんな物は自分とは全く没交渉である。自分の家には昔から菩提所《ぼだいしょ》に定《さだ》まっている寺があった。それを維新の時、先代が殆《ほとん》ど縁を切ったようにして、家の葬祭を神官に任せてしまった。それからは仏と云うものとも、全く没交渉になって、今は祖先の神霊と云うものより外、認めていない。現に邸内にも祖先を祭った神社だけはあって、鄭重《ていちょう》な祭をしている。ところが、その祖先の神霊が存在していると、自分は信じているだろうか。祭をする度に、祭るに在《いま》すが如《ごと》くすと云う論語の句が頭に浮ぶ。しかしそれは祖先が存在していられるように思って、お祭をしなくてはならないと云う意味で、自分を顧みて見るに、実際存在していられると思うのではないらしい。いられるように思うのでもないかも知れない。いられるように思おうと努力するに過ぎない位ではあるまいか。そうして見ると、倅の謂う、信仰がなくて、宗教の必要だけを認めると云う人の部類に、自分は這入《はい》っているものと見える。いやいや。そうではない。倅の謂うのは、神学でも覗いて見て、これだけの教義は、信仰しないまでも、必要を認めなくてはならぬと、理性で判断した上で認めることである。自分は神道の書物なぞを覗いて見たことはない。又自分の覗いて見られるような書物があるか、どうだか、それさえ知らずにいる。そんならと云って、教育のない、信仰のある人が、直覚的に神霊の存在を信じて、その間になんの疑をも挿《さしはさ》まないのとも違うから、自分の祭をしているのは形式だけで、内容がない。よしや、在《いま》すが如く思おうと努力していても、それは空虚な努力である。いやいや。空虚な努力と云うものはありようがない。そんな事は不可能である。そうして見ると、教育のない人の信仰が遺伝して、微《かす》かに残っているとでも思わなくてはなるまい。しかしこれは倅の考えるように、教育が信仰を破壊すると云うことを認めた上の話である。果してそうであろうか。どうもそうかも知れない。今の教育を受けて神話と歴史とを一つにして考えていることは出来まい。世界がどうして出来て、どうして発展して、人類がどうして出来て、どうして発展したかと云うことを、学問に手を出せば、どんな浅い学問の為方《しかた》をしても、何かの端々《はしはし》で考えさせられる。そしてその考える事は、神話を事実として見させては置かない。神話と歴史とをはっきり考え分けると同時に、先祖その外《ほか》の神霊の存在は疑問になって来るのである。そうなった前途には恐ろしい危険が横《よこた》わっていはすまいか。一体世間の人はこんな問題をどう考えているだろう。昔の人が真実だと思っていた、神霊の存在を、今の人が嘘だと思っているのを、世間の人は当り前だとして、平気でいるのではあるまいか。随《したが》ってあらゆる祭やなんぞが皆内容のない形式になってしまっているのも、同じく当り前だとしているのではあるまいか。又子供に神話を歴史として教えるのも、同じく当り前だとしているのではあるまいか。そして誰《たれ》も誰も、自分は神話と歴史とをはっきり別にして考えていながら、それをわざと擣き交《ま》ぜて子供に教えて、怪まずにいるのではあるまいか。自分は神霊の存在なんぞは少しも信仰せずに、唯《ただ》俗に従って聊《いささか》復爾《またしか》り＊位の考で糊塗《こと》＊して遣《や》っていて、その風俗、即ち昔神霊の存在を信じた世に出来て、今神霊の存在を信ぜない世に残っている風俗が、いつまで現状を維持していようが、いつになったら滅亡してしまおうが、そんな事には頓著《とんちゃく》しないのではあるまいか。自分が信ぜない事を、信じているらしく行って、虚偽だと思って疚《やま》しがりもせず、それを子供に教えて、子供の心理状態がどうなろうと云うことさえ考えてもみないのではあるまいか。倅は信仰はなくても、宗教の必要を認めると云うことを言っている。その必要を認めなくてはならないと云うこと、その必要を認める必要を、世間の人は思っても見ないから、どうしたら神話を歴史だと思わず、神霊の存在を信ぜずに、宗教の必要が現在に於《お》いて認めていられるか、未来に於いて認めて行かれるかと云うことなんぞを思って見ようもなく、一切無頓著でいるのではあるまいか。どうも世間の教育を受けた人の多数は、こんな物ではないかと推察せられる。無論この多数の外に立って、現今の頽勢《たいせい》*を挽回《ばんかい》しようとしている人はある。そう云う人は、倅の謂う、単に神を信仰しろ、福音を信仰しろと云う類《たぐい》である。又それに雷同している人はある。それは倅の謂う、真似をしている人である。これが頼みになろうか。更に反対の方面を見ると、信仰もなくしてしまい、宗教の必要をも認めなくなってしまって、それを正直に告白している人のあることも、或る種類の人の言論に徴《ちょう》して知ることが出来る。倅はそう云う人は危険思想家だと云っているが、危険思想家を嗅《か》ぎ出すことに骨を折っている人も、こっちでは存外そこまでは気が附いていないらしい。実際こっちでは、治安妨害とか、風俗壊乱とか云う名目《みょうもく》の下《もと》に、そんな人を羅致《らち》した実例を見たことがない。しかしこう云うことを洗立《あらいだて》をして見た所が、確《しか》とした結果を得ることはむずかしくはあるまいか。それは人間の力の及ばぬ事ではあるまいか。若《も》しそうだと、その洗立をするのが、世間の無頓著よりは危険ではあるまいか。倅もその危険な事に頭を衝《つ》っ込んでいるのではあるまいか。倅は専門の学問をしているうちに、ふとそう云う問題に触れて、自分も不安になったので、己に手紙をよこしたかも知れぬ。それともこの問題にひどく重きを置いているのだろうか。

五条子爵は秀麿の手紙を読んでから、自己を反省したり、世間を見渡したりして、ざっとこれだけの事を考えた。しかしそれに就いて倅と往復を重ねた所で、自分の満足するだけの解決が出来そうにもなく、倅の帰って来る時期も近づいているので、それまで待っても好いと思って、返信は別に宗教問題なんぞに立ち入らずに、只《ただ》委細承知した、どうぞなるべく穏健な思想を養って、国家の用に立つ人物になって帰ってくれとしか云って遣らなかった。そこで秀麿の方でも、お父うさんにどれだけ自分の言った事が分かったか知らずにいた。

秀麿は平生丁度その時思っている事を、人に話して見たり、手紙で言って遣って見たりするが、それをその人に是非十分飲み込ませようともせず、人を自説に転ぜさせよう、服させようともしない。それよりは話す間、手紙を書く間に、自分で自分の思想をはっきりさせて見て、そこに満足を感ずる。そして自分の思想は、又新しい刺戟《しげき》を受けて、別な方面へ移って行く。だからあの時子爵が精《くわ》しい返事を遣ったところで、秀麿はもう同じ問題の上で、お父うさんの満足するような事を言ってはよこさなかったかも知れない。

洋行をさせる時健康を気遣った秀麿が、旅に出ると元気になったらしく、筆まめに

書いてよこす手紙にも生々した様子が見え、ドイツで秀麿と親しくしたと云って、帰ってから尋ねて来る同族の人も、秀麿は随分勉強をしているが、玉も衝けば氷滑《こおりすべ》りもすると云う風で、上流の人を相手にして開いている、某夫人のパンジオナアト*では、若い男女の寄宿人が、芝居の初興行をでも見に行くとき、ヴィコント*五条が一しょでなくては面白くないと云う程だと話して聞せるので、子爵夫婦は喜んで、早く丈夫な男になって帰って来るのを見たいと思っていた。

秀麿は去年の暮に、書物をむやみに沢山持って、帰って来た。洋行前にはまだどこやら少年らしい所のあったのが、三年の間にすっかり男らしくなって、血色も好くなり、肉も少し附いている。しかし待ち構えていた奥さんが気を附けて様子を見ると、どうも物の言振《いいぶり》が面白くないように思われた。それは大学を卒業した頃から、西洋へ立つ時までの、何か物を案じていて、好い加減に人に応対していると云うような、沈黙勝な会話振が、定めてすっかり直って帰ったことと思っていたのに、帰った今もやはり立つ前と同じように思われたのである。

新橋へ著《つ》いた日の事であった。出迎をした親類や心安い人の中《うち》には、邸《やしき》まで附いて来たのもあって、五条家ではそう云う人達に、一寸《ちょっと》した肴《さかな》で酒を出した。それが済んだ跡で、子爵と秀麿との間に、こんな対話があった。

子爵は袴《はかま》を着けて据わって、刻煙草《きざみたばこ》を煙管《きせる》で飲んでいたが、痩《や》せた顔の目の縁に、皺《しわ》を沢山寄せて、嬉《うれ》しげに息子をじっと見て、只一言「どうだ」と云った。

「はい」と父の顔を見返しながら秀麿は云ったが、傍《そば》で見ている奥さんには、その立派な洋服姿が、どうも先《さ》っき客の前で勤めていた時と変らないように、少しも寛《くつろ》いだ様子がないように思われて、それが気に掛かった。

子爵は息子がまだ何か云うだろうと思って、暫《しばら》く黙っていたが、それきりなんとも云わないので、詞《ことば》を続《つ》いだ。「書物を沢山持って帰ったそうだね。」

「こっちで為事《しごと》をするのに差支えないようにと思って、中には読んで見る方の本でない、物を捜し出す方の本も買って帰ったものですから、嵩《かさ》が大きくなりました。」

「ふん。早く為事に掛かりたかろうなあ。」

秀麿は少し返事に躊躇《ちゅうちょ》するらしく見えた。「それは舟の中でも色々考えてみましたが、どうも当分手が著けられそうもないのです。」こう云って、何か考えるような顔をしている。

「急ぐ事はない。お前のは売らなくてはならんと云うのでもなし、学位が欲しいと云うのでもないからな。」一旦《いったん》こうは云ったが、子爵は更に、「学位は貰《もら》っても悪くはないが」と言い足して笑った。

ここまで傍聴していた奥さんが、待ち兼ねたように、いろいろな話をし掛けると、秀麿は優しく受答をしていた。この時奥さんは、どうも秀麿の話は気乗がしていない、附合《つきあい》に物を言っているようだと云う第一印象を受けたのであった。

それで秀麿が座を立った跡で、奥さんが子爵に言った。「体は大層好くなりましたが、なんだかこう控え目に、考え考え物を言うようではございませんか。」

「それは大人《おとな》になったからだ。男と云うものは、奥さんのように口から出任せに物を言ってはいけないのだ。」

「まあ。」奥さんは目を睜《みは》った。四十代が半分過ぎているのに、まだぱっちりした、可哀《かわい》らしい目をしている女である。

「おこってはいけない。」

「おこりなんかしませんわ。」と云って、奥さんはちょいと笑ったが、秀麿の返事より、この笑の方が附合らしかった。

その時からもう一年近く立っている。久し振の新年も迎えた。秀麿は位階*があるので、お父う様程忙しくはないが、幾分か儀式らしい事もしなくてはならない。新調さ

せた礼服を著て、不精らしい顔をせずに、それを済ませた。「西洋のお正月はどんなだったえ」とお母あ様が問うと、秀麿は愛想好く笑う。「一向駄目ですね。学生は料理屋へ大晦日《おおみそか》の晩から行っていまして、ボオレ*と云って、シャンパンに葡萄酒《ぶどうしゅ》に砂糖に炭酸水と云うように、いろいろ交ぜて温めて、レモンを輪切にして入れた酒を拵《こしら》えて夜なかになるのを待っています。そして十二時の時計が鳴り始めると同時に、さあ新年だと云うので、その酒を注《つ》いだ杯《さかずき》をてんでんに持って、こつこつ打ち附けて、プロジット・ノイヤアル*と大声で呼んで飲むのです。それからふざけながら町を歩いて帰ると、元日には寝ていて、午《ひる》まで起きはしません。町でも家《うち》は大抵戸を締めて、ひっそりしています。まあ、クリスマスにお祭らしい事はしてしまって、新年の方はお留守になっているようなわけです」と云う。「でもお上《かみ》のお儀式はあるだろうね。」「それはございますそうです。拝賀が午後二時だとか云うことでした。」こんな風に、何事につけても人が問えば、ヨオロッパの話もするが、自分から進んで話すことはない。

　二三月の一番寒い頃も過ぎた。お母あ様が「向うはこんな事ではあるまいね」と尋ねて見た。「それはグラットアイス*と云って、寒い盛りに一寸《ちょっと》温かい晩があって、積った雪が上融《うわどけ》をして、それが朝氷っていることがあります。木の枝は硝子《ガラス》で包んだようになっています。ベルリンのウンテル・デン・リンデンと云う大通りの人道が、少し凸凹《でこぼこ》のある鏡のようになっていて、滑って歩くことが出来ないので、人足が沙《すな》を入れた籠《かご》を腋《わき》に抱えて、蒔《ま》いて歩いています。そう云う時が一番寒いのですが、それでもロシアのように、町を歩いていて鼻が腐るような事はありません。煖炉《だんろ》のない家もないし、毛皮を著ない人もない位ですから、寒さが体には徹《こた》えません。こちらでは夏座敷に住んで、夏の支度をして、寒がっているようなものですね。」秀麿はこんな話をした。

桜の咲く春も過ぎた。お母あ様に桜の事を問われて、秀麿は云った。「ドイツのような寒い国では、春が一どきに来て、どの花も一しょに咲きます。美しい五月と云う詞がありますす。桜の花もないことはありませんが、あっちの人は桜と云う木は桜ん坊のなる木だとばかり思っていますから、花見はいたしません。ベルリンから半道《はんみち》ばかりの、ストララウ*と云う村に、スプレエ川*の岸で、桜の沢山植えてある所があります。そこへ日本から行っている学生が揃《そろ》って、花見に行ったことがありましたよ。絨緞《じゅうたん》を織る工場の女工なんぞが通り掛かって、あの人達は木の下で何をしているのだろうと云って、驚いて見ていました。」

暑い夏も過ぎた。秀麿はお母あ様に、「ベルリンではこんな日にどうしているの」

と問われて、暫く頭を傾けていたが、とうとう笑いながら、こう云った。「一番つまらない季節ですね。誰も彼も旅行してしまいます。若い娘なんぞがスウィッツル*に行って、高い山に登ります。跡に残っている人は為方《しかた》がないので、公園内の飲食店で催す演奏会へでも往《い》って、夜なかまで涼みます。だいぶ北極が近くなっている国ですから、そんなにして遊んで帰って、夜なかを過ぎて寝ようとすると、もう窓が明るくなり掛かっています。」

かれこれするうちに秋になった。「ヨオロッパでは寒さが早く来ますから、こんな秋日和《あきびより》の味は味うことが出来ませんね」と、秀麿は云って、お母あ様に対して、ちょっと愉快げな笑顔をして見せる。大抵こんな話をするのは食事の時位で、その外の時間には、秀麿は自分の居間になっている洋室に籠《こも》っている。西洋から持って来た書物が多いので、本箱なんぞでは間に合わなくなって、この一間だけ壁に悉《ことごと》く棚を取り附けさせて、それへ一ぱい書物を詰め込んだ。棚の前には薄い緑色の幕を引かせたので、一種の装飾にはなったが、壁がこれまでの倍以上の厚さになったと同じわけだから、室内が余程暗くなって、それと同時に、一間が外より物音の聞えない、しんとした所になってしまった。小春*の空が快く晴れて、誰も彼も出歩く頃になっても、秀麿はこのしんとした所に籠って、卓《テエブル》の傍を離れずに本を読んでいる。窓の明りが左手から斜《ななめ》に差し込んで、緑の羅紗《らしゃ》*の張ってある上を半分明るくしている卓である。

この秋は暖い暖いと云っているうちに、稀《まれ》に降る雨がいつか時雨《しぐれ》めいて来て、もう二三日前から、秀麿の部屋のフウベン形の瓦斯《ガス》煖炉《だんろ》にも、小間使の雪が来て点火することになっている。

朝起きて、庭の方へ築《つ》き出してある小さいヴェランダへ出て見ると、庭には一面に、大きい黄いろい梧桐《ごとう》の葉と、小さい赤い山もみじの葉とが散らばって、ヴェランダから庭へ降りる石段の上まで、殆《ほとん》ど隙間《すきま》もなく彩《いろど》っている。石垣に沿うて、露に濡《ぬ》れた、老緑《ろうりょく》の広葉を茂らせている八角《やつで》全盛が、所々に白い茎を、枝のある燭台《しょくだい》のように抽《ぬ》き出して、白い花を咲かせている上に、薄曇の空から日光が少し漏れて、雀《すずめ》が二三羽鳴きながら飛び交わしている。

秀麿は暫く眺めていて、両手を力なく垂れたままで、背を反《そ》らせて伸びをして、深い息を衝いた。それから部屋に這入《はい》って、洗面卓《たく》の傍《そば》へ行って、雪が取って置いた湯を使って、背広の服を引っ掛けた。洋行して帰ってからは、いつも洋服を著《き》ているのである。

そこへお母あ様が這入って来た。「きょうは日曜だから、お父う様は少しゆっくりしていらっしゃるのだが、わたしはもう御飯を戴《いただ》くから、お前もおいでないか。」こう云って、息子の顔を横から覗《のぞ》くように見て、詞を続けた。「ゆうべも大層遅くまで起きていましたね。いつも同じ事を言うようですが、西洋から帰ってお出《いで》の時は、あんなに体が好かったのに、余り勉強ばかりして、段々顔色を悪くしておしまいなのね。」

「なに。体はどうもありません。外へ出ないでいるから、日に焼けないのでしょう。」笑いながら云って、一しょに洋室を出た。

しかし奥さんにはその笑声が胸を刺すように感ぜられた。秀麿が心からでなく、人に目潰《めつぶ》しに何か投げ附けるように笑声をあびせ掛ける習癖を、自分も意識せずに、いつの間にか養成しているのを、奥さんは本能的に知っているのである。

食事をしまって帰った時は、明方に薄曇のしていた空がすっかり晴れて、日光が色々に邪魔をする物のある秀麿の室《へや》を、物見高い心から、依怙地《えこじ》に覗こうとするように、窓帷《まどかけ》のへりや書棚のふちを彩って、卓《テエブル》の上に幅の広い、明るい帯をなして、インク壺《つぼ》を光らせたり、床に敷いてある絨氈《じゅうたん》の空想的な花模様に、刹那《せつな》の性命を与えたりしている。そんな風に、日光の差し込んでいる処《ところ》の空気は、黄いろに染まり掛かった青葉のような色をして、その中には細かい塵《ちり》が躍っている。

室内の温度の余り高いのを喜ばない秀麿は、煖炉のコックを三分一程閉じて、葉巻を銜《くわ》えて、運動椅子《いす》*に身を投げ掛けた。

秀麿の心理状態を簡単に説明すれば、無聊《ぶりょう》に苦んでいると云うより外はない。それも何事もすることの出来ない、低い刺戟《しげき》に饑《う》えている人の感ずる退屈とは違う。内に眠っている事業に圧迫せられるような心持である。潜勢力の苦痛である。三国時代*の英雄は髀《ひ》に肉を生じたのを見て歎《たん》じた。*それと同じように、余所目《よそめ》には痩せて血色の悪い秀麿が、自己の力を知覚していて、脳髄が医者の謂《い》う無動作性萎縮《いしゅく》*に陥いらねば好いがと憂《うれ》えている。そして思量の体操をする積りで、哲学の本なんぞを読み耽《ふけ》っているのである。お母あ様程には、秀麿の健康状態に就いて悲観していない父の子爵が、いつだったか食事の時息子を顧みて、「一肚《いちと》皮時宜《ひじぎ》に合わずかな」*と云って、意味ありげに笑った。秀麿は例の笑を顔に湛《たた》えて、「僕は不平家ではありません」と答えた。どうもお父う様はこっちが極端な自由思想をでも持っていはしないかと疑っているらしい。それは誤解である。しかしさすが男親だけにお母あ様よりは、切実に少くもこっちの心理状態の一面を解していてくれるようだと、秀麿は思った。

秀麿は父の詞《ことば》を一つ思い出したのが機縁になって、今一つの父の詞を思い出した。

それは又或る日食事をしている時の事で「どうも人間が猿から出来たなんぞと思っていられては困るからな」と云った。秀麿はぎくりとした。秀麿だって、ヘッケル*のアントロポゲニイ*に連署して、それを自分の告白にしても好いとは思っていない。しかしお父う様のこの詞の奥には、こっちの思想と相容《あいい》れない何物かが潜んでいるらしい。まさかお父う様だって、草昧《そうまい》*の世に一国民の造った神話を、そのまま歴史だと信じてはいられまいが、うかと神話が歴史でないと云うことを言明しては、人生の重大な物の一角が崩れ始めて、船底の穴から水の這入《はい》るように物質的思想が這入って来て、船を沈没させずには置かないと思っていられるのではあるまいか。そう思って知らず識《し》らず、頑冥《がんめい》な人物や、仮面を被《かむ》った思想家と同じ穴に陥いっていられるのではあるまいかと、秀麿は思った。

こう思うので、秀麿は父の誤解を打ち破ろうとして進むことを躊躇《ちゅうちょ》している。秀麿が為《た》めには、神話が歴史でないと云うことを言明することは、良心の命ずるところである。それを言明しても、果物が堅実な核《さね》を蔵しているように、神話の包んでいる人生の重要な物は、保護して行かれると思っている。彼を承認して置いて、此《これ》を維持して行くのが、学者の務《つとめ》だと云うばかりではなく、人間の務だと思っている。

そこで秀麿は父と自分との間に、狭くて深い谷があるように感ずる。それと同時に、父が自分と話をする時、危険な物の這入っている疑のある箱の蓋《ふた》を、そっと開けて見ようとしては、その手を又引っ込めてしまうような態度に出るのを見て、歯痒《はがゆ》いようにも思い、又気の毒だから、いたわって、手を出させずに置かなくてはならないようにも思う。父が箱の蓋を取って見て、白昼に鬼を見て、毒でもなんでもない物を毒だと思って怖《おそ》れるよりは、箱の内容を疑わせて置くのが、まだしもの事かと思う。

秀麿のこう思うのも無理は無い。明敏な父の子爵は秀麿がハルナックの事を書いた手紙を見て、それに対する返信を控えて置いた後に、寝られぬ夜《よ》などには度々宗教問題を頭の中で繰り返して見た。そして思えば思う程、この問題は手の附けられぬものだと云う意見に傾いて、随《したが》ってそれに手を著けるのを危険だとみるようになった。そこでとにかく倅《せがれ》にそんな問題に深入をさせたくない。なろう事なら、倅の思想が他方面に向くようにしたい。そう思うので、自分からは宗教問題の事などは決して言い出さない。そしてこの問題が倅の頭にどれだけの根を卸しているかとあやぶんで、窃《ひそか》に様子を覗《うかが》うようにしているのである。

秀麿と父との対話が、ヨオロッパから帰って、もう一年にもなるのに、とかく対陣している両軍が、双方から斥候《せっこう》*を出して、その斥候が敵の影を認める度に、遠方から射撃して還《かえ》るように、はかばかしい衝突もせぬ代りに、平和に打ち明けることもなくているのは、こう云うわけである。

秀麿の銜《くわ》えている葉巻の白い灰が、だいぶ長くなって持っていたのが、とうとう折れて、運動椅子に倚《よ》り掛かっている秀麿のチョッキの上に、細い鱗《うろこ》のような破片を留《と》めて、絨緞《じゅうたん》の上に落ちて砕けた。今のように何もせずにいると、秀麿はいつも内には事業の圧迫と云うような物を受け、外には家庭の空気の或る緊張を覚えて、不快である。

秀麿は「又本を読むかな」と思った。兼ねて生涯の事業にしようと企てた本国の歴史を書くことは、どうも神話と歴史との限界をはっきりさせずには手が著けられない。寧《むし》ろ先《ま》ず神話の結成を学問上に綺麗《きれい》に洗い上げて、それに伴う信仰を、教義史体にはっきり書き、その信仰を司祭的に取り扱った機関を寺院史体にはっきり書く方が好さそうだ。そうしたってプロテスタント教*がその教義史と寺院史とで毀損《きそん》せられないと同じ事で、祖先崇拝の教義や機関も、特にそのために危害を受ける筈《はず》はない。これだけの事を完成するのは、極《きわめ》て容易だと思うと、もうその平明な、小ざっぱりした記載を目の前に見るような気がする。それが済んだら、安心して歴史に取り掛られるだろう。しかしそれを敢《あえ》てする事、その目に見えている物を手に取る事を、どうしても周囲の事情が許しそうにないと云う認識は、ベルリンでそろそろ故郷へ帰る支度に手を著け始めた頃から、段々に、或る液体の中に浮んだ一点の塵《ちり》を中心にして、結晶が出来て、それが大きくなるように、秀麿の意識の上に形づくられた。これが秀麿の脳髄の中に蟠結《はんけつ》*している暗黒な塊で、秀麿の企てている事業は、この塊に礙《さまた》げられて、どうしても発展させるわけにいかないのである。それで秀麿は製作的方面の脈管*を総《す》べて塞《ふさ》いで、思量の体操として本だけ読んでいる。本を読み出すと、秀麿は不思議に精神をそこに集注することが出来て、事業の圧迫をも感ぜず、家庭の空気の緊張をも感ぜないでいる。それで本ばかり読んでいることになるのである。

「又本を読むかな」と秀麿は思った。そして運動椅子から身を起した。

丁度その時こつこつと戸を叩《たた》いて、秀麿の返事をするのを待って、雪が這入って来た。小さい顔に、くりくりした、漆のように黒い目を光らして、小さくて鋭く高い鼻が少し仰向《あおむ》いているのが、ひどく可哀《かわい》らしい。秀麿が帰った当座、雪はまだ西洋室で用をしたことがなかったので、開けた戸を、内からしゃがんで締めて、絨緞の上に手を衝いて物を言った。秀麿は驚いて、笑顔をして西洋室での行儀を教えて遣《や》った。なんでも一度言って聞せると、しっかり覚えて、その次の度《たび》からは慣れたもののようにするのである。

煖炉を背にして立って、戸口を這入った雪を見た秀麿の顔は晴やかになった。エロチックの方面の生活のまるで瞑《ねむ》っている秀麿が、平和ではあっても陰気なこの家で、心から爽快《そうかい》を覚えるのは、この小さい小間使を見る時ばかりだと云っても好い位である。

「綾小路《あやこうじ》さんがいらっしゃいました」と、雪は籠《かご》の中の小鳥が人を見るように、くりくりした目の瞳《ひとみ》を秀麿の顔に向けて云った。雪は若檀那《わかだんな》様に物を言う機会が生ずる度に、胸の中で凱歌《がいか》の声が起る程、無意味に、何の欲望もなく、秀麿を崇拝しているのである。

この時雪の締めて置いた戸を、廊下の方からあらあらしく開けて、茶の天鵞絨《びろうど》の服を着た、秀麿と同年位の男が、駆け込むように這入って来て、いきなり雪の肩を、太った赤い手で押えた。「おい、雪。若檀那の顔ばかり見ていて、取次をするのを忘れては困るじゃないか。」

雪の顔は真っ赤になった。そして逃げるように、黙って部屋を出て行った。綾小路の方は振り返ってもみなかったのである。

秀麿の眉間《みけん》には、注意して見なくては見えない程の皺《しわ》が寄ったが、それが又注意して見ても見えない程早く消えて、顔の表情は極真面目《ごくまじめ》になっている。「君つまらない笑談《じょうだん》は、僕の所でだけはよしてくれ給え。」

「劈頭《へきとう》第一に小言を食わせるなんぞは驚いたね。気持の好い天気だぜ。君の内の親玉なんぞは、秋晴《しゅうせい》とかなんとか云うのだろう。尤《もっと》もセゾン*はもう冬かも知れないが、過渡時代には、冬の日になったり、秋の日になったりするのだ。きょうはまだ秋だとして置くね。どこか底の方に、ぴりっとした冬の分子が潜んでいて、夕日が沈み掛かって、かっと照るような、悲哀を帯びて爽快な処がある。まあ、年増《としま》の美人のようなものだね。こんな日に鼹鼠《もぐらもち》*のようになって、内に引っ込んで、本を読んでいるのは、世界は広いが、先ず君位なものだろう。それでも机の上に俯《ふ》さっていなかっただけを、僕は褒めて置くね。」

秀麿は真面目ではあるが、厭《いや》がりもしないらしい顔をして、盛んに饒舌《しゃべ》り立てている綾小路の様子を見ている。簡単に言えば、この男には餓鬼《がき》大将と云う表情がある。額際《ひたいぎわ》から顱頂《ろちょう》*へ掛けて、少し長めに刈った髪を真っ直に背後《うしろ》へ向けて掻《か》き上げたのが、日本画にかく野猪《いのしし》の毛のように逆立っている。細い目のちょいと下がった目尻《めじり》に、嘲笑《ちょうしょう》的な微笑を湛えて、幅広く広げた口を囲むように、左右の頰に大きい括弧《かっこ》に似た、深い皺を寄せている。

綾小路はまだ饒舌る。「そんなに僕の顔ばかし見給《みたま》うな。心中大いに僕を軽侮しているのだろう。好いじゃないか。君がロア*で、僕がブッフォン*か。ドイツ語でホオフナル*と云うのだ。陛下の倡優《しょうゆう》*を以《もっ》て遇する所か。」

秀麿は覚えず噴き出した。「僕がそんな侮辱的な考をするものか。」

「そんなら頭からけんつく*なんぞを食わせないが好い。」

「うん。僕が悪かった。」秀麿は葉巻の箱の蓋を開けて勧めながら、独語《ひとりごと》のようにつぶやいた。「僕は人の空想に毒を注《つ》ぎ込むように感じるものだから。」

「それがサンチマンタル*なのだよ」と云いながら、綾小路は葉巻を取った。秀麿はマッチを摩《す》った。

「メルシイ*」と云って綾小路が吸い附けた。

「暖かい所が好かろう」と云って、秀麿は椅子を一つ煖炉の前に押し遣った。

綾小路は椅背《きはい》に手を掛けたが、すぐに据わらずに、あたりを見廻して、卓《テエブル》の上にゆうべから開けたままになっている、厚い、仮綴《かりとじ》の洋書に目を着けた。傍《かたわら》には幅の広い篦《へら》のような形をした、鼈甲《べっこう》*の紙切小刀《かみきりこがたな》が置いてある。「又何か大きな物にかじり附いているね。」こう云って秀麿の顔を見ながら、腰を卸した。


綾小路は学習院を秀麿と同期で通過した男である。秀麿は大学に行くのに、綾小路

は画かきになると云って、溜池《ためいけ》*の洋画研究所へ通い始めた。それから秀麿がまだ文科にいるうちに、綾小路は先へ洋行して、パリイにいた。秀麿がマルセイユから上陸して、ベルリンへ行く途中で、二三日パリイに滞在していた時には、親切に世話を焼いて、シャン・ゼリゼェ*の散歩やら、テアアトル・フランセェ*とジムナアズ・ドラマチック*との芝居見物やら、時間を吝《おし》まずに案内をして歩いて、ベルリンへ行ってから著《き》る服まで誂《あつら》えさせてくれた。

綾小路は目と耳とばかりで生活しているような男で、芸術をさえ余り真面目には取り扱っていないが、明敏な頭脳がいつも何物にか饑《う》えている。それで故郷へ帰って以来引き籠《こも》り勝にしている秀麿の方からは、尋ねても行かぬのに、折々遊びに来て、秀麿の読んでいる本の話を、口ではちゃかしながら、真面目に聞いて考えても見るのである。

綾小路は卓の所へ歩いて行って、開けてある本の表紙を引っ繰り返して見た。「ジイ・フィロゾフィイ・デス・アルス・オップ*か。妙な標題だなあ。」

そこへ雪が楕円形《だえんけい》のニッケル盆に香茶《こうちゃ》の道具を載せて持って来た。そして小さい卓を煖炉の前へ運んで、その上に盆を置いて、綾小路の方を見ぬようにしてちょいと見て、そっと部屋を出て行った。何か言われはしないだろうか。言えば又恥かしいような事を言うだろう。どんな事を言うだろう。言わせて聞いても見たいと云うような心持で雪はいたが、こん度は綾小路が黙っていた。

秀麿は伏せてあるタッス*を起して茶を注いだ。そして「牛乳を入れるのだろうな」と云って、綾小路を顧みた。

「こないだのように沢山入れないでくれ給え。一体アルス・オップ*とはなんだい。」こう云いながら、綾小路は煖炉の前の椅子に掛けた。

「コム・シィ*さ。かのようにとでも云ったら好いのだろう。妙な所を押さえて、考を押し広めて行ったものだが、不思議に僕の立場そのままを説明してくれるようで、愉快でたまらないから、とうとうゆうべは三時まで読んでいた。」

「三時まで。」綾小路は目を睜《みは》った。「どうして、どこが君の立場そのままなのだ。」

「そう」と云って、秀麿は暫《しばら》く考えていた。千ペエジ近い本を六七分通り読んだのだから、どんな風に要点を撮《つま》んで話したものかと考えたのである。「先ず本当だと云う詞《ことば》からして考えて掛からなくてはならないね。裁判所で証拠立てをして拵《こしら》えた判決文を事実だと云って、それを本当だとするのが、普通の意味の本当だろう。ところが、そう云う意味の事実と云うものは存在しない。事実だと云っても、人間の写象を通過した以上は、物質論者のランゲ*の謂《い》う湊合《そうごう》*が加わっている。意識せずに詩にしている。

嘘《うそ》になっている。そこで今一つの意味の本当と云うものを立てなくてはならなくなる。小説は事実を本当とする意味に於《お》いては嘘だ。しかしこれは最初から事実がらないで、嘘と意識して作って、通用させている。そしてその中《うち》に性命がある。価値がある。尊い神話も同じように出来て、通用して来たのだが、あれは最初事実がっただけ違う。君のかく画も、どれ程写生したところで、実物ではない。嘘の積りでかいている。人生の性命あり、価値あるものは、皆この意識した嘘だ。第二の意味の本当はこれより外には求められない。こう云う風に本当を二つに見ることは、カント*が元祖で、近頃プラグマチスム*なんぞで、余程卑俗にして繰り返しているのも同じ事だ。これだけの事は一寸《ちよつと》云って置かなくては、話が出来ないのだがね。」

「宜《よろ》しい。詞《ことば》はどうでも好い。その位な事は僕にも分かっている。僕のかく画だって、実物ではないが、今年も展覧会で一枚売れたから、慥《たし》かに多少の価値がある。だから僕の画を本当だとするには、異議はない。そこでコム・シィはどうなるのだ。」

「まあ待ち給え。そこで人間のあらゆる智識、あらゆる学問の根本を調べてみるのだね。一番正確だとしてある数学方面で、点だの線だのと云うものがある。どんなに細かくぽつんと打ったって点にはならない。どんなに細くすうっと引いたって線にはならない。どんなに好く削った板の縁《ふち》も線にはなっていない。角《かど》も点にはなっていない。

点と線は存在しない。例の意識した嘘だ。しかし点と線があるかのように考えなくては、幾何学は成り立たない。あるかのようにだね。コム・シィだね。自然科学はどうだ。物質と云うものでからが存在はしない。物質が元子から組み立てられていると云う。その元子も存在はしない。しかし物質があって、元子から組み立ててあるかのように考えなくては、元子量の勘定が出来ないから、化学は成り立たない。精神学の方面はどうだ。自由だの、霊魂不滅だの、義務だのは存在しない。その無いものを有るかのように考えなくては、倫理は成り立たない。理想と云っているものはそれだ。法律の自由意志と云うものの存在しないのも、疾《と》っくに分かっている。しかし自由意志があるかのように考えなくては、刑法が全部無意味になる。どんな哲学者も、近世になっては大抵世界を相待《そうたい》に見て、絶待《ぜったい》の存在しないことを認めてはいるが、それでも絶待があるかのように考えている。宗教でも、もうだいぶ古くシュライエルマッヘル*が神を父であるかのように考えると云っている。孔子《こうし》もずっと古く祭るに在《いま》すが如《ごと》くすと云っている。先祖の霊があるかのように祭るのだ。そうして見ると、人間の智識、学問はさて置き、宗教でもなんでも、その根本を調べて見ると、事実として証拠立てられない或る物を建立《こんりゅう》している。即《すなわ》ちかのようにが土台に横《よこた》わっているのだね。」

「まあ一寸待ってくれ給え。君は僕の事を饒舌《しゃべ》ると云うが、君が饒舌り出して来ると、駆足になるから、附いて行かれない。その、かのようにと云う怪物の正体も、少し見え掛っては来たが、まあ、茶でももう一杯飲んで考えて見なくては、はっきりしないね。」

「もうぬるくなっただろう。」

「なに。好いよ。雪と云う、証拠立てられる事実が間へ這入《はい》って来ると、考えがこんがらかって来るからね。そうすると、つまり事実と事実がごろごろ転がっていてもしようがない。それを結び附けて考えようとすると、厭《いや》でも或る物を土台にしなくてはならない。その土台が例のかのようにだと云うのだね。宜しい。ところが、僕はそんな怪物の事は考えずに置く。考えても言わずに置く。」綾小路は生温《なまぬる》い香茶をぐっと飲んで、決然と言い放った。

秀麿は顔を蹙《しか》めた。「それは僕も言わずにいる。しかし君は画だけかいて、言わずにいられようが、僕は言う為めに学問をしたのだ。考えずには無論いられない。考えてそれを真直ぐに言わずにいるには、黙ってしまうか、別に嘘を拵えて言わなくてはならない。それでは僕の立場がなくなってしまうのだ。」

「しかしね、君、その君が言う為めに学問したと云うのは、歴史を書くことだろう。僕が画をかくように、怪物が土台になっていても好いから、構わずにずんずん書けば好いじゃないか。」

「そうはいかないよ。書き始めるには、どうしても神話を別にしなくてはならないのだ。別にすると、なぜ別にする、なぜごちゃごちゃにして置かないかと云う疑問が起る。どうしても歴史は、画のように一刹那《せつな》を捉《とら》えて遣《や》っているわけにはいかないのだ。」

「それでは僕のかく画には怪物が隠れているから好い。君の書く歴史には怪物が現れて来るからいけないと云うのだね。」

「まあ、そうだ。」

「意気地がないねえ。現れたら、どうなるのだ。」

「危険思想だと云われる。それも世間がかれこれ云うだけなら、奮闘もしよう。第一父が承知しないだろうと思うのだ。」

「いよいよ意気地がないねえ。そんな葛藤《かっとう》なら、僕はもう疾《と》っくに解決してしまっている。僕は画かきになる時、親爺《おやじ》が見限ってしまって、現に高等遊民として取扱っているのだ。君は歴史家になると云うのをお父うさんが喜んで承知した。そこで大学も卒業した。洋行も僕のように無理をしないで、気楽にした。君は今まで葛藤の繰延《くりのべ》をしていたのだ。僕の五六年前に解決した事を、君は今解決して、好きなように歴史を書くが好いじゃないか。已《や》むを得んじゃないか。」

「しかし僕はそんな葛藤を起さずに遣っていかれる筈《はず》だと思っている。平和な解決がつい目の前に見えている。手に取られるように見えている。それを下手《へた》に手に取ろうとして失敗をすることなんぞは、避けたいと思っている。それでぐずぐずしていて、君にまで意気地がないと云われるのだ。」秀麿は溜息《ためいき》を衝いた。

「ふん、どうしてお父うさんを納得させようと云うのだ。」

「僕の思想が危険思想でもなんでもないと云うことを言って聞せさえすれば好いのだが。」

「どう言って聞せるね。僕がお父うさんだと思って、そこで一つ言って見給え。」

「困るなあ」と云って、秀麿は立って、室内をあちこち歩き出した。

晷《ひかげ》はもうヴェランダの檐《のき》を越して、屋根の上に移ってしまった。真《ま》っ蒼《さお》に澄み切った、まだ秋らしい空の色がヴェランダの硝子戸《ガラスど》を青玉《せいぎょく》*のように染めたのが、窓越しに少し翳《かす》んで見えている。山の手の日曜日の寂しさが、だいぶ広いこの邸《やしき》の庭に、田舎の別荘めいた感じを与える。突然自動車が一台煉瓦塀《れんがべい》の外をけたたましく過ぎて、跡は又元の寂しさに戻った。

秀麿は語を続《つ》いだ。「まあ、こうだ。君がさっきから怪物々々と云っている、その、ればかのようにがなくては、学問もなければ、芸術もない、宗教もない。人生のあらゆる価値のあるものは、かのようにを中心にしている。昔の人が人格のある単数の神や、複数の神の存在を信じて、その前に頭を屈《かが》めたように、僕はかのようにの前に敬虔《けいけん》に頭を屈める。その尊敬の情は熱烈ではないが、澄み切った、純潔な感情なのだ。道徳だってそうだ。義務が事実として証拠立てられるものでないと云うことだけ分かって、怪物扱い、幽霊扱いにするイブセン*の芝居なんぞを見る度に、僕は憤懣《ふんまん》に堪えない。破壊は免るべからざる破壊かも知れない。しかしその跡には果してなんにもないのか。手に取られない、微《かす》かなような外観のものではあるが、底にはかのようにが儼乎《げんこ》として存立している*。人間は飽くまでも義務があるかのように行わなくてはならない。僕はそう行って行く積りだ。人間が猿から出来たと云うのは、あれは事実問題で、事実として証明しようと掛かっているのだから、ヒポテジス*であって、かのようにではないが、進化の根本思想はやはりかのようにだ。生類は進化するかのようにしか考えられない。僕は人間の前途に光明を見て進んで行く。祖先の霊があるかのように背後《うしろ》を顧みて、祖先崇拝をして、義務があるかのように、徳義の道を踏んで、前途に光明を見て進んで行く。そうして見れば、僕は事実上極蒙昧《ごくもうまい》な、極従順な、山の中の百姓と、なんの択《えら》ぶ所もない。只頭がぼんやりしていないだけだ。極頑固な、極篤実《とくじつ》な、敬神家や道学先生*と、なんの択ぶところもない。只頭がごつごつしていないだけだ。ねえ、君、この位安全な、危険でない思想はないじゃないか。神が事実でない。義務が事実でない。これはどうしても今日になって認めずにはいられないが、それを認めたのを手柄にして、神を瀆《けが》す。義務を蹂躙《じゅうりん》する。そこに危険は始て生じる。行為は勿論《もちろん》、思想まで、そう云う危険な事は十分撲滅しようとするが好い。しかしそんな奴《やつ》の出て来たのを見て、天国を信ずる昔に戻そう、地球が動かずにいて、太陽が巡回していると思う昔に戻そうとしたって、それは不可能だ。そうするには大学も何も潰《つぶ》してしまって、世間をくら闇にしなくてはならない。黔首《けんしゅ》を愚《ぐ》にしなくてはならない。それは不可能だ。どうしても、かのようにを尊敬する、僕の立場より外に、立場はない。」

これまで例の口の端《はた》の括弧《かっこ》を二重《ふたえ》三重《みえ》にして、妙な微笑を顔に湛《たた》えて、葉巻の烟《けむり》を吹きながら聞いていた綾小路は、煙草の灰を灰皿に叩《たた》き落して、身を起しながら、「駄目だ」と、簡単に一言云って、煖炉を背にして立った。そしてめまぐろしく歩き廻りながら饒舌っている秀麿を、冷やかに見ている。

秀麿は綾小路の正面に立ち止まって相手の顔を見詰めた。蒼い顔の目の縁がぽっと赤くなって、その目の奥にはファナチスム*の火に似た、一種の光がある。「なぜ。なぜ駄目だ。」

「なぜって知れているじゃないか。人に君のような考になれと云ったって、誰がなるものか。百姓はシの字を書いた三角の物を額へ当てて、先祖の幽霊が盆にのこのこ歩いて来ると思っている。道学先生は義務の発電所のようなものが、天の上かどこかにあって、自分の教《おす》わった師匠がその電気を取り続《つ》いで、自分に掛けてくれて、そのお蔭《かげ》で自分が生涯ぴりぴりと動いているように思っている。みんな手応《てごたえ》のあるものを向うに見ているから、崇拝も出来れば、遵奉《じゅんぽう》＊も出来るのだ。人に僕のかいた裸体画を一枚遣って、女房を持たずにいろ、けしからん所へ往《い》かずにいろ、これを生きた女であるかのように思えと云ったって、聴くものか。君のかのようにはそれだ。」

「そんなら君はどうしている。幽霊がのこのこ歩いて来ると思うのか。電気を掛けられていると思うのか。」

「そんな事はない。」

「そんならどう思う。」

「どうも思わずにいる。」

「思わずにいられるか。」

「そうさね。まるで思わない事もない。しかしなるたけ思わないようにしている。極《き》めずに置く。画をかくには極めなくても好いからね。」

「そんなら君が仮に僕の地位に立って、歴史を書かなくてはならないとなったら、どうする。」

「僕は歴史を書かなくてはならないような地位には立たない。御免を蒙《こうむ》る。」綾小路の顔からは微笑の影がいつか消えて、平気な、殆《ほとん》ど不愛想な表情になっている。

秀麿は気抜けがしたように、両手を力なく垂れて、こん度は自分が寂しく微笑《ほほえ》んだ。

「そうだね。てんでに自分の職業を遣って、そんな問題はそっとして置くのだろう。僕は職業の選びようが悪かった。ぼんやりして遣ったり、嘘を衝いてやれば造做《ぞうさ》はないが、正直に、真面目に遣ろうとすると、八方塞《ふさ》がりになる職業を、僕は不幸にして選んだのだ。」

綾小路の目は一刹那鋼鉄の様に光った。「八方塞がりになったら、突貫して行く積りで、なぜ遣らない。」

秀麿は又目の縁を赤くした。そして殆ど大人の前に出た子供のような口吻《こうふん》で、声低く云った。「所詮《しょせん》父と妥協して遣る望はあるまいかね。」

「駄目、駄目」と綾小路は云った。

綾小路は背をあぶるように、煖炉に太った体を近づけて、両手を腰のうしろに廻して、少し前屈みになって立ち、秀麿はその二三歩前に、瘦《や》せた、しなやかな体を、まだこれから延びようとする今年竹《ことしだけ》のように、真っ直にして立ち、二人は目と目を見合わせて、良久《やや》しく黙っている。山の手の日曜日の寂しさが、二人の周囲を依然支配している。

阿部一族

従《じゅ》四位下《いのげ》左近衛少将《さこんえのしょうしょう》兼越中守《けんえっちゅうのかみ》細川忠利《ただとし》*は、寛永十八年辛巳《しんし》*の春、余所《よそ》よりは早く咲く領地肥後国《ひごのくに》*の花を見棄てて、五十四万石の大名の晴々しい行列に前後を囲ませ、南より北へ歩みを運ぶ春と倶《とも》に、江戸を志して参勤の途《みち》に上ろうとしているうち、図らず病に罹《かか》って、典医*の方剤《ほうざい》*も功を奏せず、日に増し重くなるばかりなので、江戸へは出発日延《ひのべ》の飛脚が立つ。徳川将軍は名君の誉《ほまれ》の高い三代目の家光で、島原一揆《いっき》*の時賊将天草四郎時貞《あまくさときさだ》*を討ち取って大功を立てた忠利の身の上を気遣い、三月二十日には松平伊豆守《まつだいらいずのかみ》*、阿部豊後守《あべぶんごのかみ》*、阿部対馬守《つしまのかみ》*の連名の沙汰書《さたしょ》*を作らせ、針医*以策《いさく》と云うものを、京都から下向*させる。続いて二十二日には同じく執政三人の署名した沙汰書を持たせて、曾我《そが》又左衛門と云う侍を上使*に遣《つかわ》す。大名に対する将軍家の取扱としては、鄭重《ていちょう》を極めたものであった。島原征伐がこの年から三年前《ぜん》寛永十五年の春平定してから後、江戸の邸《やしき》に添地《そえち》*を賜わったり、鷹狩《たかがり》の鶴《つる》を下されたり、不断慇懃《いんぎん》を尽していた将軍家の事であるから、この度の大病を聞いて、先例の許す限の慰問をさせたのも尤《もっとも》である。

将軍家がこう云う手続をする前に、熊本花畑《はなばたけ》*の館《やかた》では忠利の病が革《すみや》かになって、とうとう三月十七日申《さる》の刻《こく》*に五十六歳で亡《な》くなった。奥方は小笠原兵部大輔《ひょうぶたいふ》秀政《ひでまさ》の娘を将軍が養女にして妻《めあわ》せた人で、今年四十五歳になっている。名をお千《せん》の方《かた》と云う。嫡《ちゃく》子《し》六丸は六年前に元服して将軍家から光《みつ》の字を賜わり、光貞と名告《なの》って、従四位下侍従兼肥後守にせられている。今年十七〔二十三〕歳*である。江戸参勤中で遠江国《とおとうみのくに》*浜松まで帰ったが、訃音《ふいん》*を聞いて引き返した。光貞は後《のち》名を光尚《みつひさ》と改めた。二男鶴千代は小さい時から立田山《たつたやま》の泰勝寺《たいしょうじ》*に遣《や》ってある。京都妙心寺《みょうしんじ》*出身の大淵和尚《たいえんおしょう》の弟子になって宗玄《そうげん》と云っている。三男松之助は細川家に旧縁のある長岡氏に養われている。四男勝千代は家臣南条大膳《なんじょうだいぜん》の養子になっている。女子は二人ある。長女藤姫《ふじひめ》は松平周防守《すおうのかみ》忠弘の奥方になっている。二女竹姫《たけひめ》は後に有吉頼母《ありよしたのも》英長《ひでなが》の妻になる人である。弟には忠利が三斎《さんさい》*の三男に生れたので、四男中務大輔《なかつかさたいふ》立孝《たつたか》、五男刑部興孝《ぎょうぶおきたか》、六男長岡式部《しきぶ》寄之《よりゆき》の三人がある。妹には稲葉一通《かずみち》に嫁《か》した多羅姫《たらひめ》、烏丸中納言《からすまるちゅうなごん》光賢《みつかた》に嫁した万《まん》姫《ひめ》がある。この万姫の腹に生れた禰々姫《ねねひめ》が忠利の嫡子光尚の奥方になって来るのである。目上には長岡氏を名告る兄が二人、前野長岡両家に嫁した姉が二人ある。隠居三斎宗立《そうりゅう》もまだ存命で、七十九歳になっている。この中には嫡子光貞のように江戸にいたり、又京都、その外遠国にいる人達もあるが、それが後に知らせを受けて歎《なげ》いたのと違って、熊本の館にいた限の人達の歎きは、分けて痛切なものであった。江戸への注進には六島《むつしま》少吉、津田六左衛門の二人が立った。

三月二十四日には初七日《しょなぬか》の営みがあった。四月二十八日にはそれまで館の居間の床《とこ》板《いた》を引き放って、土中に置いてあった棺《かん》を舁《か》き上げて、江戸からの指図に依《よ》って、飽《あき》田郡春日村《たごおりかすがむら》岫雲院《しゅううんいん》*で遺骸《いがい》を荼毘《だび》*にして、高麗門《こうらいもん》*の外の山に葬《ほうむ》った。この霊屋《みたまや》*の下に、翌年の冬になって、護国山妙解寺《ごこくざんみょうげじ》が建立《こんりゅう》せられて、江戸品川東海寺《とうかいじ》から沢庵《たくあん》和尚*の同門の啓室和尚《けいしつおしょう》が来て住持になり、それが寺内の臨流庵《りんりゅうあん》に隠居してから、忠利の二男で出家していた宗玄が、天岸《てんがん》和尚と号して跡続《あとつぎ》になるのである。忠利の法号は妙解院殿《でん》台雲宗伍大居士《たいうんそうごだいこじ》と附けられた。

岫雲院で荼毘になったのは、忠利の遺言《いごん》によったのである。いつの事であったか、忠利が方目狩《ばんがり》*に出て、この岫雲院で休んで茶を飲んだことがある。その時忠利はふと腮鬚《あごひげ》の伸びているのに気が附いて住持に剃刀《かみそり》は無いかと云った。住持が盥《たらい》に水を取って、剃刀を添えて出した。忠利は機嫌好く児小姓《こごしょう》*に髯を剃《そ》らせながら、住持に云った。

「どうじゃな。この剃刀では亡者《もうじゃ》の頭を沢山剃ったであろうな」と云った。住持はなんと返事をして好《い》いか分からぬので、ひどく困った。この時から忠利は岫雲院の住持と心安くなっていたので、荼毘所をこの寺に極《き》めたのである。丁度荼毘の最中であった。柩《ひつぎ》の供をして来ていた家臣達の群に、「あれ、お鷹がお鷹が」と云う声がした。

境内《けいだい》の杉の木立に限られて、鈍い青色をしている空の下、円形《まるがた》の石の井筒《いづつ》*の上に笠のように垂れ掛かっている葉桜の上の方に、二羽の鷹が輪をかいて飛んでいたのである。人々が不思議がって見ているうちに、二羽が尾と嘴《くちばし》と触れるように跡先《あとさき》に続いて、さっと落して来て、桜の下の井の中に這入《はい》った。寺の門前で暫《しばら》く何かを言い争っていた五六人の中から、二人の男が駈《か》け出して、井の端《はた》に来て、石の井筒に手を掛けて中を覗《のぞ》いた。その時鷹は水底深く沈んでしまって、歯朶《しだ》の茂みの中に鏡のように光っている水面は、もう元の通りに平らになっていた。二人の男は鷹匠衆《たかじょうしゅう》*であった。井の底にくぐり入って死んだのは、忠利が愛していた有明《ありあけ》、明石《あかし》と云う二羽の鷹であった。その事が分かった時、人々の間に、「それではお鷹も殉死したのか」と囁《ささや》く声が聞えた。それは殿様がお隠れになった当日から一昨日《おとつい》までに殉死した家臣が十余人あって、中にも一昨日は八人一時に切腹し、昨日《きのう》も一人《ひとり》切腹したので、家中誰一人《いちにん》殉死の事を思わずにいるものは無かったからである。二羽の鷹はどう云う手ぬかりで鷹匠衆の手を離れたか、どうして目に見えぬ獲物を追うように、井戸の中に飛び込んだか知らぬが、それを穿鑿《せんさく》しようなどと思うものは一人も無い。鷹は殿様の御寵愛《ごちょうあい》なされたもので、それが茶毗の当日に、しかもお茶毗所の岫雲院の井戸に這入って死んだと云うだけの事実を見て、鷹が殉死したのだと云う判断をするには十分であった。それを疑って別に原因を尋ねようとする余地は無かったのである。

　中陰*の四十九日が五月五日に済んだ。これまでは宗玄を始として、既西堂《きせいどう》、金両堂《こんりようどう》、天授庵《てんじゆあん》、聴松院《ちようしよういん》、不二庵《ふじあん》等の僧侶《そうりよ》が勤行《ごんぎよう》*をしていたのである。さて五月六日になったが、まだ殉死する人がぽつぽつある。殉死する本人や親兄弟妻子は言うまでもなく、なんの由縁《ゆかり》も無いものでも、京都から来るお針医と江戸から下る御上使《ごじようし》との接待の用意なんぞはうわの空でしていて、只殉死の事ばかり思っている。例年簷《のき》に葺《ふ》く端午《たんご》の菖蒲《しようぶ》も摘まず、ましてや初幟《はつのぼり》*の祝をする子のある家も、その子の生れたことを忘れたようにして、静まり返っている。

　殉死にはいつどうして極まったともなく、自然に掟《おきて》が出来ている。どれ程殿様を大切に思えばと云って、誰でも勝手に殉死が出来るものでは無い。泰平の世の江戸参勤のお供、いざ戦争と云う時の陣中へのお供と同じ事で、死天《しで》の山*三途《さんず》の川*のお供をするにも是非殿様のお許《ゆるし》を得なくてはならない。その許もないのに死んでは、それは犬死である。武士は名聞《みようもん》*が大切だから、犬死はしない。敵陣に飛び込んで討死をするのは立派ではあるが、軍令に背《そむ》いて抜駈《ぬけがけ》*をして死んでは功にはならない。それが犬死であると同じ事で、お許の無いに殉死しては、これも犬死である。偶《たま》にそう云う人で犬死にならないのは、値遇《ちぐう》*を得た君臣の間に黙契があって、お許はなくてもお許があったのと変らぬのである。仏涅槃《ぶつねはん》*の後に起った大乗《だいじょう》の教《おしえ》*は、仏《ほとけ》のお許はなかったが、過現未を通じて知らぬ事の無い仏は、そう云う教が出て来るものだと知って懸許《けんきょ》*して置いたものだとしてある。お許が無いのに殉死の出来るのは、金口《こんく》*で説かれると同じように、大乗の教を説くようなものであろう。

そんならどうしてお許を得るかと云うと、この度殉死した人々の中の内藤長十郎元《もと》続《つぐ》が願った手段などが好い例である。長十郎は平生忠利の机廻りの用*を勤めて、格別の御懇意を蒙《こうむ》ったもので、病牀《びょうしょう》を離れずに介抱をしていた。もはや本復*は覚束《おぼつか》ないと、忠利が悟った時、長十郎に「末期《まつご》が近うなったら、あの不二《ふじ》と書いてある大文字《だいもじ》の懸物を枕許《まくらもと》に懸けてくれ」と言い附けて置いた。三月十七日に容態が次第に重くなって、忠利が「あの懸物を懸けえ」と云った。長十郎はそれを懸けた。忠利はそれを一目見て、暫く瞑目《めいもく》していた。それから忠利が「足がだるい」と云った。長十郎は搔巻《かいまき》の裾《すそ》を徐《しず》かにまくって、忠利の足をさすりながら、忠利の顔をじっと見ると、忠利もじっと見返した。

「長十郎お願がございまする。」

「なんじゃ。」

「御病気はいかにも御重体のようにはお見受申しまするが、神仏の加護良薬の功験で、一日も早う御全快遊ばすようにと、祈願いたしております。それでも万一と申すことがござりまする。若《も》しもの事がござりましたら、どうぞ長十郎奴《め》にお供を仰《おお》せ附けられますように。」

こう云いながら長十郎は忠利の足をそっと持ち上げて、自分の額に押し当てて戴《いただ》いた。目には涙が一ぱい浮かんでいた。

「それはいかんぞよ。」こう云って忠利は今まで長十郎と顔を見合せていたのに、半分寝返りをするように脇《わき》を向いた。

「どうぞそう仰《おっし》ゃらずに。」長十郎は又忠利の足を戴いた。

「いかんいかん。」顔を背《そむ》けたままで云った。

列座の者の中から、「弱輩の身を以《もっ》て推参*じゃ、控えたら好かろう」と云ったものがある。長十郎は当年十七歳である。

「どうぞ。」咽《のど》に支《つか》えたような声で云って、長十郎は三度目に戴いた足をいつまでも額に当てて放さずにいた。

「情の剛《こわ》い奴*《やつ》じゃな。」声はおこって叱《しか》るようであったが、忠利はこの詞《ことば》と倶《とも》に二度頷《うなず》いた。

長十郎は「はっ」と云って、両手で忠利の足を抱えたまま、床の背後《うしろ》に俯伏《うつぷ》して、暫く動かずにいた。その時長十郎が心の中《うち》には、非常な難所を通《かよ》って往《ゆ》き着かなくてはならぬ所へ往き着いたような、力の弛《ゆる》みと心の落着きとが満ち溢《あふ》れて、その外の事は何も意識に上らず、備後畳《びんごたたみ》*の上に涙の零《こぼ》れるのも知らなかった。

長十郎はまだ弱輩で何一つ際立《きわだ》った功績もなかったが、忠利は始終目を掛けて側近《そば》く使っていた。酒が好きで、別人なら無礼のお咎《とがめ》もありそうな失錯をしたことがあるのに、忠利は「あれは長十郎がしたのでは無い、酒がしたのじゃ」と云って笑ってい た。それでその恩に報いなくてはならぬ、その過《あやまち》を償《つぐの》わなくてはならぬと思い込んでいた長十郎は、忠利の病気が重《おも》ってからは、その報謝と賠償との道は殉死の外無いと牢《かた》く信ずるようになった。しかし細かにこの男の心中に立ち入ってみると、自分の発意で殉死しなくてはならぬと云う心持の旁《かたわら》、人が自分を殉死する筈《はず》のものだと思っているに違いないから、自分は殉死を余儀なくせられていると、人にすがって死の方向へ進んで行くような心持が、殆《ほと》んど同じ強さに存在していた。反面から云うと、若し自分が殉死せずにいたら、恐ろしい屈辱を受けるに違いないと心配していたのである。こう云う弱みのある長十郎ではあるが、死を怖《おそ》れる念は微塵《みじん》も無い。それだからどうぞ殿様に殉死を許して戴こうと云う願望《がんもう》は、何物の障礙《しょうがい》をも被《こうむ》らずにこの男の意志の全幅を領していたのである。

暫くして長十郎は両手で持っている殿様の足に力が這入って少し踏み伸ばされるように感じた。これは又だるくおなりになったのだと思ったので、又最初のように徐かにさすり始めた。この時長十郎の心頭には老母と妻との事が浮かんだ。そして殉死者の遺族が主家《しゅか》の優待を受けると云うことを考えて、それで己《おのれ》は家族を安穏な地位に置いて、安んじて死ぬることが出来ると思った。それと同時に長十郎の顔は晴々した気《き》色《しょく》になった。

四月十七日の朝、長十郎は衣服を改めて母の前に出て、始て殉死の事を明かして暇《いとま》乞《ごい》をした。母は少しも驚かなかった。それは互に口に出しては言わぬが、きょうは倅《せがれ》が切腹する日だと、母も疾《と》うから思っていたからである。若し切腹しないとでも云ったら、母はさぞ驚いたことであろう。

母はまだ貰《もら》ったばかりのよめが勝手にいたのをその席へ呼んで只支度が出来たかと問うた。よめはすぐに起《た》って、勝手から兼ねて用意してあった杯盤《はいばん》を自身に運んで出た。よめも母と同じように、夫がきょう切腹すると云うことを疾うから知っていた。髪を綺麗《きれい》に撫《な》で附けて、好い分の不断着に着換えている。母もよめも改まった、真面目な顔をしているのは同じ事であるが、只よめの目の縁が赤くなっているので、勝手にいた時泣いたことが分かる。杯盤が出ると、長十郎は弟左平次を呼んだ。

四人は黙って杯《さかずき》を取り交した。杯が一順した時母が云った。

「長十郎や。お前の好きな酒じゃ。少し過してはどうじゃな。」

「ほんにそうでござりまするな」と云って、長十郎は微笑を含んで、心地好げに杯を重ねた。

暫くして長十郎が母に言った。「好い心持に酔いました。先日からかれこれと心《こころ》遣《づかい》を致しましたせいか、いつもより酒が利《き》いたようでござります。御免を蒙ってちょっと一休みいたしましょう。」

こう云って長十郎は起って居間に這入ったが、すぐに部屋の真ん中に転がって、鼾《いびき》をかき出した。女房が跡からそっと這入って枕を出して当てさせた時、長十郎は「ううん」とうなって寝返りをしただけで、又鼾をかき続けている。女房はじっと夫の顔を見ていたが、忽《たちま》ち慌《あわ》てたように起って部屋へ往った。泣いてはならぬと思ったのである。

家《うち》はひっそりとしている。丁度主人の決心を母と妻とが言わずに知っていたように、家来も女中も知っていたので、勝手からも厩《うまや》の方からも笑声なぞは聞えない。

母は母の部屋に、よめはよめの部屋に、弟は弟の部屋に、じっと物を思っている。主人は居間で鼾をかいて寝ている。開け放ってある居間の窓には、下に風鈴を附けた吊葱《つりしのぶ》*が吊ってある。その風鈴が折々思い出したように微《かす》かに鳴る。その下には丈《たけ》の高い石の頂《いただき》を掘り窪《くぼ》めた手水鉢《ちょうずばち》*がある。その上に伏せてある捲物《まきもの》*の柄杓《ひしゃく》に、やんまが一疋《ぴき》止まって、羽を山形に垂れて動かずにいる。

一時《ひととき》*立つ。二時《ふたとき》立つ。もう午《ひる》を過ぎた。食事の支度は女中に言い附けてあるが、姑《しゅうとめ》が食べると云われるか、どうだか分からぬと思って、よめは聞きに行こうと思いながらためらっていた。若し自分だけが食事の事なぞを思うように取られはすまいかとためらっていたのである。

その時兼《かね》て介錯《かいしゃく》を頼まれていた関小平次が来た。姑はよめを呼んだ。よめが黙って手を衝《つ》いて機嫌を伺っていると、姑が云った。

「長十郎はちょっと一休みすると云うたが、いかい*時が立つような。丁度関殿も来られた。もう起して遣《や》ってはどうじゃろうの。」

「ほんにそうでござります。余り遅くなりません方が。」よめはこう云って、すぐに起って夫を起しに往った。

夫の居間に来た女房は、先に枕をさせた時と同じように、又じっと夫の顔を見ていた。死なせに起すのだと思うので、暫くは詞を掛け兼ねていたのである。

熟睡していても、庭からさす昼の明りがまばゆかったとみえて、夫は窓の方を背にして、顔をこっちへ向けている。

「もし、あなた」と女房は呼んだ。

長十郎は目を醒《さ》まさない。

女房がすり寄って、聳《そび》えている肩に手を掛けると、長十郎は「あ、ああ」と云って臂《ひじ》を伸ばして、両眼《りょうがん》を開いて、むっくり起きた。

「大そう好くお休みになりました。お袋様が余り遅くなりはせぬかと仰ゃりますから、お起し申しました。それに関様がお出《いで》になりました。」

「そうか。それでは午になったとみえる。少しの間だと思ったが、酔ったのと疲れがあったのとで、時の立つのを知らずにいた。その代りひどく気分が好うなった。茶漬《ちゃづけ》でも食べて、そろそろ東光院《とうこういん》*へ往かずばなるまい。お母あ様にも申し上げてくれ。」

武士はいざと云う時には飽食はしない。しかし又空腹で大切な事に取り掛かることも無い。長十郎は実際ちょっと寐《ね》ようと思ったのだが、覚えず気持好く寐過し、午になったと聞いたので、食事をしようと云ったのである。これから形《かた》ばかりではあるが、一家《け》四人のものが不断のように膳《ぜん》に向かって、午の食事をした。

長十郎は心静かに支度をして、関を連れて菩提所《ぼだいしょ》東光院へ腹を切りに往った。

長十郎が忠利の足を戴いて願ったように、平生恩顧を受けていた家臣の中《うち》で、これと前後して思い思いに殉死の願をして許されたものが、長十郎を加えて十八人あった。いずれも忠利の深く信頼していた侍共である。だから忠利の心では、この人々を子息光尚の保護のために残して置きたいことは山々であった。又この人々を自分と一しょに死なせるのが残刻だとは十分感じていた。しかし彼等一人々々に「許す」と云う一言《ごん》を、身を割《さ》くように思いながら与えたのは、勢《いきおい》已《や》むことを得なかったのである。

自分の親しく使っていた彼等が、命を惜《お》しまぬものであるとは、忠利は信じている。随《したが》って殉死を苦痛とせぬことも知っている。これに反して若し自分が殉死を許さずに置いて、彼等が生きながらえていたら、どうであろうか。家中一同は彼等を死ぬべき時に死なぬものとし、恩知らずとし、卑怯者《ひきょうもの》として共に歯《よわい》せぬ*であろう。それだけならば、彼等も或《あるい》は忍んで命を光尚に捧《ささ》げる時の来るのを待つかも知れない。しかしその恩知らず、その卑怯者をそれと知らずに、先代の主人が使っていたのだと云うものがあったら、それは彼等の忍び得ぬ事であろう。彼等はどんなにか口惜《くちお》しい思をするであろう。こう思ってみると、忠利は「許す」と云わずにはいられない。そこで病苦にも増したせつない思をしながら、忠利は「許す」と云ったのである。

殉死を許した家臣の数が十八人になった時、五十余年の久しい間治乱*の中に身を処して、人情世故《せいこ》*に飽くまで通じていた忠利は病苦の中にも、つくづく自分の死と十八人の侍の死とに就いて考えた。生《しょう》あるものは必ず滅する。老木の朽枯れる傍《そば》で、若木は茂り栄えて行く。嫡子《ちゃくし》光尚の周囲にいる少壮者《わかもの》共から見れば、自分の任用している老成人等《としよりら》は、もういなくて好いのである。邪魔にもなるのである。自分は彼等を生きながらえさせて、自分にしたと同じ奉公を光尚にさせたいと思うが、その奉公を光尚にするものは、もう幾人も出来ていて、手ぐすね引いて待っているかも知れない。自分の任用したものは、年来それぞれの職分を尽して来るうちに、人の怨《うらみ》をも買っていよう。少くも娼嫉《そねみ》の的になっているには違いない。そうして見れば、強いて彼等にながらえていろと云うのは、通達*した考ではないかも知れない。殉死を許して遣《や》ったのは慈悲であったかも知れない。こう思って忠利は多少の慰藉《いしゃ》を得たような心持になった。

殉死を願って許された十八人は寺本八左衛門直次《なおつぐ》、大塚喜兵衛種次《たねつぐ》、内藤長十郎元《もと》続《つぐ》、太田小十郎正信、原田十次郎之直《ゆきなお》、宗像《むなかた》加兵衛景定《かげさだ》、同吉太夫《きちだゆう》景好、橋谷《はしたに》市蔵重《しげ》次《つぐ》、井原十三郎吉正、田中意徳《いとく》、本庄《ほんじょう》喜助重正、伊藤太左衛門方高《まさたか》、右田因幡《いなば》統安《むねやす》、野田喜兵衛重綱、津崎五助長季《ながすえ》、小林理右衛門行秀、林与左衛門正定、宮永勝左衛門宗祐《むねすけ》の人々である。

寺本が先祖は尾張国《おわりのくに》*寺本に住んでいた寺本太郎と云うものであった。太郎の子内膳正《ないぜんのしょう》は今川家*に仕えた。内膳正の子が左兵衛、左兵衛の子が右衛門佐《うえもんのすけ》、右衛門佐の子が与左衛門で、与左衛門は朝鮮征伐*の時、加藤嘉明《よしあき》*に属して功があった。与左衛門の子が八左衛門で、大阪籠城《ろうじょう》*の時、後藤基次《もとつぐ》*の下で働いた事がある。細川家に召抱《めしかかえ》られてから、千石取って鉄砲五十挺《ちょう》の頭《かしら》になっていた。四月二十九日に安養寺《あんようじ》で切腹した。五十三歳である。藤本猪左衛門《いざえもん》が介錯した。大塚は百五十石取の横目役《よこめやく》*である。四月二十六日に切腹した。介錯は池田八左衛門であった。内藤が事は前に言った。太田は祖父伝左衛門が加藤清正*に仕えていた。忠広が封を除かれた時*、伝左衛門とその子の源左衛門とが流浪《るろう》した。小十郎は源左衛門の二男で児小姓《こごしょう》に召し出された者である。百五十石取っていた。殉死の先登《せんとう》*はこの人で、三月十七日に春日寺《かすがでら》で切腹した。十八歳である。介錯は門司《もじ》源兵衛がした。原田は百五十石取で、お側に勤めていた。四月二十六日に切腹した。介錯は鎌田源太夫がした。宗像加兵衛、同吉太夫の兄弟は、宗像中納言氏貞《うじさだ》*の後裔《こうえい》で、親清兵衛景延《かげのぶ》の代に召し出された。兄弟いずれも二百石取である。五月二日に兄は流長院《りゅうちょういん》、弟は蓮政寺《れんしょうじ》で切腹した。兄の介錯は高田十兵衛、弟のは村上市右衛門がした。橋谷は出雲国《いずものくに》*の人で、尼子《あまこ》*の末流《ばつりゅう》である。十四歳の時忠利に召し出されて、知行*百石の側役《そばやく》*を勤め、食事の毒味をしていた。忠利は病が重くなってから、橋谷の膝《ひざ》を枕《まくら》にして寝たこともある。四月二十六日に西岸寺《せいがんじ》で切腹した。丁度腹を切ろうとすると、城の太鼓*が微《かす》かに聞えた。橋谷は附いて来ていた家隷《けらい》に、外へ出て何時《なんどき》か聞いて来いと云った。家隷は帰って、「しまいの四つだけは聞きましたが、総体の桴数《ばちかず》は分りません」と云った。橋谷を始として、一座の者が微笑《ほほえ》んだ。橋谷は「最期《さいご》に好う笑わせてくれた」と云って、家隷に羽織を取らせて切腹した。吉村甚太夫《じんだゆう》が介錯した。井原は切米《きりまい》*三人扶持《ふち》十石を取っていた。切腹した時阿部弥一《やいち》右衛門《えもん》の家隷林左兵衛が介錯した。田中は阿菊《おきく》物語*を世に残したお菊が孫で、忠利が愛宕山《あたごさん》*へ学問に往《い》った時の幼友達であった。忠利がその頃出家しようとしたのを、窃《ひそ》かに諌《いさ》めたことがある。後に知行二百石の側役を勤め、算術が達者で用に立った。老年になってからは、君前《くんぜん》で頭巾《ずきん》を被《かむ》ったまま安座*することを免《ゆる》されていた。当代に追《お》腹《ばら》*を願っても許されぬので、六月十九日に小脇差*を腹に突き立ててから願書を出して、とうとう許された。加藤安太夫が介錯した。本庄は丹後国《たんごのくに》*の者で、流浪していたのを三斎公*の部屋附本庄久右衛門《きゅうえもん》が召使っていた。仲津《なかつ》*で狼藉者《ろうぜきもの》*を取り押さえて、五人扶持十五石の切米取にせられた。本庄を名告《なの》ったのもその時からである。四月二十六日に切腹した。伊藤は奥納戸役《おくおなんどやく》*を勤めた切米取である。四月二十六日に切腹した。介錯は河喜多《かわきた》八助がした。右田は大伴家《おおともけ》*の浪人で、忠利に知行百石で召し抱えられた。四月二十七日に自宅で切腹した。六十四歳である。松野右京《うきょう》の家隷田原勘兵衛が介錯した。野田は天草の家老野田美濃《みの》の倅《せがれ》で、切米取に召し出された。四月二十六日に源覚《げんかく》寺《じ》で切腹した。介錯は恵良《えら》半衛門がした。津崎の事は別に書く。小林は二人扶持十石の切米取である。切腹の時、高野勘右衛門が介錯した。林は南郷下田村《なんごうしもだむら》*の百姓であったのを、忠利が十人扶持十五石に召し出して、花畑の館《やかた》の庭方《にわかた》*にした。四月二十六日に仏巌寺《ぶつがんじ》で切腹した。介錯は仲光半助がした。宮永は二人扶持十石の台所役人で、先代に殉死を願った最初の男であった。四月二十六日に浄照寺《じょうしょうじ》で切腹した。介錯は吉村嘉右衛門がした。この人々の中にはそれぞれの家の菩提所に葬られたのもあるが、又高麗《こうらい》門外の山中にある霊屋《おたまや》の側に葬られたのもある。

切米取の殉死者はわりに多人数《たにんず》であったが、中にも津崎五助の事蹟《じせき》は、際立《きわだ》って面白いから別に書くことにする。

五助は二人扶持六石の切米取で、忠利の犬牽《いぬひき》*である。いつも鷹狩《たかがり》の供をして野方《のかた》で忠利の気に入っていた。主君にねだるようにして、殉死のお許は受けたが、家老達は皆云った。「外の方々は高禄を賜わって、栄耀《えよう》をしたのに、そちは殿様のお犬牽ではないか。そちが志《こころざし》は殊勝で、殿様のお許が出たのは、この上も無い誉《ほまれ》じゃ。もうそれで好い。どうぞ死ぬることだけは思い止まって、御当主に御奉公してくれい」と云った。

五助はどうしても聴かずに、五月七日にいつも牽《ひ》いてお供をした犬を連れて、追廻《おいまわし》田畑《たはた》*の高琳寺《こうりんじ》へ出掛けた。女房は戸口まで見送りに出て、「お前も男じゃ、お歴々の衆に負けぬ様におしなされい」と云った。

津崎の家では往生院《おうじょういん》を菩提所にしていたが、往生院は上《かみ》の御由緒《ごゆいしょ》のあるお寺だというので憚《はばか》って、高琳寺を死所《しにどころ》と極めたのである。五助が墓地に這入《はい》ってみると、兼て介錯を頼んで置いた松野縫殿助《ぬいのすけ》が先に来て待っていた。五助は肩に掛けた浅葱《あさぎ》*の嚢《ふくろ》を卸してその中から飯行李《めしこうり》を出した。蓋《ふた》を開けると握飯が二つ這入っている。それを犬の前に置いた。犬はすぐに食おうともせず、尾を掉《ふ》って五助の顔を見ていた。五助は人間に言うように犬に言った。

「おぬしは畜生じゃから、知らずにおるかも知れぬが、お主の頭をさすって下されたことのある殿様は、もうお亡《な》くなり遊ばされた。それで御恩になっていなされたお歴々は皆きょう腹を切ってお供をなさる。己《おれ》は下司《げす》*ではあるが、御扶持を戴《いただ》いて繋《つな》いだ命はお歴々と変ったことはない。殿様に可哀《かわい》がって戴いた有難さも同じ事じゃ。それで己は今腹を切って死ぬるのじゃ。己が死んでしもうたら、おぬしは今から野ら犬になるのじゃ。己はそれが可哀そうでならん。殿様のお供をした鷹は岫雲院《しゅううんいん》で井戸に飛び込んで死んだ。どうじゃ。おぬしも己と一しょに死のうとは思わんかい。若し野ら犬になっても、生きていたいと思うたら、この握飯を食ってくれい。死にたいと思うなら、食うなよ。」

こう云って犬の顔を見ていたが、犬は五助の顔ばかりを見ていて、握飯を食おうとはしない。

「それならおぬしも死ぬるか」と云って、五助は犬をきっと見詰めた。

犬は一声鳴いて尾を掉った。

「好い。そんなら不便《ふびん》じゃが死んでくれい。」こう云って五助は犬を抱き寄せて、脇《わき》差《ざし》を抜いて、一刀に刺した。

五助は犬の死骸《しがい》を傍《かたわら》へ置いた。そして懐中から一枚の書き物を出して、それを前にひろげて、小石を重りにして置いた。誰やらの邸《やしき》で歌の会のあった時見覚えた通りに半紙を横に二つに折って、「家老衆はとまれとまれと仰《おおせ》あれどとめてとまらぬこの五助哉《かな》」と、常の詠草のように書いてある。署名はして無い。歌の中に五助としてあるから、二重に名を書かなくても好いと、すなおに考えたのが、自然に故実に愜《かな》っていた。

もうこれで何も手落は無いと思った五助は「松野様、お頼申します」と云って、安坐して肌をくつろげた。そして犬の血の附いたままの脇差を逆手《さかて》に持って、「お鷹匠衆はどうなさりましたな、お犬牽は只今参りますぞ」と高声に云って、一声快よげに笑って、腹を十文字に切った。松野が背後《うしろ》から首を打った。

五助は身分の軽いものではあるが、後に殉死者の遺族の受けた程の手当は、跡に残った後家が受けた。男子一人《にん》は小さい時出家していたからである。後家は五人扶持を貰《もら》い、新に家屋敷を貰って、忠利の三十三回忌の時まで存命していた。五助の甥《おい》の子が二代の五助になって、それからは代々触組《ふれぐみ》*で奉公していた。

忠利の許を得て殉死した十八人の外に、阿部弥一右衛門通信《みちのぶ》と云うものがあった。初は明石《あかし》氏《うじ》で、幼名を猪之助《いのすけ》と云った。夙《はや》くから忠利の側《そば》近く仕えて、千百石余の身分になっている。島原征伐の時、子供五人の内三人まで軍功によって新知二百石ずつを貰った。この弥一右衛門は家中でも殉死する筈《はず》のように思い、当人もまた忠利の夜《よ》伽《とぎ》*に出る順番が来る度に、殉死したいと云って願った。しかしどうしても忠利が許さない。

「そちが志は満足に思うが、それよりは生きていて光尚に奉公してくれい」と、何度願っても、同じ事を繰り返して云うのである。

一体忠利は弥一右衛門の言うことを聴かぬ癖が附いている。これは余程古くからの事で、まだ猪之助と云って小姓*を勤めていた頃も、猪之助が「御膳を差し上げましょうか」と伺うと、「まだ空腹にはならぬ」と云う。外の小姓が申し上げると、「好い、出させい」と云う。忠利はこの男の顔を見ると、反対したくなるのである。そんなら叱《しか》られるかと云うと、そうでも無い。この男程精勤をするものは無く、万事に気が附いて、手ぬかりが無いから、叱ろうと云っても叱りようが無い。

弥一右衛門は外の人の言い附けられてする事を、言い附けられずにする。外の人の申し上げてする事を申し上げずにする。しかしする事はいつも肯綮《こうけい》に中《あた》っていて、*間然すべき所*が無い。弥一右衛門は意地ばかりで奉公して行くようになっている。忠利は初めなんとも思わずに、只この男の顔を見ると、反対したくなったのだが、後にはこの男の意地で勤めるのを知って憎いと思った。憎いと思いながら、聡明《そうめい》な忠利はなぜ弥一右衛門がそうなったかと回想して見て、それは自分が為向《しむ》けたのだと云うことに気が附いた。そして自分の反対する癖を改めようと思っていながら、月が累《かさな》り年が累るに従って、それが次第に改めにくくなった。

人には誰《た》が上にも好きな人、厭《いや》な人と云うものがある。そしてなぜ好きだか、厭だかと穿鑿《せんさく》して見ると、どうかすると捕捉《ほそく》する程の拠《よ》りどころが無い。忠利が弥一右衛門を好かぬのも、そんなわけである。しかし弥一右衛門と云う男はどこかに人と親み難い処《ところ》を持っているに違い無い。それは親しい友達の少いので分かる。誰でも立派な侍として尊敬はする。しかし容易《たやす》く近づこうと試みるものが無い。稀《まれ》に物数奇《ものずき》に近づこうと試みるものがあっても、暫《しばら》くするうちに根気が続かなくなって遠ざかってしまう。まだ猪之助と云って、前髪のあった時、度々話をし掛けたり、何かに手を借して遣《や》ったりしていた年上の男が、「どうも阿部には附け入る隙《ひま》が無い」と云って我《が》を折った。そこらを考えて見ると、忠利が自分の癖を改めたく思いながら改めることの出来なかったのも怪むに足りない。

とにかく弥一右衛門は何度願っても殉死の許を得ないでいるうちに、忠利は亡くなった。亡くなる少し前に、「弥一右衛門奴《め》はお願と申すことを申したことはございません、これが生涯唯一《ゆいいつ》のお願でござります」と云って、じっと忠利の顔を見ていたが、忠利もじっと顔を見返して、「いや、どうぞ光尚に奉公してくれい」と言い放った。

弥一右衛門はつくづく考えて決心した。自分の身分で、この場合に殉死せずに生き残って、家中《かちゅう》のものに顔を合せていると云うことは、百人が百人所詮《しょせん》出来ぬ事と思うだろう。犬死と知って切腹するか、浪人して熊本を去るかの外、為方《しかた》があるまい。だが己《おれ》は己だ。好いわ。武士は妾《めかけ》とは違う。主《しゅう》の気に入らぬからと云って、立場が無くなる筈は無い。こう思って一日一日と例の如《ごと》くに勤めていた。

そのうちに五月六日が来て、十八人のものが皆殉死した。熊本中只《ただ》その噂《うわさ》ばかりである。誰はなんと云って死んだ、誰の死様《しによう》が誰よりも見事であったと云う話の外には、なんの話も無い。弥一右衛門は以前から人に用事の外の話をし掛けられたことは少かったが、五月七日からこっちは、御殿の詰所に出ていて見ても、一層寂しい。それに相役《あいやく》が自分の顔を見ぬようにして見るのが分かる。そっと横から見たり、背後《うしろ》から見たりするのが分かる。不快でたまらない。それでも己は命が惜しくて生きているのでは無い、己をどれ程悪く思う人でも、命を惜む男だとはまさかに云うことが出来まい、たった今でも死んで好いのなら死んで見せると思うので、昂然《こうぜん》と項《うなじ》を反《そ》らして詰所へ出て、昂然と項を反らして詰所から引いていた。

二三日立つと、弥一右衛門が耳に怪《け》しからん噂が聞え出して来た。誰が言い出した事か知らぬが、「阿部はお許の無いを幸《さいわい》に生きているとみえる、お許は無うても追腹は切られぬ筈が無い、阿部の腹の皮は人とは違うと見える、瓢箪《ひょうたん》に油でも塗って切れば好いに」と云うのである。弥一右衛門は聞いて思いの外の事に思った。悪口が言いたくばなんとも云うが好い。しかしこの弥一右衛門を竪《たて》から見ても横から見ても、命の惜しい男とは、どうして見えようぞ。げに言えば言われたものかな、好いわ。そんならこの腹の皮を瓢箪に油を塗って切って見しょう。

弥一右衛門はその日詰所を引くと、急使を以《もっ》て別家している弟二人を山崎*の邸に呼び寄せた。居間と客間との間の建具を外させ、嫡子《ちゃくし》権兵衛、二男弥五兵衛、次にまだ前髪のある五男七之丞《しちのじょう》の三人を傍におらせて、主人は威儀を正して待ち受けている。権兵衛は幼名権十郎と云って、島原征伐に立派な働きをして、新知*二百石を貰っている。父に劣らぬ若者である。この度の事に就いては、只一度父に「お許は出ませなんだか」と問うた。父は「うん、出んぞ」と云った。その外二人の間にはなんの詞《ことば》も交されなかった。親子は心の底まで知り抜いているので、何も言うには及ばぬのであった。

間もなく二張《ふたはり》の提燈《ちょうちん》が門の内に這入った。三男市太夫、四男五太夫の二人が殆《ほとん》ど同時に玄関に来て、雨具を脱いで座敷に通った。中陰の翌日からじめじめとした雨になって、五月闇《さつきやみ》*の空が晴れずにいるのである。

障子は開け放してあっても、蒸し暑くて風がない。その癖燭台《しょくだい》の火はゆらめいている。蛍が一匹庭の木立を縫って通り過ぎた。

一座を見渡した主人が口を開いた。「夜陰に呼びに遣ったのに、皆好う来てくれた。家中一般の噂じゃと云うから、おぬし達も聞いたに違いない。この弥一右衛門が腹は瓢箪に油を塗って切る腹じゃそうな。それじゃによって、己は今瓢箪に油を塗って切ろうと思う。どうぞ皆で見届けてくれい。」

　市太夫も五太夫も島原の軍功で新知二百石を貰って別家しているが、中にも市太夫は早くから若殿附になっていたので、御代替《ごだいがわ》りになって人に羨《うらや》まれる一人《にん》である。市太夫が膝《ひざ》を進めた。「なる程。好う分かりました。実は傍輩《ほうばい》が云うには、弥一右衛門殿は御先代の御遺言で続いて御奉公なさるそうな。親子兄弟相変らず揃《そろ》うてお勤めなさる、めでたい事じゃと云うのでございます。その詞が何か意味ありげで歯痒《はがゆ》うござりました。」

　父弥一右衛門は笑った。「そうであろう。目の先ばかり見える近眼《ちかめ》共を相手にするな。そこでその死なぬ筈の己が死んだら、お許の無かった己の子じゃと云うて、おぬし達を侮《あなど》るものもあろう。己の子に生れたのは運じゃ。しょう事が無い。恥を受ける時は一しょに受けい。兄弟喧嘩《げんか》をするなよ。さあ、瓢箪で腹を切るのを好う見て置け。」

こう言って置いて、弥一右衛門は子供等の面前で切腹して、自分で首筋を左から右へ刺し貫いて死んだ。父の心を測り兼ねていた五人の子供等は、この時悲しくはあったが、それと同時にこれまでの不安心な境界《きょうがい》を一歩離れて、重荷の一つを卸したように感じた。

「兄き」と二男弥五兵衛が嫡子に言った。「兄弟喧嘩をするなと、お父っさんは言い置いた。それには誰も異存はあるまい。己は島原で持場が悪うて、知行も貰わずにいるから、これからはおぬしが厄介になるじゃろう。じゃが何事があっても、おぬしが手に慥《たし》かな槍《やり》一本*はあると云うものじゃ。そう思うていてくれい。」

「知れた事じゃ。どうなる事か知れぬが、己が貰う知行はおぬしが貰うも同じじゃ。」こう云ったぎり権兵衛は腕組をして顔を蹙《しか》めた。

「そうじゃ。どうなる事か知れぬ。追腹はお許の出た殉死とは違うなぞと云う奴があろうて。」こう云ったのは四男の五太夫である。

「それは目に見えておる。どう云う目に逢《お》うても。」こう言いさして三男市太夫は権兵衛の顔を見た。「どう云う目に逢うても、兄弟離れ離れに相手にならずに、固まって行こうぞ。」

「うん」と権兵衛は云ったが、打ち解けた様子も無い。権兵衛は弟共を心にいたわってはいるが、やさしく物を言われぬ男である。それに何事も一人で考えて、一人でしたがる。相談と云うものをめったにしない。それで弥五兵衛も市太夫も念を押したのである。

「兄《に》い様方が揃うてお出《いで》なさるから、お父っさんの悪口は、うかと言われますまい。」これは前髪の七之丞が口から出た。女のような声ではあったが、それに強い信念が籠《こも》っていたので、一座のものの胸を、暗黒な前途を照らす光明のように照らした。

「どりゃ。おっ母さんに言うて、女子達に暇乞《いとまごい》をさしょうか。」こう云って権兵衛が席を起《た》った。

従四位下侍従兼肥後守光尚《みつひさ》の家督相続が済んだ。家臣にはそれぞれ新知、加増、役《やく》替《がえ》などがあった。中にも殉死の侍十八人の家々は、嫡子にそのまま父の跡を継がせられた。嫡子のある限りは、いかに幼少でもその数には漏れない。未亡人、老父母には扶持が与えられる。家屋敷を拝領して、作事《さくじ》*までも上《かみ》から為向《しむ》けられる。先代が格別入懇《じっこん》*にせられた家柄で、死天《しで》の旅の御供にさえ立ったのだから、家中のものが羨《うらや》みはしても妬《ねた》みはしない。

然《しか》るに一種変った跡目の処分を受けたのは、阿部弥一右衛門の遺族である。嫡子権兵衛は父の跡をそのまま継ぐことが出来ずに、弥一右衛門が千五百石の知行は細かに割《さ》いて弟達へも配分せられた。一族の知行を合せてみれば、前に変ったことは無いが、本家を継いだ権兵衛は、小身もの*になったのである。権兵衛の肩幅の狭くなったことは言うまでも無い。弟共も一人一人の知行は殖えながら、これまで千石以上の本家によって、大木の蔭《かげ》に立っているように思っていたのが、今は橡栗《どんぐり》の背競《せいくらべ》になって、有難いようで迷惑な思をした。

　政道は地道である限は、咎《とがめ》の帰する所を問うものは無い。一旦《いったん》常に変った処置があると、誰の捌《さば》きかと云う詮議《せんぎ》が起る。当主の御覚《おおぼえ》めでたく、御《お》側《そば》去らずに勤めている大目附役*に、林外記《げき》と云うものがある。小才覚があるので、若殿様時代のお伽《とぎ》には相応していたが、物の大体を見る事に於《おい》ては及ばぬ所があって、とかく苛察《かさつ》*に傾きたがる男であった。阿部弥一右衛門は故殿様のお許を得ずに死んだのだから、真の殉死者と弥一右衛門との間には境界を附けなくてはならぬと考えた。そこで阿部家の俸禄《ほうろく》分割の策を献じた。光尚も思慮ある大名ではあったが、まだ物馴れぬ時の事で、弥一右衛門や嫡子権兵衛と懇意でないために、思遣《おもいやり》が無く、自分の手元に使って馴染《なじみ》のある市太夫がために加増になると云う処に目を附けて、外記の言を用いたのである。

　十八人の侍が殉死した時には、弥一右衛門は御側に奉公していたのに殉死しないと云って、家中のものが卑《いやし》んだ。さて僅《わず》かに二三日を隔てて弥一右衛門は立派に切腹したが、事の当否は措《お》いて、一旦受けた侮辱は容易に消え難く、誰も弥一右衛門を褒めるものが無い。上《かみ》では弥一右衛門の遺骸《いがい》を霊屋《おたまや》の側《かたわら》に葬ることを許したのであるから、跡目相続の上にも強いて境界を立てずに置いて、殉死者一同と同じ扱をして好かったのである。そうしたなら阿部一族は面目を施して、挙《こぞ》って忠勤を励んだのであろう。然るに上《かみ》で一段下った扱をしたので、家中のものの阿部家侮蔑《ぶべつ》の念が公《おおやけ》に認められた形になった。権兵衛兄弟は次第に傍輩に疎《うと》んぜられて、怏々《おうおう》*として日を送った。

寛永十九年三月十七日になった。先代の殿様の一週忌である。霊屋の傍にはまだ妙解寺は出来ていぬが、向陽院《こうよういん》*と云う堂宇*が立って、そこに妙解院殿の位牌《いはい》が安置せられ、鏡首座《きょうしゅざ》と云う僧が住持している。忌日《きにち》に先だって、紫野大徳寺《むらさきのだいとくじ》*の天祐和尚《てんゆうおしょう》が京都から下向する。年忌の営みは晴々しいものになるらしく、一箇月《か》ばかり前から、熊本の城下は準備に忙しかった。

いよいよ当日になった。麗《うらら》かな日和《ひより》で、霊屋の傍は桜の盛りである。向陽院の周囲には幕を引き廻わして、歩卒が警護している。当主が自ら臨場して、先《ま》ず先代の位牌に焼香し、次いで殉死者十九人の位牌に焼香する。それから殉死者遺族が許されて焼香する。同時に御紋附上下《かみしも》*、同時服*を拝領する。馬廻《うままわり》*以上は長上下*、徒士《かち》*は半上下*である。下々《しもじも》の者は御香奠《ごこうでん》*を拝領する。

儀式は滞《とどこおり》なく済んだが、その間に只一つの珍事《ちんじ》が出来《しゅったい》した。それは阿部権兵衛が殉死者遺族の一人《にん》として、席順によって妙解院殿の位牌の前に進んだ時、焼香をして退《の》きしなに、脇差《わきざし》の小柄《こづか》を抜き取って髻《もとどり》*を押し切って、位牌の前に供えたことである。この場に詰めていた侍共も、不意の出来事に驚き呆《あき》れて、茫然《ぼうぜん》として見ていたが、権兵衛が何事も無いように、自若として五六歩退いた時、一人の侍がようよう我に返って、「阿部殿、お待なされい」と呼び掛けながら、追い縋《すが》って押し止めた。続いて二三人立ち掛って、権兵衛を別間に連れて這入った。

権兵衛が詰衆*に尋ねられて答えた所はこうである。貴殿等は某《それがし》を乱心者のように思われるであろうが、全く左様なわけでは無い。父弥一右衛門は一生瑕瑾《かきん》*の無い御奉公をいたしたればこそ、故殿様のお許を得ずに切腹しても、殉死者の列に加えられ、遺族たる某さえ他人に先だって御位牌に御焼香いたすことが出来たのである。しかし某は不肖にして父同様の御奉公が成り難いのを、上にも御承知と見えて、知行を割いて弟共に御遣《おつかわし》なされた。某は故殿様にも御当主にも亡《な》き父にも一族の者共にも傍輩にも面目が無い。かように存じているうち、今日《こんにち》御位牌に御焼香いたす場合になり、咄嗟《とっさ》の間《かん》、感慨胸に迫り、いっその事武士を棄てようと決心いたした。お場所柄を顧みざるお咎《とがめ》は甘んじて受ける。乱心などはいたさぬと云うのである。

　権兵衛の答を光尚は聞いて、不快に思った。第一に権兵衛が自分に面当《つらあて》がましい所行をしたのが不快である。次に自分が外記の策を納《い》れて、しなくても好い事をしたのが不快である。まだ二十四歳の血気の殿様で、情を抑え欲を制することが足りない。恩を以て怨《うらみ》に報いる寛大の心持に乏しい。即座に権兵衛をおし籠《こ》*めさせた。それを聞いた弥五兵衛以下一族のものは門を閉じて上の御沙汰を待つことにして、夜陰《やいん》に一同寄り合っては、窃《ひそか》に一族の前途のために評議を凝らした。

　阿部一族は評議の末、この度先代一週忌の法会《ほうえ》のために下向して、まだ逗留《とうりゅう》している天祐和尚に縋《す》がることにした。市太夫は和尚の旅館に往《い》って一部始終を話して、権兵衛に対する上の処置を軽減して貰《もら》うように頼んだ。和尚はつくづく聞いて云った。承れば御一家のお成行気の毒千万である。しかし上の御政道に対してかれこれ云うことは出来ない。只権兵衛殿に死を賜わるとなったら、きっと御助命を願って進ぜよう。殊《こと》に権兵衛殿は既に髻を払われて見れば、桑門《そうもん》*同様の身の上である。御助命だけはいかようにも申してみようと云った。市太夫は頼もしく思って帰った。一族のものは市太夫の復命を聞いて、一条《いちじょう》の活路を得たような気がした。そのうち日が立って、天祐和尚の帰京の時が次第に近づいて来た。和尚は殿様に逢って話をする度に、阿部権兵衛が助命の事を折があったら言上《ごんじょう》しようと思ったが、どうしても折が無い。それはその筈《はず》である。光尚はこう思ったのである。天祐和尚の逗留中に権兵衛の事を沙汰したらきっと助命を請《こ》われるに違い無い。大寺《おおでら》の和尚の詞で見れば、等閑《なおざり》に聞き棄てることはなるまい。和尚の立つのを待って処置しようと思ったのである。とうとう和尚は空《むな》しく熊本を立ってしまった。

天祐和尚が熊本を立つや否《いな》や、光尚はすぐに阿部権兵衛を井手の口*に引き出して縛首《しばりくび》にさせた。先代の御位牌に対して不敬な事を敢《あえ》てした、上を恐れぬ所行として処置せられたのである。

弥五兵衛以下一同のものは寄り集って評議した。権兵衛の所行は不埒《ふらち》には違い無い。しかし亡父弥一右衛門はとにかく殉死者の中に数えられている。その相続人たる権兵衛で見れば、死を賜うことは是非が無い。武士らしく切腹仰《おお》せ付けられれば異存はない。それに何事ぞ、奸盗《かんとう》*かなんぞのように、白昼に縛首にせられた。この様子で推すれば、一族のものも安穏には差し置かれまい。縦《たと》い別に御沙汰が無いにしても、縛首にせられたものの一族が、何の面目あって、傍輩に立ち交《まじわ》って御奉公をしよう。この上は是非に及ばない。何事があろうとも、兄弟分かれ分かれになるなと、弥一右衛門殿の言い置かれたのはこの時の事である。一族討手《うって》を引き受けて、共に死ぬる外は無いと、一人《にん》の異議を称《とな》えるものも無く決した。

阿部一族は妻子を引き纏《まと》めて、権兵衛が山崎の屋敷に立て籠った。

穏《おだやか》ならぬ一族の様子が上に聞えた。横目《よこめ》が偵察に出て来た。山崎の屋敷では門を厳重に鎖《とざ》して静まり返っていた。市太夫や五太夫の宅は空屋になっていた。

討手の手配《てくばり》が定められた。表門は側者頭《そばものがしら》*竹内数馬《たけのうちかずま》長政が指揮役をして、それに小頭*添島《そえじま》九兵衛、同《おなじく》野村庄兵衛が随《したが》っている。数馬は千百五十石で鉄砲組三十挺《ちょう》の頭である。譜第《ふだい》*の乙名島徳右衛門《おとな*しまとくえもん》が供をする。添島、野村は当時百石のものである。裏門の指揮役は知行五百石の側者頭高見権右衛門重政で、これも鉄砲組三十挺の頭である。それに目附畑十太夫と竹内数馬の小頭で当時百石の千場《ちば》作兵衛とが随っている。

討手は四月二十一日に差し向けられることになった。前晩《ぜんばん》に山崎の屋敷の周囲には夜廻が附けられた。夜が更《ふ》けてから侍分のものが一人覆面して、塀を内から乗り越えて出たが、廻役の*佐分利嘉左衛門《さぶりかざえもん》が組の足軽丸山三之丞《さんのじょう》が討ち取った。その後夜明まで何事もなかった。

兼ねて近隣のものには沙汰があった。縦い当番たりとも在宿して火の用心を怠らぬようにいたせというのが一つ。討手でないのに、阿部が屋敷に入り込んで手出しをすることは厳禁であるが、落人《おちゆうど》は勝手に討ち取れと云うのが二つであった。

阿部一族は討手の向う日をその前日に聞き知って、先ず邸内《ていない》を隈《くま》なく掃除し、見苦しい物は悉《ことごと》く焼き棄てた。それから老若《ろうにゃく》打寄って酒宴をした。それから老人や女は自殺し、幼いものは手《て》ん手《で》に刺し殺した。それから庭に大きい穴を掘って死骸を埋めた。跡に残ったのは究竟《くっきょう》*の若者ばかりである。弥五兵衛、市太夫、五太夫、七之丞の四人が指図して、障子襖《ふすま》を取り払った広間に家来を集めて、鉦太鼓《かねたいこ》を鳴らさせ、高声《こうせい》に念仏をさせて夜の明けるのを待った。これは老人や妻子を弔うためだとは云ったが、実は下人共に臆病《おくびょう》の念を起させぬ用心であった。

阿部一族の立て籠った山崎の屋敷は、後に斎藤勘助の住んだ所で、向いは山中又左衛門、左右両隣は柄本《つかもと》又七郎、平山三郎の住いであった。

この中《うち》で柄本が家は、もと天草郡を三分して領していた柄本、天草、志岐《しき》の三家の一つである。小西行長*が肥後半国を治めていた時、天草、志岐は罪を犯して誅《ちゅう》せられ、柄本だけが残っていて、細川家に仕えた。

又七郎は平生阿部弥一右衛門が一家と心安くして、主人同志は固《もと》より、妻女までも互に往来していた。中にも弥一右衛門の二男弥五兵衛は鎗《やり》が得意で、又七郎も同じ技を嗜《たしな》む所から、親しい中で広言をし合って、「お手前が上手《じょうず》でも某《それがし》には愜《かな》うまい」、「いや某がなんでお手前に負けよう」などと云っていた。

そこで先代の殿様の病中に、弥一右衛門が殉死を願って許されぬと聞いた時から、又七郎は弥一右衛門の胸中を察して気の毒がった。それから弥一右衛門の追腹、家督相続人権兵衛の向陽院での振舞、それが基になっての死刑、弥五兵衛以下一族の立籠《たてこもり》と云う順序に、阿部家が段々否運《ひうん》に傾いて来たので、又七郎は親身のものにも劣らぬ心痛をした。

或《あ》る日又七郎が女房に言い附けて、夜更《よふ》けてから阿部の屋敷へ見舞に遣った。阿部一族は上《かみ》に叛《そむ》いて籠城《ろうじょう》めいた事をしているから、男同士は交通することが出来ない。然るに最初からの行掛かりを知っていて見れば、一族のものを悪人として憎むことは出来ない。ましてや年来懇意にした間柄である。婦女の身として密《ひそ》かに見舞うのは、よしや後日に発覚したとて申訳《もうしわけ》の立たぬ事でもあるまいと云う考で、見舞には遣ったのである。女房は夫の詞《ことば》を聞いて、喜んで心尽しの品を取揃《とりそろ》えて、夜更けて隣へおとずれた。これもなかなか気丈《きじょう》な女で、若《も》し後日に発覚したら、罪を自身に引き受けて、夫に迷惑は掛けまいと思ったのである。

阿部一族の喜《よろこび》は非常であった。世間は花咲き鳥歌う春であるのに、不幸にして神仏にも人間にも見放されて、かく籠居している我々である。それを見舞うて遣れと云う夫も夫、その言附けを守って来てくれる妻も妻、実に難有《ありがた》い心掛だと、心《しん》から感じた。女達は涙を流して、こうなり果てて死ぬるからは、世の中に誰一人菩提《ぼだい》を弔うてくれるものもあるまい、どうぞ思い出したら、一遍の回向《えこう》をして貰いたいと頼んだ。子供達は門外へ一足《あし》も出されぬので、不断優しくしてくれた柄本の女房を見て、右左から取り縋って、容易《たやす》く放して帰さなかった。

阿部の屋敷へ討手の向う前晩になった。柄本又七郎はつくづく考えた。阿部一家は自分とは親しい間柄である。それで後日の咎《とがめ》もあろうかとは思いながら、女房を見舞いにまで遣った。しかしいよいよ明朝は上の討手が阿部家へ来る。これは逆賊を征伐せられるお上の軍《いくさ》も同じ事である。御沙汰には火の用心をせい、手出しをするなと云ってあるが、武士たるものがこの場合に懐手《ふところで》をして見ていられたものでは無い。情は情、義は義である。己にはせんようが有ると考えた。そこで更闌《こうた》けて*抜足*をして、後《うしろ》口《くち》から薄暗い庭へ出て、阿部家との境の竹垣の結縄《むすびなわ》を悉く切って置いた。それから帰って身支度をして、長押《なげし》*に懸けた手槍*を卸し、鷹《たか》の羽の紋の附いた鞘《さや》を払って、夜の明けるのを待っていた。

討手として阿部の屋敷の表門に向うことになった竹内数馬は、武道の誉《ほまれ》ある家に生れたものである。先祖は細川高国*の手に属して、強弓《ごうきゅう》の名を得た島村弾正貴則《だんじょうたかのり》である。享禄《きょうろく》四年に高国が摂津国《せっつのくに》*尼崎《あまがさき》に敗れた時、弾正は敵二人を両腋《りょうわき》に挟《はさ》んで海に飛び込んで死んだ。弾正の子市兵衛は河内《かわち》*の八隅《やすみ》家に仕えて一時八隅と称したが、竹内《たけのうち》越《こえ》*を領することになって、竹内と改めた。竹内市兵衛の子吉兵衛は小西行長に仕えて、紀伊国《きいのくに》太田の城*を水攻にした時の功で、豊臣太閤《とよとみたいこう》に白練《しろねり》*に朱《しゅ》の日の丸の陣羽織を貰った。朝鮮征伐の時には小西家の人質として、李《り》王宮*に三年押し籠められていた。小西家が滅びてから、加藤清正に千石で召し出されていたが、主君と物争《ものあらそい》をして白昼に熊本城下を立ち退《の》いた。加藤家の討手に備えるために、鉄砲に玉を籠め、火縄に火を附けて持たせて退いた。それを三斎が豊前《ぶぜん》*で千石に召し抱えた。この吉兵衛に五人の男子があった。長男はやはり吉兵衛と名告《なの》ったが、後剃髪《ていはつ》して八隅見山《やすみけんざん》と云った。二男は七郎右衛門、三男は次郎太夫、四男は八兵衛、五男が即《すなわ》ち数馬である。

数馬は忠利の児小姓《こごしょう》を勤めて、島原征伐の時殿様の側にいた。寛永十五年二月二十五日細川の手のものが城を乗り取ろうとした時、数馬が「どうぞお先手《さきて》へお遣《つか》し下されい」と忠利に願った。忠利は聴かなかった。押し返してねだるように願うと、忠利が立腹して、「小倅《こせがれ》、勝手にうせおれ」と叫んだ。数馬はその時十六歳である。「あっ」と云いさま駈け出すのを見送って、忠利が「怪我をするなよ」と声を掛けた。乙《おと》名《な》島徳右衛門、草履《ぞうり》取《とり》一人、槍持一人が跡から続いた。主従四人である。城から打ち出す鉄砲が烈《はげ》しいので、島が数馬の着ていた猩々緋《しょうじょうひ》*の陣羽織の裾《すそ》を摑《つか》んで跡へ引いた。数馬は振り切って城の石垣に攀《よ》じ登る。島も是非なく附いて登る。とうとう城内に這入って働いて、数馬は手を負った。同じ場所から攻め入った柳川《やながわ》*の立花飛驒守《ひだのかみ》宗茂《むねしげ》*は七十二歳の古武者《ふるつわもの》で、この時の働振《はたらきぶり》を見ていたが、渡辺新弥、仲光内膳と数馬との三人が天晴《あっぱれ》であったと云って、三人へ連名の感状*を遣った。落城の後、忠利は数馬に関《せき》兼光《かねみつ》*の脇差《わきざし》を遣って、禄を千百五十石に加増した。脇差は一尺八寸、直焼《すぐやき》無銘*、横《よこ》鑢《やすり》*、銀の九曜《くよう》の三並《みつならび》の目貫《めぬき》*、赤銅縁《しゃくどうぶち》、金拵《きんごしらえ》*である。目貫の穴は二つあって、一つは鉛で塡《う》めてあった。忠利はこの脇差を秘蔵していたので、数馬に遣ってからも、登城の時などには、「数馬、あの脇差を貸せ」と云って、借りて差したことも度々ある。

光尚に阿部の討手を言い附けられて、数馬が喜んで詰所へ下がると、傍輩の一人《にん》が咡《ささや》いた。

「奸物《かんぶつ》*にも取柄はある。おぬしに表門の采配《さいはい》を振らせるとは、林殿にしては好く出来た。」

数馬は耳を欹《そばだ》てた。「なにこの度のお役目は外記が申し上げて仰せ附けられたのか。」

「そうじゃ。外記殿が殿様に言われた。数馬は御先代が出格*のお取立をなされたものじゃ。御恩報じにあれをお遣りなされいと云われた。物怪《もつけ》の幸《さいわい》*ではないか。」

「ふん」と云った数馬の眉間《みけん》には、深い皺《しわ》が刻まれた。「好いわ。討死するまでの事じゃ。」こう言い放って、数馬はついと起って館《やかた》を下がった。

この時の数馬の様子を光尚が聞いて、竹内の屋敷へ使を遣って、「怪我をせぬように、首尾好くいたして参れ」と云わせた。数馬は「難有《ありがた》いお詞を慥《たし》かに承ったと申し上げて下されい」と云った。

数馬は傍輩の口から、外記が自分を推してこの度の役に当らせたのだと聞くや否や、即時に討死をしようと決心した。それがどうしても動かすことの出来ぬ程堅固な決心であった。外記は御恩報じをさせると云ったと云うことである。この詞は図らず聞いたのであるが、実は聞くまでも無い、外記が薦めるには、そう云って薦めるに極まっている。こう思うと、数馬は立っても据わってもいられぬような気がする。自分は御先代の引立を蒙《こうむ》ったには違いない。しかし元服をしてから後の自分は、謂《い》わば大勢の近習《きんじゅ》の中《うち》の一人《にん》で、別に出色のお扱を受けてはいない。御恩には誰も浴している。御恩報じを自分に限ってしなくてはならぬと言うのは、どう云う意味か。言うまでも無い、自分は殉死する筈であったのに、殉死しなかったから、命掛の場所に遣ると云うのである。命は何時《なんどき》でも喜んで棄てるが、前《さき》にしおくれた殉死の代りに死のうとは思わない。今命を惜まぬ自分が、なんで御先代の中陰の果の日に命を惜んだであろう。謂われの無い事である。畢竟《ひっきょう》どれだけの御入懇《ごじっこん》になった人が殉死すると云う、はっきりした境は無い。同じように勤めていた御近習の若侍の中に殉死の沙汰が無いので、自分もながらえていた。殉死して好い事なら、自分は誰よりも先にする。それ程の事は誰の目にも見えているように思っていた。それに疾《と》うにする筈の殉死をせずにいた人間として極印《ごくいん》*を打たれたのは、かえすがえすも口惜《くちお》しい。自分は雪《すす》ぐことの出来ぬ汚《け》れを身に受けた。それ程の辱《はじ》を人に加える事は、あの外記でなくては出来まい。外記としてはさもあるべき事である。しかし殿様がなぜそれをお聴納《ききいれ》になったか。外記に傷《きず》つけられたのは忍ぶことも出来よう。殿様に棄てられたのは忍ぶことが出来ない。島原で城に乗り入ろうとした時、御先代がお呼止なされた。それはお馬廻りのものがわざと先手《さきて》に加わるのをお止めなされたのである。この度御当主の怪我をするなと仰《おつし》ゃるのは、それとは違う。惜しい命をいたわれと仰ゃるのである。それがなんの難有《ありがた》かろう。古い創《きず》の上を新に鞭《むち》うたれるようなものである。只一刻《こく》も早く死にたい。死んで雪がれる汚れではないが、死にたい。犬死でも好いから、死にたい。

数馬はこう思うと、矢も楯《たて》もたまらない。そこで妻子には阿部の討手を仰《おお》せ附けられたとだけ、手短に言い聞せて、一人《ひとり》ひたすら支度を急いだ。殉死した人達は皆安堵《あんど》して死に就くと云う心持でいたのに、数馬が心持は苦痛を逃れるために死を急ぐのである。乙名島徳右衛門が事情を察して、主人と同じ決心をした外には、一家のうちに数馬の心底《しんてい》を汲《く》み知ったものが無い。今年二十一〔二十〕歳になる数馬の所へ、去年来たばかりのまだ娘らしい女房は、当歳の女の子を抱いてうろうろしているばかりである。

あすは討入と云う四月二十日の夜、数馬は行水を使って、月題《さかやき》を剃《そ》って、髪には忠利に拝領した名香初音《めいこうはつね》*を焚《た》き込めた。白無垢《しろむく》に白襷《しろだすき》、白鉢巻をして、肩に合印《あいじるし》の角取紙《すみとりがみ》*を附けた。腰に帯びた刀は二尺四寸五分の正盛《まさもり》*で、先祖島村弾正が尼崎で討死した時、故郷に送った記念《かたみ》である。それに初陣《ういじん》の時拝領した兼光を差し添えた。門口《かどぐち》には馬が嘶《いなな》いている。

手槍を取って庭に降り立つ時、数馬は草鞋《わらじ》の緒《お》を男結《おとこむすび》*にして、余った緒を小刀《しょうとう》で切って捨てた。

阿部の屋敷の裏門に向うことになった高見権右衛門は本《も》と和田氏《うじ》で、近江国《おうみのくに》和田*に住んだ和田但馬守《たじまのかみ》の裔《すえ》である。初《はじめ》蒲生《がもう》賢秀《かたひで》*に随《したが》っていたが、和田庄五郎の代に細川家に仕えた。庄五郎は岐阜、関原の戦《たたかい》に功のあったものである。忠利の兄与一郎忠隆*の下に附いていたので、忠隆が慶長五年*大阪で妻前田氏の早く落ち延びたために父の勘気を受け、入道《にゅうどう》*休無《きゅうむ》となって流浪《るろう》した時、高野山《こうやさん》や京都まで供をした。それを三斎が小倉へ呼び寄せて、高見氏を名告《なの》らせ、番頭《ばんがしら》*にした。知行五百石であった。庄五郎の子が権右衛門である。島原の戦に功があったが、軍令に背《そむ》いた廉《かど》で、一旦役を召し上げられた。それが暫《しばら》くしてから帰参して側者頭《そばものがしら》になっていたのである。権右衛門は討入の支度の時黒羽《くろは》二重《ぶたえ》*の紋附を着て、兼て秘蔵していた備前長船《びぜんおさふね》の刀*を取り出して帯びた。そして十文字の槍《やり》*を持って出た。

　竹内数馬の手に島徳右衛門がいるように、高見権右衛門は一人の小姓を連れている。阿部一族の事のあった二三年前の夏の日に、この小姓は非番で部屋に昼寝をしていた。そこへ相役《あいやく》の一人が供先から帰って真裸になって、手桶《ておけ》を提げて井戸へ水を汲みに行き掛けたが、ふとこの小姓の寝ているのを見て、「己《おれ》がお供から帰ったに、水も汲んでくれずに寝ておるかい」と云いざまに枕を蹴《け》った。小姓は跳《は》ね起きた。「なる程。目が醒《さ》めておったら、水も汲んで遣ろう。じゃが枕を足蹴《あしげ》にすると云うことがあるか。このままには済まんぞ。」こう云って抜打に相役を大袈裟《おおげさ》に切った。*

小姓は静かに相役の胸の上に跨《また》がって止《とど》めを刺して、乙名《おとな》の小屋へ往《い》って仔細《しさい》を話した。「即座に死ぬる筈《はず》でござりましたが、御不審もあろうかと存じまして」と、肌を脱いで切腹しようとした。乙名が「先《ま》ず待て」と云って権右衛門に告げた。権右衛門はまだ役所から下がって、衣服も改めずにいたので、そのまま館へ出て忠利に申し上げた。忠利は「最《もっとも》の事じゃ、切腹には及ばぬ」と云った。この時から小姓は権右衛門に命を捧《ささ》げて奉公しているのである。

　小姓は箙《えびら》*を負い半弓《はんきゅう》*を取って、主の傍《かたわら》に引き添った。

　寛永十九年四月二十一日は麦秋《むぎあき》*に好くある薄曇の日であった。

阿部一族の立て籠《こも》っている山崎の屋敷に討ち入ろうとして、竹内数馬の手のものは払暁《ふつぎょう》に表門の前に来た。夜通し鉦太鼓《かねたいこ》を鳴らしていた屋敷の内が、今はひっそりとして空屋かと思われる程である。門の扉は鎖《とざ》してある。板塀の上に二三尺伸びている夾《きょう》竹桃《ちくとう》の木末《うら》には、蜘《くも》*のいが掛かっていて、それに夜露が真珠のように光っている。燕《つばめ》が一羽どこからか飛んで来て、つと塀の内に入った。

　数馬は馬を乗り放って降り立って、暫く様子を見ていたが、「門を開けい」と云った。足軽が二人塀を乗り越して内に這《は》入《い》った。門の廻りには敵は一人もいないので、錠前を打ちこわして貫《かん》の木*を抜いた。

　隣家の柄本又七郎は数馬の手のものが門を開ける物音を聞いて、前夜結縄を切って置いた竹垣を踏み破って、駈《か》け込んだ。毎日のように往来《ゆきき》して、隅々まで案内を知っている家である。手槍を構えて台所の口から、つと這入った。座敷の戸を締め切って、籠《こ》み入る討手のものを一人々々討ち取ろうとして控えていた一族の中で、裏口に人のけはいのするのに、先ず気の附いたのは弥五兵衛である。これも手槍を提げて台所へ見に出た。

　二人は槍の穂先と穂先とが触れ合う程に相対した。「や、又七郎か」と、弥五兵衛が声を掛けた。

「おう。兼ての広言がある。おぬしが槍の手並を見に来た。」

「好《よ》うわせた*。さあ。」

　二人は一歩しざって槍を交えた*。暫《しばら》く戦ったが、槍術は又七郎の方が優れていたので、弥五兵衛の胸板をしたたかに衝《つ》き抜いた。弥五兵衛は槍をからりと棄てて、座敷の方へ引こうとした。

「卑怯《ひきょう》じゃ。引くな。」又七郎が叫んだ。

「いや逃げはせぬ。腹を切るのじゃ。」言い棄てて座敷に這入った。

その刹那《せつな》に「おじ様、お相手」と叫んで、前髪の七之丞が電光の如《ごと》くに飛んで出て、又七郎の太股《ふともも》を衝いた。入懇《じっこん》の弥五兵衛に深手を負わせて、覚えず気が弛《ゆる》んでいたので、手錬《しゅれん》の又七郎も少年の手に掛かったのである。又七郎は槍を棄ててその場に倒れた。

数馬は門内に入《い》って人数《にんず》を屋敷の隅々に配った。さて真っ先に玄関に進んで見ると、正面の板戸が細目に開けてある。数馬がその戸に手を掛けようとすると、島徳右衛門が押し隔てて、詞《ことば》せわしく呵いた。

「お待なさりませ。殿は今日の総大将じゃ。某《それがし》がお先をいたします。」

徳右衛門は戸をがらりと開けて飛び込んだ。待ち構えていた市太夫の槍に、徳右衛門は右の目を衝かれてよろよろと数馬に倒れ掛かった。

「邪魔じゃ。」数馬は徳右衛門を押し退《の》けて進んだ。市太夫、五太夫の槍が左右のひ*はらを衝き抜いた。

添島九兵衛、野村庄兵衛が続いて駆け込んだ。徳右衛門も痛手に屈せず取って返した。

この時裏門を押し破って這入った高見権右衛門は十文字槍を揮《ふる》って、阿部の家来共を衝きまくって座敷に来た。千場作兵衛も続いて籠み入った。

裏手二手のもの共が入り違えて、おめき叫んで衝いて来る。障子襖《ふすま》は取り払ってあっても、三十畳に足らぬ座敷である。市街戦の惨状が野戦より甚だしいと同じ道理で、皿に盛られた百虫《ひやくちゆう》の相啖《あいくら》うにも譬《たと》えつべく、目も当てられぬ有様である。

市太夫、五太夫は相手嫌わず槍を交えているうち、全身に数えられぬ程の創を受けた。それでも屈せずに、槍を棄てて刀を抜いて切り廻っている。七之丞はいつの間にか倒れている。

太股を衝かれた柄本又七郎が台所に伏していると、高見の手のものが見て、「手をお負《おい》なされたな、お見事じゃ、早うお引きなされい」と云って、奥へ通り抜けた。「引く足があれば、わしも奥へ這入るが」と、又七郎は苦々しげに云って歯咬《はがみ》をした。そこへ主《しゆう》の跡を慕って入り込んだ家来の一人が駈け附けて、肩に掛けて退いた。

今一人の柄本家の被官天草平九郎と云うものは、主の退口《のきくち》を守って、半弓を以《もつ》て目に掛かる敵を射ていたが、その場で討死した。

竹内数馬の手では島徳右衛門が先ず死んで、次いで小頭添島九兵衛が死んだ。

高見権右衛門が十文字槍を揮って働く間、半弓を持った小姓はいつも槍脇を詰めて*敵を射ていたが、後には刀を抜いて切って廻った。ふと見れば鉄砲で権右衛門をねらっているものがある。「あの丸《たま》はわたくしが受け止めます」と云って、小姓が権右衛門門の前に立つと、丸が来て中《あた》った。小姓は即死した。竹内の組から抜いて高見に附けられた小頭千場作兵衛は重手《おもで》を負って台所に出て、水瓶《みずがめ》の水を呑《の》んだが、そのままそこにへたばっていた。

阿部一族は最初に弥五兵衛が切腹して、市太夫、五太夫、七之丞はとうとう皆深手に息が切れた。家来も多くは討死した。

高見権右衛門は裏表の人数《にんず》を集めて、阿部が屋敷の裏手にあった物置小屋を崩させて、それに火を掛けた。風のない日の薄曇の空に、烟《けむり》が真っ直に升《のぼ》って、遠方から見えた。それから火を踏み消して、跡を水でしめして引き上げた。台所にいた千場作兵衛、その外重手を負ったものは家来や傍輩が肩に掛けて続いた。時刻は丁度未《ひつじ》の刻*であった。

光尚は度々家中《かちゅう》の主立ったものの家へ遊びに往くことがあったが、阿部一族を討ちに遣《や》った二十一日の日には、松野左京の屋敷へ払暁から出掛けた。館《やかた》のあるお花畠《はなばたけ》からは、山崎はすぐ向うになっているので、光尚が館を出る時、阿部の屋敷の方角に人声物音がするのが聞えた。

「今討入ったな」と云って、光尚は駕籠《かご》に乗った。

駕籠がようよう一町ばかり行った時、注進があった。竹内数馬が討死をしたことは、この時分かった。

高見権右衛門は討手の総勢を率いて、光尚のいる松野の屋敷の前まで引き上げて、阿部の一族を残らず討ち取ったことを執奏《しっそう》*して貰《もら》った。光尚はじきに逢《あ》おうと云って、権右衛門を書院の庭に廻らせた。

丁度卯《う》の花の真っ白に咲いている垣の間に、小さい枝折戸《しおりど》のあるのを開けて這入って、権右衛門は芝生の上に突居《ついい》た。*光尚が見て、「手を負ったな、一段骨折であった」と声を掛けた。黒羽二重の衣服が血みどれになって、それに引上の時小屋の火を踏み消した時飛び散った炭や灰がまだらに附いていたのである。

「いいえ。かすり創でござりまする。」権右衛門は何者かに水落《みずおち》*をしたたか衝かれたが懐中していた鏡に中《あた》って穂先がそれた。創は僅《わず》かに血を鼻紙ににじませただけである。

権右衛門は討入の時の銘々の働きを精《くわ》しく言上《ごんじょう》して、第一の功を単身で弥五兵衛に深手を負わせた隣家の柄本又七郎に譲った。

「数馬はどうじゃった。」

「表門から一足先に駈け込みましたので見届けません。」

「さようか。皆のものに庭へ這入れと云え。」

権右衛門が一同を呼び入れた。重手で自宅へ舁《か》いて行かれた人達の外は、皆芝生に平伏した。働いたものは血によごれている。小屋を焼く手伝ばかりしたものは、灰ばかりあびている。その灰ばかりあびた中に、畑十太夫がいた。光尚が声を掛けた。

「十太夫。そちの働きはどうじゃった。」

「はっ」と云ったぎり黙って伏していた。十太夫は大兵《だいひょう》の臆病者《おくびょうもの》で、阿部が屋敷の外をうろついていて、引上の前に小屋に火を掛けた時、やっとおずおず這入ったのである。最初討手を仰《おお》せ附けられた時に、お次へ出るところを剣術者新免武蔵《しんめんむさし》*が見て、「冥加《みょうが》至極の事じゃ、随分お手柄をなされい」と云って背中をぽんと打った。十太夫は色を失って、弛《ゆる》んでいた袴《はかま》の紐《ひも》を締め直そうとしたが、手が震えて締まらなかったそうである。

光尚は座を起《た》つ時云った。「皆出精《しゅつせい》であったぞ。帰って休息いたせ。」

竹内数馬の幼い娘には養子をさせて家督相続を許されたが、この家は後に絶えた。

高見権右衛門は三百石、千場作兵衛、野村庄兵衛は各五十石の加増を受けた。柄本又七郎へは米田《こめだ》監物《けんもつ》が承って、組頭谷内蔵之允《たにくらのすけ》を使者に遣って、賞詞《ほめことば》があった。親戚朋《しんせきほう》友《ゆう》がよろこびを言いに来ると、又七郎は笑って、「元亀《げんき》天正の頃*は、城攻野《しろぜめの》合《あわ》せ*が朝夕の飯同様であった、阿部一族討取りなぞは茶の子の茶の子の朝茶の子*じゃ」と云った。二年立って、正保元年*の夏、又七郎は創《きず》が癒《い》えて光尚に拝謁《はいえつ》した。光尚は鉄砲十挺《ちょう》を預けて、「創が根治するように湯治がしたくばいたせ、又府外*に別荘地を遣《つかわ》すから、場所を望め」と云った。又七郎は益城《ましき》小池村*に屋敷地を貰った。その背後が藪山《やぶやま》である。「藪山も遣そうか」と、光尚が云わせた。又七郎はそれを辞退した。竹は平日も御用に立つ。戦争でもあると、竹束が沢山いる。それを私《わたくし》に拝領しては気が済まぬと云うのである。そこで藪山は永代御《えいたいお》預《あず》けと云うことになった。

　畑十太夫は追放せられた。竹内数馬の兄八兵衛は私《わたくし》に討手に加わりながら、弟の討死の場所に居合せなかったので、閉門*を仰せ附けられた。又馬廻の子で近習を勤めていた某《それがし》は、阿部の屋敷に近く住まっていたので、「火の用心をいたせ」と云って当番を免《ゆる》され、父と一しょに屋根に上って火の子を消していた。後に切角当番を免された思召《おぼしめし》に背《そむ》いたと心附いてお暇《いとま》を願ったが、光尚は「そりゃ臆病では無い、以後はも少し気を附けるが好いぞ」と云って、そのまま勤めさせた。この近習は光尚の亡《な》くなった時殉死した。

　阿部一族の死《し》骸《がい》は井出の口に引き出して、吟味せられた。白川*で一人一人の創を洗って見た時、柄本又七郎の槍に胸板を衝き抜かれた弥五兵衛の創は、誰の受けた創よりも立派であったので、又七郎はいよいよ面目を施した。

堺《さかい》事件

明治元年戊辰《ぼしん》の歳《とし》正月、徳川慶喜《よしのぶ》*の軍が伏見《ふしみ》、鳥羽《とば》*に敗れて、大阪城をも守ることが出来ず、海路を江戸へ遁《のが》れた跡で、大阪、兵庫、堺の諸役人は職を棄《す》てて潜《ひそ》み匿《かく》れ、これ等の都会は一時無政府の状況に陥った。そこで大阪は薩摩《さつま》*、兵庫は長門《ながと》*、堺は土佐*の三藩が、朝命によって取り締ることになった。堺へは二月の初に先《ま》ず土佐の六番歩兵隊が這入《はい》り、次いで八番歩兵隊が繰り込んだ。陣所*になったのは糸屋町の与力《よりき》*屋敷、同心《どうしん》*屋敷である。そのうち土佐藩は堺の民政をも預けられたので、大目附《おおめつけ》*杉紀平太、目附*生駒《いこま》静次等が入り込んで大通櫛屋町《くしやまち》の元総会所*に、軍監府*を置いた。軍監府では河内《かわち》*、大和《やまと》*辺から、旧幕府の役人の隠れていたのを、七十三人捜し出して、先例によって事務を取り扱わせた。市中は間もなく秩序を恢復《かいふく》して、一旦《いったん》鎖《とざ》された芝居の木戸も、又開かれるようになった。

二月十五日の事である。フランスの兵が大阪から堺へ来ると云うことを、町年寄《まちとしより》*が聞き出して軍監府へ訴え出た。横浜に碇泊《ていはく》していた外国軍艦十六艘《そう》が、摂津《せっつ》*の天保山《てんぽうざん》*沖《おき》へ来て投錨《とうびょう》した中に、イギリス、アメリカと共に、フランスのもあったのである。杉は六番、八番の両隊長を呼び出して、大和橋《やまとばし》*へ出張することを命じた。フランスの兵が若《も》し官許を得て通るのなら、前以《もっ》て外国事務係＊前《ぜん》宇和島藩主伊達伊予守宗城《だていよのかみむねなり》から通知がある筈《はず》であるに、それが無い。よしや通知が間に合わぬにしても、内地を旅行するには免状＊を持っていなくてはならない。持っていないなら、通すには及ばない。杉は生駒と共に二隊の兵を随《したが》えて大和橋を扼《やく》して＊待っていた。そこへフランスの兵が来掛かった。その連れて来た通弁＊に免状の有無を問わせると、持っていない。フランスの兵は小人数《こにんず》なので、土佐の兵に往手《ゆくて》を遮られて、大阪へ引き返した。

同じ日の暮方になって、大和橋から帰っていた歩兵隊の陣所へ、町人が駆け込んで、港からフランスの水兵が上陸したと訴えた。フランスの軍艦は港から一里ばかりの沖に来て、二十艘の端艇《はしけ》＊に水兵を載せて上陸させたのである。両歩兵の隊長が出張の用意をさせていると、軍監府から出張の命令が届いた。すぐに出張してみると、水兵は別にこれと云う廉立《かどだ》った暴行をしてはいない。しかし神社仏閣に不遠慮に立ち入る。人家に上がり込む。女子を捉《とら》えて揶揄《からか》う。開港場でない堺の町人は、外国人に慣れぬので、驚き懼《おそ》れて逃げ迷い、戸を閉じて家に籠《こも》るものが多い。両隊長は諭して舟へ返そうと思ったが通弁がいない。手真似《てまね》で帰れと云っても、一人も聴かない。そこで隊長が陣所へ引き立てていと命じた。兵卒が手近にいた水兵を捉えて縄を掛けようとした。水兵は波止場をさして逃げ出した。中の一人が、町家《ちょうか》の戸口に立て掛けてあった隊旗を奪って駆けて往《い》った。

両隊長は兵卒を率いて追い掛けた。脚の長い、駆歩《かけあし》に慣れたフランス人にはなかなか及ばない。水兵はもう端艇に乗り移ろうとする。この頃土佐の歩兵隊には鳶《とび》の者*が附いていて、市中の廻番をするにも、それを四五人ずつ連れて行くことにしてあった。隊旗を持つのもこの鳶の者の役で、その中に旗持梅吉と云う鳶頭《がしら》がいた。江戸で火事があって出掛けるのに、早足の馬の跡を一間とは後《おく》れぬという駆歩の達者である。この梅吉が隊の士卒を駆け抜けて、隊旗を奪って行く水兵に追い縋《すが》った。手に持った鳶口*は風を切ってかの水兵の脳天に打ち卸された。水兵は一声叫んで仰向《あおむけ》に倒れた。梅吉は隊旗を取り返した。

これを見て端艇に待っていた水兵が、突然短銃で一斉射撃をした。

両隊長が咄嗟《とっさ》の間に決心して「撃て」と号令した。待ち兼ねていた兵卒は七十余挺《ちょう》の銃口を並べ、上陸兵を収容している端艇を目当に発射した。六人ばかりの水兵はばらばらと倒れた。負傷して水に落ちたものもある。負傷せぬものも、急に水中に飛び込んで、皆片手を端艇の舷《ふなばた》に掛けて足で波を蹴《け》て端艇を操りながら、弾丸《たま》が来れば沈んで避け、又浮き上がって汐《しお》を吐いた。端艇は次第に遠くなった。フランス水兵の死者は総数十三人で、内一人が下士であった。

そこへ杉が駆け付けた。そして射撃を止《や》めて陣所へ帰れと命じた。両隊が陣所へ引き上げていると、隊長二人を軍監府から呼びに来た。なぜ上司の命令を待たずに射撃したかと杉に問われて両隊長は火急の場合で命令を待つことが出来なかったと弁明した。勿論《もちろん》端艇から先ず射撃したので、これに応戦したのではあるが、土佐の士卒は初めからフランス人に対して悪感情を懐《いだ》いていた。それは土佐人が松山藩*を討つために錦《きん》旗《き》*を賜わって、それを本国へ護送する途中、神戸でフランス人がその一行を遮り留め朝廷と幕府との和親を謀《はか》るためだと通弁に云わせ、錦旗を奪おうとしたと云う話が伝わっていたからである。

杉は両隊長に言った。とにかくこうなった上は是非がない。軍艦の襲撃があるかも知れぬから、防戦の準備をせいと云った。そして報告のために生駒を外国事務係へ、下横目《したよこめ》*一人を京都の藩邸へ発足《ほっそく》させた。

両隊長は僅《わず》か二小隊の兵を以て軍艦を防げと云われて当惑したが、海岸へは斥候《せっこう》*を出し、台場《だいば》*へは両隊から数人ずつ交代して守備に往くことにした。そこへこの土地に這入った時収容して遣《や》った幕府の敗兵が数十人来て云った。

「若しフランスの軍艦が来るようなら、どうぞわたくし共をお使下さい。砲台には徳川家の時に据え付けた大砲が三十六門あって、今岸和田藩*主岡部筑前守《ちくぜんのかみ》長寛《ながひろ》殿の預りになっています。わたくし共はあれで防ぎます。あなた方は上陸して来る奴《やつ》を撃って下さい」と云った。

両隊長はその人達を砲台へ遣った。そのうち岸和田藩からも砲台へ兵を出して、望遠鏡で兵庫方面を見張っていてくれた。

夜に入って港口へフランスの端艇が来たと云う知らせがあった。しかしその端艇は五六艘《い》で、皆上陸せずに帰った。水兵の死体を捜索したのだろう。実際幾つか死体を捜し得て、載せて帰ったらしいと云うものもあった。

十六日の払暁《ふつぎょう》に、外国事務係の沙汰《さた》で、土佐藩は堺表《さかいおもて》取締を免ぜられ、兵隊を引き払うことになった。軍監府はそれを取り次いで、両隊長に大阪蔵屋敷*へ引き上げることを命じた。両隊長はすぐに支度して堺を立った。住吉《すみよし》街道*を経て、大阪御池通《みいけどおり》六丁目の土佐藩なかし商*の家に着いたのは、未《ひつじ》の刻《こく》*頃であった。

堺の軍監府から外国事務係へ報告に往った生駒静次は、口上を一通《ひととおり》聞き取られただけである。次いで外国事務係は堺にある軍監又は隊長の内一名出頭するようにと達した。杉が出頭した。すると大阪の土佐藩邸にいる石川石之助の出した堺事件の届書を返して、更に精《くわ》しく書き替えて出せと云うことである。杉は一応引き取って、両隊長署名の届書を出し、この上御訊問《ごじんもん》の筋があるなら、本人に出頭させようと言い添えた。

十七日には、前日評議の末、京都の土佐藩邸から、家老山内隼人《はいと》、大目附林亀吉、目附谷兎毛《ともう》、下横目数人と長尾太郎兵衛の率いた京都詰の部隊とが大阪へ派遣せられた。この一行は夜に入って大阪に着いて、すぐに林が命令して、杉、生駒と両歩兵隊長とを長堀《ながほり》の土佐藩邸に徙《うつ》らせた。

十八日には、長尾太郎兵衛を以て、両歩兵隊長に勤事控《きんじひかえ》*を命じ、配下一同の出門を禁ぜられた。両隊長はこの事件の責《せめ》を自分達二人で負って、自分達の命令を奉じて働いた配下に煩累《はんるい》*を及ぼしたくないと、長尾に申し出た。両隊の兵卒一同は小頭《こがしら》池上弥《や》三吉《さきち》、大石甚吉を以て、両隊長に勤事控の見舞を言わせた。両隊長は長尾に申し出た趣意を配下に諭した。

そのうち京都から土佐藩の歩兵三小隊が到着して、長堀の藩邸を警固して厳重に人の出入を誰何《すいか》*することになった。

次いで前土佐藩主山内土佐守豊信《とよしげ》*の名代《みょうだい》として、家老深尾鼎《かなえ》が大目附小南《こみなみ》五郎右衛門と共に到着した。これは大阪に碇泊《ていはく》しているフランス軍艦 Vénus《ヴェニュス》 号から、公使 Léon《レオン》 Roche《ロッシュ》*が外国事務係へ損害要償の交渉をしたためである。公使の要求は直ちに朝議*の容《い》るる所となった。土佐藩主が自らヴェニュス号に出向いて謝罪することが一つ。堺で土佐藩の隊を指揮した士官二人、フランス人を殺害《せつがい》した隊の兵卒二十人を、交渉文書が京都に着いた後三日以内に、右の殺害を加えた土地に於《お》いて死刑に処することが二つ。殺害せられたフランス人の家族の扶助《ふじょ》料として、土佐藩主が十五万弗《ドル》を支払うことが三つである。この処置のためには、藩主は自ら大阪に来べきであったが病気のため家老を名代として派遣したのである。

深尾に附いて来た下横目は六番、八番両歩兵隊の士卒七十三人を、一人ずつ呼び出して堺で射撃したか、射撃しなかったかと訊問した。この訊問が殆《ほとん》ど士卒の勇怯《ゆうきょう》*を試みると同じ事になったのは、人の弱点の然《しか》らしむる所で、実に已《や》むことを得ない。射撃したと答えたものが二十九人ある。六番隊では隊長箕浦猪之吉《みのうらいのきち》、小頭池上弥三吉、兵卒杉本広五郎、勝賀瀬三六《かつがせさんろく》、山本哲助、森本茂吉《もきち》、北代《きたしろ》健助、稲田貫之丞《かんのじょう》、柳瀬常七、橋詰愛平《はしづめあいへい》、岡崎栄兵衛、川谷《かわたに》銀太郎、岡崎多四郎、水野万之助、岸田勘平、門田《かどた》鷹太《たかた》郎《ろう》、楠瀬《くすせ》保次郎、八番隊では隊長西村左平次、小頭大石甚吉、兵卒竹内民五郎、横田辰五郎、土居《どい》徳太郎*〔土居八之助、垣内《かきうち》徳太郎〕、金田《かなだ》時治《ときじ》、武内《たけのうち》弥三郎、栄田《さかえだ》次右衛門、中城惇五郎《なかしろじゅんごろう》、横田静治郎、田丸勇六郎である。射撃しなかったと答えたものは六番隊の兵卒で浜田友太郎以下二十人、八番隊の兵卒で永野峯吉《みねきち》以下二十一人、計四十一人である。

十九日になって射撃しなかったと答えたものは、夜に入って御池《みいけ》六丁目の商家へ移され、用意が出来次第帰国させると言い渡された。これに反して射撃したと答えたものは銃器弾薬を返上して、預け*の名目の下《もと》に、前に大阪に派遣せられた砲兵隊の監視を受けることになり、六番隊は従前の通長堀の本邸に、八番隊は西邸《にしやしき》に入れられた。

二十日には射撃しなかったと答えたものが、長堀藩邸の前から舟に乗った。後にこの人達は丸亀を経て、北山道《きたやまみち》*を土佐に帰り着いた。そして数日間遠足留《えんそくどめ》*を命ぜられていたが、後には平常の通心得べし*と云うことになった。射撃したと答えたものの所へは、砲隊組兵卒に下横目が附いて来て、佩刀《はいとう》*を取り上げた。この人達の耳にも、死刑になると云う話がもう聞えたので、中には手を束《つか》ねて刃《やいば》を受けるよりは、寧《むし》ろフランス軍艦に切り込んで死のうと云ったものがある。これは八番隊の土居八之助が無謀だと云って留めた。それから一同刺し違えて死のうと云ったものがある。丁度そこへ佩刀を取り上げに来たので、今死なずにしまったら、もう死ぬることが出来まいと、中の数人は手を下そうとさえした。やはり八番隊の竹内民五郎がそれを留めて、思う旨《むね》があるから、指図通にするが好いと云いながら「我荷物の中に短刀二本あり」と、畳に指で書いて見せた。一同遂に佩刀を渡してしまった。

二十二日に、大目附小南が来て、六番、八番両隊の兵卒一同に、御隠居様から仰《おお》せ渡されることがあるからすぐに、大広間に出るようにと達した。御隠居様とは山内豊信が家督を土佐守豊範《とよのり》*に譲って容堂《ようどう》と名告《なの》った時からの称呼である。隊長、小頭の四人を除いて、二十五人が大広間に居並んだ。そこへ小南以下の役人が出て席に着いた。それから正面の金襖《きんぶすま》を開くと、深尾が出た。一同平伏した。

深尾は云った。

「これは御隠居様がお直《じき》に仰せ渡される筈《はず》であるが、御所労*のため拙者《せつしや》が御名代として申し渡す。この度の堺事件に付、フランス人が朝廷へ逼《せま》り申すにより、下手人《げしゆにん》二十人差し出すよう仰せ付けられた。御隠居様に於いては甚だ御心痛あらせられる。いずれも穏《おだやか》に性命を差し上げるようとの仰せである。」言い畢《おわ》って、深尾は起って内に這《は》入《い》った。

次に小南が藩主豊範の命を伝えた。

「この度差し出す二十人には、誰《たれ》を取り誰を除いて好いか分からぬ。一同稲荷社《いなりしや》に詣《まい》って神を拝し、籤引《くじびき》によって生死を定めるが好い。白籤に当ったものは差し除かれる。上裁*を受ける籤に当ったものは死刑に処せられる。これから神前へ参れ」と云うのである。

二十五人は御殿から下って稲荷社に往った。社壇の鈴の下に、小南が籤を持って坐る。右手には目附が一人控える。階前には下横目が二人名簿を持って立つ。社壇の前数十歩の所には、京都から来た砲兵隊と歩兵隊とが整列している。小南が指図すると、下横目が名簿を開いて、二十五人の姓名を一人ずつ読む。そこで一人ずつ出て籤を引いて、披《ひら》いて見て、それを下横目に渡す。下横目が点検する。この時参詣《さんけい》に来合せたものは、初《はじめ》何事かと恠《あやし》み、ようよう籤引の意味を知って、皆ひどく感動し、中には泣いているものもある。

上裁を受ける籤を引いたものは、六番隊で杉本、勝賀瀬、山本、森本、北代、稲田、柳瀬、橋詰、岡崎栄兵衛、川谷の十人、八番隊で竹内、横田辰五郎、土居、垣内、金田、武内の六人、計十六人で、これに隊長、小頭各二人を加えると、二十人になる。白籤を引いたものは六番隊で岡崎多四郎以下五人、八番隊で栄田次右衛門以下四人である。

籤引が済んで一同御殿に引き取ると、白籤組の内、八番隊の栄田次右衛門以下四人、即《すなわ》ち栄田、中城、横田静次〔治〕郎、田丸が連署の願書を書いて出した。自分等は籤引によって生死の二組に分れたが、初より同腹一心の者だから、一同上裁を受ける籤に当ったと同様の処置を仰せ付けられたいと云うのである。願書は人数が定まっているからと云うので、そのまま却下せられた。

所謂《いわゆる》上裁籤の組十六人は箕浦、西村両隊長、池上、大石両小頭と共に、引き纏《まと》めて本邸に留め置かれることになった。白籤組はすぐに隊籍を除かれて、土佐藩兵隊中に預けられ、別室に置かれた。数日の後に、白籤組には堺表より船牢《ふねろう》*を以て国元へ差下すと云う沙汰があって、下横目が附いて帰国し、各親類預けになったが、間もなく以後別儀なく申し付けると達せられた。*

夜に入って上裁籤の組は、皆国元の父母兄弟その他親戚《しんせき》故旧*に当てた遺書を作って、髻《もとどり》*を切ってそれに巻き籠《こ》め、下横目に差し出した。

そこへ藩邸を警固している五小隊の士官が、酒肴《しゅこう》を持たせて暇乞《いとまごい》に来た。隊長、小頭、兵卒十六人とは、別々に馳走《ちそう》になった。十六人は皆酔い臥《ふ》してしまった。中に八番隊の土居八之助が一人酒を控えていたが、一同鼾《いびき》をかき出したのを見て、忽《たちま》ち大声で叫んだ。

「こら。大切な日があすじゃぞ。皆どうして死なせて貰《もら》う積《つもり》じゃ。打首になっても好いのか。」

誰やら一人腹立たしげに答えた。

「黙っておれ。大切な日があすじゃから寐《ね》る。」

この男はまだ詞《ことば》の切れぬうちに、又鼾をかき出した。

土居は六番隊の杉本の肩を摑《つか》まえて揺り起した。

「こら。どいつも分からんでも、君には分かるだろう。あすはどうして死ぬる。打首になっても好いのか。」

杉本は跳ね起きた。

「うん。好く気が附いた。大切な事じゃ。皆を起して遣ろう。」

二人は一同を呼び起した。どうしても起きぬものは、肩を摑まえてこづき廻した。一同目を醒《さ》まして二人の意見を聞いた。誰一人成程と承服せぬものはない。死ぬるのは構わぬ。それは兵卒になって国を立った日から覚悟している。しかし恥辱を受けて死んではならぬ。そこで是非切腹させて貰おうと云うことに、衆議一決した。

十六人は袴《はかま》を穿《は》き、羽織を着た。そして取次役の詰所へ出掛けて、急用があるから、奉行衆《ぶぎょうしゅう》に御面会を申し入れて貰いたいと云った。

取次役は奥の間へ出入して相談する様子であったが、暫《しばら》くして答えた。

「折角の申出ではあるが、それは相成らぬ。おのおのはお構《かまい》の身分*じゃ。夜中に推参*して、奉行衆に逢《あ》いたいと云うのは宜《よろ》しくない」と云うのである。

十六人はおこった。

「それは怪《け》しからん。お構の身とは何事じゃ。我々は皇国のために明日一命を棄てる者共じゃ。取次をせぬなら、頼まぬ。そこを退《の》け。我々はじきに通る。」一同は畳を蹴立《けた》てて奥の間へ進もうとした。

奥の間から声がした。

「いずれも暫く控えておれ。重役が面会する」と云うのである。

襖をあけて出たのは、小南、林と下横目数人とである。

一同礼をした上で、竹内が発言した。

「我々は朝命を重んじて一命を差し上げるものでございます。しかし堺表に於いて致した事は、上官の命令を奉じて致しました。あれを犯罪とは認めませぬ。就いては死刑と云う名目《みようもく》には承服が出来兼ねます。果して死刑に相違ないなら、死刑に処せられる罪名が承りとうございます。」

聞いているうちに、小南の額には皺《しわ》が寄って来た。小南は土居の詞の畢《おわ》るのを待って、一同を睨《にら》み付けた。

「黙れ。罪科《ざいか》のないものを、なんでお上で死刑に処せられるものか。隊長が非理の指揮をしてお前方は非理の挙動に及んだのじゃ。」

竹内は少しも屈しない。

「いや。それは大目付のお詞とも覚えませぬ。兵卒が隊長の命令に依《よ》って働らくには、理も非理もございませぬ。隊長が撃てと号令せられたから、我々は撃ちました。命令のある度に、一人一人理非を考えたら、戦争は出来ますまい。」

竹内の背後《うしろ》から一人二人膝《ひざ》を進めたものがある。

「堺での我々の挙動には、功はあって罪はないと、一同確信しております。どう云う罪に当ると云う思召《おぼしめし》か。今少し委曲に御示下さい。」

「我々も領解《りょうかい》いたし兼ねます。」

「我々も。」

一同の気色《けしき》は凄《すさま》じくなって来た。

小南は色を和《やわら》げた。

「いや。先の詞は失言であった。一応評議した上で返事をいたすから、暫く控えておれ。」

こう云って起って、奥に這入った。

一同奥の間を睨んで待っていたが、小南はなかなか出て来ない。

「どうしたのだろう。」

「油断するな。」

こんなささやきが座中に聞える。

良《やや》暫くして小南が又出た。そして頗《すこぶ》る荘重な態度で云った。

「只今のおのおのの申条《もうしじょう》を御名代*に申し上げた。それに就いて御沙汰があるから承れ。抑々《そもそも》この度の事件では、お上御両所*共非常な御心痛である。大守《たいしゅ》様*は御不例《ふれい》*の所を、押して長髪のまま大阪へお越になり、直ちにフランス軍艦へ御挨拶《あいさつ》にお出《いで》になって、そのまま御帰国なされた。君辱《きみはずか》しめらるれば臣死す*とも申すではないか。おのおのの御沙汰を承った上で、仰せ付けられた通、穏かに振舞ったら宜しかろう。これから御沙汰じゃ。この度堺表の事件に就いては、外国との交際を御一新あらせられる折柄《おりから》、公法に拠《よ》って御処置あらせられる次第である。即ち明日堺表に於て切腹仰せ付けられる。いずれも皇国のために存じ、難有《ありがた》くお受いたせ。又歴々のお役人、外国公使も臨場せられる事であるから、皇国の士気を顕《あらわ》すよう覚悟いたせ。」

小南は沙汰書を取り出して見ながら、こう演説した。大守様と云ったのは、当主土佐守豊範を斥《さ》したのである。

十六人は互に顔を見合せて、微笑を禁じ得なかった。竹内は一同に代って答えた。

「恩命難有《ありがた》くお受いたします。それに就いて今一箇条お願申し上げたい事がございます。これは手順を以て下横目へ申し立つべき筋ではございますが、御重役御出席中の事ゆえ、今生《こんじょう》の思出にお直《じき》に申し上げます。只今の御沙汰によれば、お上に置かせられても、我々の微衷《びちゅう》*をお酌取《くみと》り下されたものと存じます。然らば我々一同には今後士分《しぶん》のお取扱いがあるよう、遺言同様の儀なれば、是非ともお聞済《ききずみ》下さるようにお願いいたします。」

小南は暫く考えて云った。

「切腹を仰せ付けられたからは、一応尤《もっと》もな申分のように存ずる。詮議《せんぎ》の上で沙汰いたすから、暫時《ざんじ》控えておれ。」

こう云って再び座を起《た》った。

又良暫《やや》くしてから、今度は下横目が出て云った。

「出格《しゅつかく》の御詮議《せんぎ》*を以て、一同士分のお取扱いを仰せ付けられる。依って絹服一重《けんぷくひとかさね》ずつ下し置かれる。」

こう言って目録を渡した。

一同目録を受け取って下がりしなに、隊長、小頭の所に今夜の首尾を届けに立ち寄った。隊長等も警固隊の士官に馳走せられて快よく酔って寐ていたが、配下の者共が打ち揃《そろ》って来たので、すぐに起きて面会した。十六人は隊長、小頭と引き分けられてから、今夜まで一度も逢う機会がなかったが、大目付との対談の甲斐《かい》があって、切腹を許され、士分に取り立てられ、今は誰も行住《ぎょうじゅう》動作*に喙《くちばし》を容《い》れるものがないので、公然立ち寄ることが出来たのである。
隊長、小頭は配下一同の話を聞いて、喜びかつ悲んだ。悲んだのは、四人が自分達の死を覚悟していながら、二十人の死をフランス公使に要求せられたと云うことを聞せられずにいたので、十六人の運命を始めて知って悲んだのである。喜んだのは、十六人が切腹を許され、士分に取り立てられたのを喜んだのである。隊長、小頭の四人と配下の十六人とは、まだ夜の明けるに間があるから、一寐《ひとね》入《いり》して起きようと云うので、快よく別れて寝床に這入《はい》った。

二十三日は晴天であった。堺へ往く二十人の護送を命ぜられた細川越中守慶順《えっちゅうのかみよしゆき》の熊本藩、浅野安芸守茂長《あきのかみしげなが》の広島藩から、歩兵三百余人が派遣せられて、未明に長堀土佐藩邸の門前に到着した。邸内では二十人に酒肴を賜わった。両隊長、小頭は大抵新調した衣袴《いこ》を着け、爾余《じよ》の十六人は前夜頂戴《ちょうだい》した絹服を纏った。佩刀《はいとう》は邸内では渡されない。切腹の場所で渡される筈である。

一同が藩邸の玄関から高足駄《たかあしだ》*を踏み鳴らして出ると、細川、浅野両家で用意させた駕籠《かご》二十挺《ちょう》を舁《か》き据えた。一礼してそれに乗り移る。行列係が行列を組み立てる。先手《さきて》は両藩の下役人数人で、次に兵卒数人が続く。次は細川藩の留守居《るすい》*馬場彦右衛門、同藩の隊長山川亀太郎、浅野藩の重役渡辺競《きそう》の三人である。陣笠小袴《じんがさこばかま》*で馬に跨《またが》り、持《もち》鑓《やり》*を竪《た》てさせている。次に兵卒数人が行く。次に大砲二門を挽《ひ》かせて行く。次が二十挺の駕籠である。駕籠一挺毎《ごと》に、装剣《そうけん》の銃を持った六人の兵が附く。二十挺の前後は、同じく装剣の銃を持った兵が百二十人で囲んでいる。後押《あとおさえ》*は銃を負った騎兵二騎である。次に両藩の高張提灯《たかはりぢょうちん》*各十挺が行く。次に両藩士卒百数十人が行く。以上の行列の背後《うしろ》に少し距離を取って、土佐藩の重臣始め数百人が続く。長径《ちょうけい》*凡《およ》そ五丁*である。

　長堀を出発して暫く進んでから、山川亀太郎が駕籠に就いて一人々々に挨拶して、箕浦《みのうら》の駕籠に戻ってこう云った。

「狭い駕籠で、定めて窮屈でありましょう。その上長途《ちょうと》の事ゆえ、簾《すだれ》を垂れたままでは、鬱陶《うっとう》しく思われるでありましょう。簾を捲《ま》かせましょうか」と云った。

「御厚意忝《かたじけの》う存じます。差構《さしかまい》ない事なら、さよう願いましょう」と、箕浦が答えた。

　そこで駕籠の簾は総《すべ》て捲き上げられた。

　又暫く進むと、山川が一人々々の駕籠に就いて、

「茶菓の用意をしていますから、お望の方に差し上げたい」と云った。

　両藩の二十人に対する取扱は、万事非常に鄭重《ていちょう》なものである。

　住吉新慶町《しんけいまち》辺に来ると、兼《かね》て六番、八番の両隊が舎営していたことがあるので、路

傍に待ち受けて別《わかれ》を惜むものがある。堺の町に入れば、道の両側に人山《ひとやま》を築いて、その中から往々欷歔《すすりなき》の声が聞える。群集を離れて駕籠に駆け寄って、警固の兵卒に叱《しか》られるものもある。

切腹の場所と定められたのは妙国寺《みょうこくじ》*である。山門には菊御紋《きくごもん》の幕を張り、寺内《じない》には総て細川、浅野両家の紋を染めた幕を引き繞《めぐ》らし、切腹の場所は山内家の紋を染めた幕で囲んである。門内に張った天幕の内には、新しい筵《むしろ》が敷き詰めてある。行列が妙国寺門前に着くと、駕籠を門内天幕の中に舁き入れて、筵の上に立て並べた。次いで両藩士が案内して、駕籠は内庭《うちにわ》へ舁き入れられ、本堂の縁に横付にせられた。

二十人は駕籠を出て、本堂に居並んだ。座の周囲《まわり》には、両藩の士卒が数百人詰めていて、二十人の中《うち》一人が座を起てば、四人が取り巻いて行く。二十人は皆平常のように談笑して、時刻の来るのを待っていた。

この時両藩の士の中に筆紙墨《ひっしぼく》を用意していたものがある。それが二十人の首席にいる箕浦の前に来て、後日の記念に何か一筆願いたいといった。

元六番歩兵隊長箕浦猪之吉は、源姓《みなもとせい》、名は元章《げんしょう》、仙山《せんざん》と号している。土佐国土佐郡潮江《うしおえ》村に住んで五人扶持、十五石を受ける扈従格《こじゅうかく》*の家に、弘化元年十一月十一日に生れた。当年二十五歳である。祖父を忠平、父を万次郎と云う。母は依田《よだ》氏、名は梅である。安政四年に江戸に遊学し、万延元年には江戸で容堂侯の侍読《じどく》*になり、同じ年に帰国して文館*の助教に任ぜられた。次いで容堂侯の扈従を勤めて、七八年経過し、馬《うま》廻格《まわりかく》*に進んだ。それが藩の歩兵小隊司令を命ぜられたのは、慶応三年十一月で、僅《わず》か三箇月勤めているうちに、堺の事件が起った。そういう履歴の人だから、箕浦は詩歌の嗜《たしみ》もあり、書は草書を立派に書いた。

文房具を前に置かれた時、箕浦は、

「甚だ見苦しゅうはございまするが」と挨拶して、腹稾《ふっこう》*の七絶*を書いた。

「除却妖氛答国恩《ようふんをじょきやくしこくおんにこたう》。決然豈可省人言《けつぜんあにじんげんをせいすべけんや》。唯教大義伝千載《ただたいぎをしてせんざいにつたえしむ》。一死元来不足《いつしがんらいろんずるに》論《たらず》*。」攘夷《じょうい》はまだこの男の本領であったのである。

二十人が暫く待っていると、細川藩士がまだなかなか時刻が来そうにないと云った。そこで寺内を見物しようと云うことになった。庭へ出て見ると、寺の内外は非常な雑《ざっ》沓《とう》である。堺の市中は勿論《もちろん》、大阪、住吉、河内在等から見物人が入り込んで、いかに制しても立ち去らない。鐘撞堂《かねつきどう》には寺の僧侶《そうりょ》が数人登って、この群集を見ている。八番隊の垣内がそれに目を着けて、つと堂の上に登って、僧侶に言った。

「坊様達、少し退《の》いて下されい。拙者は今日切腹して相果てる一人じゃ。我々の中間《なかま》には辞世の詩歌などを作るものもあるが、さような巧者な事は拙者には出来ぬ。就いてはこの世の暇乞《いとまごい》に、その大鐘を撞いて見たい。どりゃ」と云いさま、腕まくりをして撞木《しゅもく》を掴《つか》んだ。僧侶は驚いて左右から取り縋《すが》った。

「まあまあ、お待ち下さりませ。この混雑の中で鐘が鳴ってはどんな騒動になろうも知れません。どうぞそれだけは御免下さりませ。」

「いや、国家のために忠死する武士の記念じゃ。留めるな。」

垣内と僧侶とは揉《も》み合っている。それを見て垣内の所へ、中間の二三人が駆け附けた。

「大切な事を目前に控えていながら、それは余り大人気《おとなげ》ない。鐘を鳴らして人を驚かしてなんになる。好く考えて見給《みたま》え」と云って留めた。

「そうか。つい興に乗じて無益の争をした。罷《や》める罷める」と垣内は云って、撞木から手を引いた。垣内を留めた中間の一人が懐《ふところ》を探って、

「ここに少し金がある、もはや用のない物じゃ、死んだ跡にお世話になるお前様方に献じましょう」と云って、僧侶に金をわたした。垣内と僧侶との争論を聞き付けて、次第に集って来た中間が、

「ここにもある。」

「ここにも」と云いながら、持っていただけの金銭を出して、皆僧侶の前に置いた。中には、

「拙者は冥福《みょうふく》を願うのではないが」と、条件を附けて置くものもあった。僧侶は金を受けて鐘撞堂を下った。

人々は鐘撞堂を降りて、

「さあ、これから切腹の場所を拝見して置こうか」と、幔幕《まんまく》*で囲んだ中へ這入り掛けた。細川藩の番士が、

「それはお越《こし》にならぬ方が宜《よろ》しゅうございましょう」と云って留めた。

「いや、御心配御無用、決して御迷惑は掛けません」と言い放って、一同幕の中に這入った。

場所は本堂の前の広庭である。山内家の紋を染めた幕を引き廻した中に、四本の竹《たけ》竿《ざお》を竪《た》てて、上に苫《とま》*が葺《ふ》いてある。地面には荒筵《あらむしろ》二枚の上に、新しい畳二枚を裏がえしに敷き、それを白木綿で覆《おお》い、更に毛氈《もうせん》一枚を襲《かさ》ねてある。傍《そば》に毛氈が畳んだままに積み上げてあるのは、一人々々取り替えるためであろう。入口の側《そば》に卓《つくえ》があって、大小《だいしょう》が幾組も載せてある。近づいて見れば、長堀の邸《やしき》で取り上げられた大小である。

人々は切腹の場所を出て、序《ついで》に宝珠院《ほうじゅいん》*の墓穴も見て置こうと、揃って出掛けた。こ

こには二列に穴が掘ってある。穴の前には高さ六尺余の大瓶《おおがめ》が並べてある。しかもそれには一々名が書いて貼《は》ってある。それを読んで行くうちに、横田が土居に言った。

「君と僕とは生前にも寝食を俱《とも》にしていたが、見れば瓶も並べてある。死んでからも隣同士話が出来そうじゃ」と云った。

土居は忽《たちま》ち身を跳《おど》らせて瓶の中に這入って叫んだ。

「横田君々々々。なかなか好い工合じゃ。」

竹内が云った。

「気の早い男じゃ。そう急がんでも、じきに人が入れてくれる。早く出て来い。」

土居は瓶から出ようとするが、這入る時とは違って、瓶の縁は高し、内面はすべるので、なかなか出られない。横田と竹内とで、瓶を横に倒して土居を出した。

二十人は本堂に帰った。そこには細川、浅野両藩で用意した酒肴《しゅこう》が置き並べてある。給仕には町から手伝人が数十人来ている。一同挨拶して杯《さかずき》を挙げた。前に箕浦に詩を貰《もら》った人を羨《うらや》んで、両藩の士卒が争って詩歌を求め、或は記念として身に附いた品を所望する。人々はかわるがわる筆を把《と》った。又記念に遣《や》る物がないので、襟や袖を切り取った。

切腹はいよいよ午《うま》の刻《こく》*からと定められた。

幕の内へは先《ま》ず介錯人《かいしゃくにん》が詰めた。これは前晩《ぜんばん》大阪長堀の藩邸で、警固の士卒が二十人のものに馳走をした時、各《おのおの》相談して取り極《き》めたのである。介錯人の姓名は、元六番隊の方で箕浦のが馬淵《まぶち》〔馬場〕桃太郎、池上のが北川礼平、杉本のが池七郎〔助〕、勝賀瀬のが吉村材吉《さいきち》、山本のが森常馬、森本のが野口喜久馬、北代のが武市助吾、稲田のが江原源之助、柳瀬のが近藤茂之助、橋詰のが山田安之助、岡崎のが土方《ひじかた》要五郎、川谷のが竹本謙之助、元八番隊の方で、西村のが小坂乾《いぬい》、大石のが落合源六、竹内のが楠瀬柳平、横田のが松田八平次、土居のが池七助、垣内のが公文左《くもんさ》平《へい》、金田のが谷川新次、武内のが北森貫之助である。中で池七助は杉本と土居との二人を介錯する筈《はず》である。いずれも刀の下緒《さげお》*を襷《たすき》にして、切腹の座の背後《うしろ》に控えた。

幕の外には別に駕籠が二十挺据えてある。これは死骸を載せて宝珠院に運ぶためである。埋葬の前に、死骸《しがい》は駕籠から大瓶に移されることになっている。

臨検の席*には外国事務総裁山階宮《やましなのみや》を始として、外国事務係伊達《だて》少将、同東久世《ひがしくぜ》少将、細川、浅野両藩の重役等が、南から北へ向いて床几《しょうぎ》*に掛かる。土佐藩の深尾は北から東南に向いてすわる。大目附小南以下目附等は西北から東に向いて並ぶ。フランス公使は銃を持った兵卒二十余人を随《したが》えて、正面の西から東に向いてすわる。その他薩摩、長門、因幡《いなば》*、備前《びぜん》*等の諸藩からも役人が列席している。

用意の整ったことを、細川、浅野の藩士が二十人のものに告げる。二十人のものは本堂の縁から駕籠に乗り移る。駕籠の両側には途中と同じ護衛が附く。駕籠は幕の外に立てられる。呼出の役人が名簿を繰り開いて、今首席のものの名を読み上げようとする。

この時天が俄《にわか》に曇って、大雨が降って来た。寺の内外に満ちていた人民は騒ぎ立って、檐下《のきした》木蔭《こかげ》に走り寄ろうとする。非常な雑沓《ざっとう》である。切腹は一時見合せとなって、総裁宮始、一同屋内に雨を避けた。雨は未《ひつじ》の刻*に歇《や》んだ。再度の用意は申《さる》の刻*に整った。

呼出の役人が「箕浦猪之吉」と読み上げた。寺の内外は水を打ったように鎮《しずま》った。箕浦は黒羅紗《くろらしゃ》の羽織に小袴《こばかま》を着して、切腹の座に着いた。介錯人馬場は三尺隔てて背後《うしろ》に立った。総裁宮以下の諸官に一礼した箕浦は、世話役の出す白木の四方*を引き寄せて、短刀を右手《めて》に取った。忽ち雷のような声が響き渡った。

「フランス人共聴け。己《おれ》は汝等《うぬら》のためには死なぬ。皇国のために死ぬる。日本男子の切腹を好く見て置け」と云ったのである。

箕浦は衣服をくつろげ、短刀を逆手《さかて》に取って、左の脇腹《わきばら》へ深く突き立て、三寸切り下げ、右へ引き廻して、又三寸切り上げた。刃が深く入ったので、創口《きずぐち》は広く開いた。箕浦は短刀を棄てて、右手を創に挿《さ》し込んで、大網《だいもう》*を摑んで引き出しつつ、フランス人を睨《にら》み付けた。

馬場が刀を抜いて項《うなじ》を一刀《かたな》切ったが、浅かった。

「馬場君。どうした。静かに遣れ」と、箕浦が叫んだ。

馬場の二の太刀は頸椎《けいつい》を断って、かっと音がした。

箕浦は又大声を放って、

「まだ死なんぞ、もっと切れ」と叫んだ。この声は今までより大きく、三丁位響いたのである。

初から箕浦の挙動を見ていたフランス公使は、次第に驚駭《きようがい》と畏怖《いふ》とに襲われた。そして座席に安んぜなくなっていたのに、この意外に大きい声を、意外な時に聞いた公使は、とうとう立ち上がって、手足の措所《おきどころ》に迷った。

馬場は三度目にようよう箕浦の首を墜《おと》した。

次に呼び出された西村は温厚な人である。源姓、名は氏同《うじあつ》。土佐郡江《え》の口《くち》村に住んでいた。家禄四十石の馬廻である。弘化二年七月に生れて、当年二十四歳になる。歩兵小隊司令には慶応三年八月になった。西村は軍服を着て切腹の座に着いたが、服の釦鈕《ぼたん》を一つ一つ丁寧にはずした。さて短刀を取って左に突き立て、少し右へ引き掛けて、浅過ぎると思ったらしく、更に深く突き立てて、緩かに右へ引いた。介錯人の小坂は少し慌《あわ》てたらしく、西村がまだ右へ引いているうちに、背後《うしろ》から切った。首は三間*ばかり飛んだ。

次は池上で、北川が介錯した。次の大石は際立《きわだ》った大男である。先ず両手で腹を二三度撫《な》でた。それから刀を取って、右手で左の脇腹を突き刺し、左手《ゆんで》で刀背《とうはい》を押して切り下げ、右手に左手を添えて、刀を右へ引き廻し、右の脇腹に至った時、更に左手で刀背を押して切り上げた。それから刀を座右に置いて、両手を張って、「介錯頼む」と叫んだ。介錯人落合は為損《しそん》じて、七太刀目に首を墜した。切腹の刀の運びがするすると渋滞なく、手際の最も立派であったのは、この大石である。

これから杉本、勝賀瀬、山本、森本、北城〔北代〕、稲田、柳瀬の順序に切腹した。中にも柳瀬は一旦左から右へ引き廻した刀を、再び右から左へ引き戻したので、腸《はらわた》が創口から溢《あふ》れて出た。

次は十二人目の橋詰である。橋詰が出て座に着く頃は、もう四辺《あたり》が昏《くら》くなって、本堂には燈明《とうみょう》が附いた。

フランス公使はこれまで不安に堪えぬ様子で、起《た》ったり居たりしていた。この不安は次第に銃を執《と》って立っている兵卒に波及した。姿勢は悉《ことごと》く崩れ、手を振り動かして何事かささやき合うようになった。丁度橋詰が切腹の座に着いた時、公使が何か一言云うと、兵卒一同は公使を中に囲んで臨検の席を離れ、我皇族並に諸役人に会釈《えしやく》もせず、あたふたと幕の外に出た。さて庭を横切って、寺の門を出るや否《いな》や、公使を包擁《ほうよう》*した兵卒は駆歩《かけあし》に移って港口へ走った。

切腹の座では橋詰が衣服をくつろげて、短刀を腹に立てようとした。そこへ役人が駆け付けて、「暫《しばら》く」と叫んだ。驚いて手を停めた橋詰に、役人はフランス公使退席の事を話して、ともかくも一時切腹を差し控えられたいと云った。橋詰は跡に残った八人の所に帰って、仔細《しさい》を話した。

とても死ぬるものなら、一思《ひとおもい》に死んでしまいたいと云う情に、九人が皆支配せられている。留められてもどかしいと感ずると共に、その留めた人に打《ぶ》っ附かって何か言いたい。理由を問うてみたい。一同小南の控所に往《い》って、橋詰が口を開いた。

「我々が朝命によって切腹いたすのを、何故にお差留になりましたか。それを承りに出ました。」

小南は答えた。

「その疑は一応尤《もっとも》であるが、切腹にはフランス人が立ち会う筈《はず》である。それが退席したから、中止せんではならぬ。只今薩摩、長門、土佐、因幡、備前、肥後*、安芸*七藩の家老方がフランス軍艦に出向かわれた。姑《しばら》く元の席に帰って吉左右《きっそう》*を待たれい。」九人は是非なく本堂に引き取った。細川、浅野両藩の士《さむらい》が夕食の膳《ぜん》を出して、食事をする気にはなられぬと云う人々に、強いて箸《はし》を取らせ、次いで寝具を出して枕《まくら》に就かせた。

子《ね》の刻*頃になって、両藩の士が来て、只今七藩の家老方がこれへ出席になると知らせた。九人は跳ね起きて迎接《げいせつ》した。七家老の中三人が膝を進めて、かわるがわる云うのを聞けば、概《おおむ》ねこうである。我々はフランス軍艦に往って退席の理由を質《ただ》した。然るにフランス公使は、土佐の人々が身命を軽んじて公《おおやけ》に奉ぜられるには感服したが、何分その惨澹《さんたん》たる状況を目撃するに忍びないから、残る人々の助命の事を日本政府に申し立てると云った。明朝は伊達少将の手を経て朝旨《ちょうし》*を伺うことになるだろう。いずれも軽挙妄動《もうどう》することなく、何分の御沙汰を待たれいと云うのである。九人は謹んで承服した。

中一日置いて二十五日に、両藩の士が来て、九人が大阪表へ引上げることになったこと、それから六番隊の橋詰、岡崎、川谷は安芸藩へ、八番隊の竹内、横田、土居、垣内、金田、武内は肥後藩へ預けられたことを伝えた。九挺《ちょう》の駕籠《かご》は寺の広庭に舁《か》き据えられた。一同駕籠に乗ろうとする時、橋詰が自ら舌を咬《か》み切って、口角《こうかく》から血を流して倒れた。同僚の潔《いさぎよ》く死んだ後に、自分の番になって故障の起ったのを遺憾だと思ったのである。幸に舌の創は生命を危くする程のものではなかったが、浅野家のものは再び変事の起らぬうちに、早く大阪まで引き上げようと思って、橋詰以下三人の乗った駕籠を、早追《はやおい》*の如くに急がせた。細川家のものが声を掛けて、歩度を緩《ゆる》めさせようとしたが、浅野家のものは耳にも掛けない。とうとう細川家のものも駆足になった。

大阪に着くと、九挺の駕籠が一旦長堀の土佐藩邸の前に停められた。小南が門前に出て、橋詰に説諭した。そこから両藩のものが引き分れて、各《おのおの》預けられた人達を連れて帰った。橋詰には医者が附けられ、又土佐藩から看護人が差し添えられた。

九人のものは細川、浅野両家で非常に優待せられた。中にも細川家では、元禄年中に赤穂《あこう》浪人*を預り、万延元年に井伊掃部頭《いいかもんのかみ》*を刺した水戸《みと》浪人*を預り、今度で三度目の名誉ある御用を勤めるのだと云って、鄭重《ていちょう》の上にも鄭重にした。新調した縞《しま》の袷《あわせ》を寝衣《ねまき》として渡す。夜具は三枚布団《ふとん》で、足軽が敷畳《しきたたみ》をする。*隔日に据風呂《すえふろ》が立つ。手拭《てぬぐい》と白紙とを渡す。三度の食事に必ず焼物付の料理が出て、隊長が毒見をする。午後に重詰の菓子で茶を出す。果物が折々出る。便用には徒士《かち》*二三人が縁側に出張る。手水《ちょうず》の柄杓《ひしゃく》は徒士が取る。夜は不寝番《ねずばん》が附く。挨拶《あいさつ》に来るものは縁板に頭を附ける。書物を貸して読ませる。病気の時は医者を出して、目前で調合し、目前で煎《せん》じさせる。凡《およ》そこう云う扱振《あつかいぶり》である。

三月二日に、死刑を免じて国元へ指返《さしかえ》すと云う達しがあった。三日に土佐藩の隊長が兵卒を連れて、細川、浅野両藩にいる九人のものを受取りに廻った。両藩共七菜《さい》二の膳附《ぜんつき》*の饗応《きょうおう》をして別を惜んだ。十四日に、九人のものは下横目*一人宰領*二人を附けられて、木津川口《きづがわぐち》*から舟に乗り込み、十五日に、千本松*を出帆し、十六日の夜なかに浦戸《うらど》*の港に着いた。十七日に、南会所をさして行くに、松が鼻*から西、帯屋町《おびやまち》*までの道筋は、堺事件の人達を見に出た群集で一ぱいになっている。南会所で、下横目が九人のものを支配方に引き渡し、支配方は受け取って各自の親族に預けた。九人のものはこの時一旦遺書遺髪《ゆいしよゆいはつ》を送って遣《や》った父母妻子に、久し振の面会をした。

五月二十日に、南会所から九人のものに呼出状が来た。本人は巳《み》の刻*、実父又は実子のあるものは、その実父、実子も巳の刻半*に出頭すべしと云うのである。南会所では目附の出座《しゆつざ》があって、下横目が三箇条の達しをした。扶持《ふち》切米《きりまい》*召し放され、渡川《わたりかわ》*

限西《かぎり》へ流罪《るざい》仰せ付けられる、袴刀《はかまかたな》のままにて罷《まか》り越して好いと云うのが一つ。実子あるものは実子を兵卒に召し抱え、二人扶持切米四石を下し置かれると云うのが二つ。実子のないものは配処に於いて介補《かいほ》*として二人扶持を下し置かれ、幡多中村《はたなかむら》*の蔵から渡し遣《つか》わされると云うのが三つである。九人のものは相談の上、橋詰を以て申し立てた。我々はフランス人の要求によって、国家の為《た》めに死のうとしたものである。それゆえ切腹を許され、士分《さむらいぶん》の取扱を受けた。次いでフランス人が助命を申し出たので、死を宥《なだ》められた。然れば無罪にして士分の取扱をも受くべき筈である。それを何故に流刑《るけい》に処せられるか、その理由を承らぬうちは、輒《たやす》くお請《うけ》が出来難いと云うのである。目附は当惑の体《てい》で云った。不審は最《もっと》もである。しかしこの度の流刑は自殺した十一人の苦痛に準ずる御処分であろう。枉《ま》げてお請をせられたいと云った。九人のものは苦笑して云った。十一人の死は、我々も日夜心苦しく存ずる所である。その苦痛に準ずると云われては、論弁すべき詞《ことば》がない。一同お請いたすと云った。

九人のものは流人《るにん》として先例のない袴着帯刀《はかまぎたいとう》の姿で出立したが、久しく蟄居《ちっきょ》*して体が疲れていたので、土佐郡朝倉村*に着いてから、一同足痛《そくつう》を申し立てて駕籠に乗った。配所は幡多郡入田村《にゅうたむら》*である。庄屋宇賀祐之進《うがすけのしん》の取計《とりはからい》で、初は九人を一人ずつ農家に分けて入れたが、数日の後一軒の空屋に八人を合宿させた。横田一人は西へ三里隔たった有岡村の法華宗真静寺《ほっけしゅうしんせいじ》の住職が、俗縁があるので引き取った。

九人のものは妙国寺で死んだ同僚十一人のために、真静寺で法会《ほうえ》*を行って、次の日から村民に文武の教育を施しはじめた。竹内は四書*の素読《そどく》*を授け、土居、武内は撃剣を教え、その他の人々も思い思いに諸芸の指南をした。

入田村は夏から秋に掛けて時疫《じえき》*の流行する土地である。八月になって川谷、横田、土居の三人が発熱《ほつねつ》した。土居の妻は香美郡《かみごおり》夜須《やす》村《むら》から、昼夜兼行で看病に来た。横田の子常次郎は、母が病気なので、僅《わず》かに九歳の童子《どうじ》でありながら、単身三十里の道を歩いて来て、父を介抱した。この二人は次第に恢復《かいふく》に向ったのに、川谷一人は九月四日に二十六歳を一期《ご》として病死した。

十一月十七日に、目附方は橋詰以下九人のものに御用召《ごようめし》*を発した。生き残った八人は、川谷の墓に別を告げて入田村を出立し、二十七日に高知に着いた。即時に目附役場に出ると、各通*の書面を以て、「御即位《ごそくい》御祝式《おんいわいしき》に被当《あたられ》、思召《おぼしめし》帰住《きじゅう》御免《ごめん》*之上《のうえ》、兵士某《なにがし》父に被仰付《おおせつけられ》*、以前之《いぜんの》年数被継遣之《ねんすうこれをつぎつかわさる》*」と云う申渡《もうしわたし》があった。これは八月二十七日にあった明治天皇の即位のために、八人のものが特赦《とくしゃ》を受けたので、兵士とは並の兵卒である。士分取扱の沙汰《さた》は終《つい》に無かった。

妙国寺で死んだ十一人のためには、土佐藩で宝珠院に十一基の石碑を建てた。箕浦《みのうら》を頭《かしら》に柳瀬《やなせ》までの碑が一列に並んでいる。宝珠院本堂の背後《うしろ》の縁下には、九つの大瓶《おおがめ》が切石の上に伏せてある。これはその中に入るべくして入らなかった九人の遺物である。堺では十一基の石碑を「御残念様《ござんねんさま》」と云い、九箇の瓶を「生運様《いきうんさま》」と云って参詣《さんけい》するものが迹《あと》を絶たない。

十一人のうち箕浦は男子がなかったので、一時家が断絶したが、明治三年三月八日に、同姓箕浦幸蔵の二男楠吉《くすきち》に家名を立てさせ、三等下席《かせき》*に列し、七石三斗*を給し、次で幸蔵の願に依て、猪之吉の娘を楠吉に配することになった。

西村は父清左衛門が早く亡《な》くなって、祖父克平《かつへい》が生存していたので、家督を祖父に復せられた。後には親族筧氏から養子が来た。

小頭以下兵卒の子は、幼少でも大抵兵卒に抱えられて、成長した上で勤務した。

余興

同郷人の懇親会があると云うので、久し振りに柳橋*の亀清《かめせい》*に往《い》った。暑い日の夕方である。門から玄関までの間に敷き詰めた御影石《みかげいし》の上には、一面の打《うち》水《みず》がしてあって、門の内外には人力車がもうきっしり置き列《なら》べてある。車夫は白い肌《はだ》衣《ぎ》一枚のもあれば、上半身全く裸裎《らてい》*にしているのもある。手拭《てぬぐい》で体を拭《ふ》いて絞っているのを見れば、汗はざっと音を立てて地上に灑《そそ》ぐ。自動車は門外の向側に停めてあって技手《ぎしゅ》*は襟をくつろげて扇をばたばた使っている。

玄関で二三人の客と落ち合った。白のジャケツやら湯帷子《ゆかた》の上に絽《ろ》*の羽織やら、いずれも略服で、それが皆識《し》らぬ顔である。下足札*を受け取って上がって、麦藁帽子《むぎわらぼうし》を預けて、紙札を貰《もら》った。女中に「お二階へ」と云われて、梯《はしご》を登り掛かると、上から降りて来る女が「お暑うございますことね」と声を掛けた。見れば、柳橋で私《わたくし》の唯《ただ》一人《ひとり》識っている年増《としま》芸者であった。

この女には鼠頭魚《きす》*と云う諢名《あだな》がある。昔は随分美しかった人らしいが、今は瘦《や》せて、顔が少し尖《とが》ったように見える。諢名はそれに因《よ》って附けられたものである。もう余程前から、この土地で屈指の姉えさん株になっている。

私には芸者に識合《しりあい》があろう筈《はず》がない。それにどうして鼠頭魚を知っているかと云うと、それには因縁がある。私の大学にいた頃から心安くした男で、今は某会社の頭取になっているのが、この女の檀那《だんな》で、この女の妹までこの男の世話になって、高等女学校にはいっている。そこで年来その男と親くしている私を、鼠頭魚は親類のように思っているのである。

　私は二階に上がって、隅の方にあった、主《ぬし》のない座《ざ》布《ぶ》団《とん》を占領した。戸は悉《ことごと》く明け放ってある。国技館の電燈《でんとう》がまばゆいように半空《はんくう》に赫《かがや》いている。

　座敷を見渡すに、同郷人とは云いながら、見識った顔は少い。貴族的な風采《ふうさい》の旧藩主の家令*と、大男の畑少将とが目に附いた。その傍《そば》に藩主の立てた塾の舎監をしている、三枝《さいぐさ》と云う若い文学士がいた。私は三枝と顔を見合せたので会釈《えしゃく》をした。

　すると三枝が立って私の傍に来て、欄干に倚《よ》って墨田《すみだ》川《がわ》を見卸しつつ、私に話し掛けた。

「随分暑いねえ。この川の二階を、こんなに明け放していて、この位なのだからね。」

「そうさ。好く日和《ひより》が続くことだと思うよ。僕なんぞは内にいるよりか、ここにこうしている方が、どんなに楽だか知れないが、それでも僕は人中が嫌だから、久しくこうしていたくはないね。どうだろう。今夜は遅くなるだろうか。」

「なに。そんなに遅くもなるまいよ。余興も一席だから。」

「余興は何を遣《や》るのだ。」

「見給《みたま》え。あそこに貼《は》り出してある。畑閣下が幹事だからね。」

こう云って置いて、三枝は元の席に返ってしまった。

私は始て気が附いて、承塵《なげし》*に貼り出してある余興の目録を見た。不折《ふせつ》まがい*の奇抜な字で、余興と題した次に、赤穂《あこう》義士討入と書いて、その下に辟邪軒秋水《へきじゃけんしゅうすい》*と注してある。

秋水の名は私も聞いていた。電車の中の広告にも、武士道の鼓吹者《こすいしゃ》、浪界《ろうかい》*の泰斗《たいと》*と云う肩書附で、絶えずこの名が出ているから、いやでも読まざることを得ぬのである。或《あ》る時何やらの雑誌で秋水の肖像を見た。芝居で見る由井正雪《ゆいしょうせつ》*のように、長い髪を肩まで垂れて、黒紋附の著物《きもの》を著《き》ていた。同じ雑誌の記事に依れば、この武士道鼓吹者には女客の贔屓《ひいき》が多いそうである。

しかし男に贔屓がないことはない。勿論《もちろん》不幸にして学生なんぞにはそんな人のあることを聞かない。学生は堕落していて、ワグネル*がどうのこうのと云って、女色《じょしょく》に迷うお手本のトリスタン*なんぞを聞いて喜ぶのである。男の贔屓は下町にある。代を譲った倅《せがれ》が店を三越まがいにするのに不平でいる老舗《しにせ》の隠居もあれば、横町の師匠の所へ友達が清元《きよもと》*の稽古《けいこ》に往くのを憤慨している若い衆もある。それ等の人々は脂粉《しふん》の気*が立ち籠《こ》めている桟敷《さじき》の間にはさまって、秋水の出演を待つのだそうである。その中へ毎晩のように、容貌魁偉《ようぼうかいい》な大男が、湯帷子に兵児帯《へこおび》で、ぬっとはいって来るのを見る。これが陸軍少将畑閣下である。

畑は快男子である。戦略戦術の書を除く外、一切の書を読まない。浄瑠璃《じょうるり》を聞いても、何をうなっているやらわからない。それが不思議な縁で、ふいと浪花節《なにわぶし》と云うものを聴いた。忠臣孝子義士節婦の笑う可《べ》く泣く可く驚く可く歎《たん》ず可き物語が、朗々たる音吐《おんと》を以《もっ》て演出せられて、処女《しょじょ》のように純潔無垢《むく》な将軍の空想を刺戟《しげき》して、将軍に唾壺《だこ》を撃砕する底《てい》*の感激を起さしめたのである。畑はこの時から浪花節の愛好者となり、浪花節語りの保護者となった。

そこでこの懇親会の輪番幹事の一人《にん》たる畑が、秋水を請待《しょうだい》して、同郷の青年を警醒《けいせい》しようとしたのだと云うことは、問うことを須《もち》いない。

暫《しばら》くして畑の後輩で、やはり幹事に当っている男が、我々を余興の席へ案内した。宴会のプログラムの最初に置かれたものを余興と称しても、今は誰も怪まぬようになっているのである。

余興の席は廊下伝いに往く別室であった。正面には秋水が著座《ちゃくざ》している。雑誌の肖像で見た通りの形装《ぎょうそう》である。顔は極《きわめ》て白く、唇は極て赤い。どうも薄化粧をしているらしい。それと並んで絞《しぼり》の湯帷子を著た、五十歳位に見える婆《ば》あさんが三味線を抱えて控えている。

浪花節が始まった。一同謹んで拝聴する。私も隅の方に小さくなって拝聴する。信仰のない私には、どうも聞き慣れぬ漢語や、新しい詩人の用いるような新しい手爾遠《てにを》波《は》が耳障《みみざわり》になってならない。それに私を苦めることが、秋水のかたり物に劣らぬのは、婆あさんの三味線である。この伴奏は、幸にして無頓著《むとんちゃく》な聴官を有している私の耳をさえ、緩急を誤ったリズムと猛烈な雑音とで責めさいなむのである。

私は幾度《いくたび》か席を逃れようとした。しかし先輩に対する敬意を忘れてはならぬと思うので、私は死を決して堅坐《けんざ》*していた。今でも私はその時の殊勝な態度を顧みて、満足に思っている。

義士等が吉良《きら》の首を取るまでには、長い長い時間が掛かった。この時間は私がまだ大学にいた時最も恐怖すべき高等数学の講義を聴いた時間よりも長かった。それを耐忍したのだから、私は自ら満足しても好いかと思う。

ようよう物語と同じように節を附けた告別の詞《ことば》*が、秋水の口から出た。前列の中央に胡坐《あぐら》をかいていた畑を始として、一同拍手した。私はこの時鎖《くさり》を断たれた囚人の歓喜を以て、共に拍手した。

畑等が先に立って、前に控所であった室《しつ》の隣の広間をさして、廊下を返って往く。そこが宴会の席になっているのである。

私は遅れて附いて行く時、廊下で又鼠頭魚《きすでぁ》に出逢《であ》った。

「大変ね」と女は云った。

「何が」と真面目《まじめ》な顔をして私は問いかえした。

「でも」と云ったきり、噴き出しそうになったのを我慢するらしい顔をして、女は摩《す》れ違った。

私は筵会《えんかい》の末座《まつざ》に就いた。若い芸者が徳利《とくり》の尻《しり》を摘《つ》まんで、私の膳《ぜん》の向うに来た。そして猪口《ちよく》を出した私の顔を見て云った。

「面白かったでしょう。」

大人が小児《こども》に物を言うような口吻《こうふん》である。美しい目は軽侮、憐憫《れんみん》、嘲罵《ちょうば》、飜弄《ほんろう》と云うような、あらゆる感情を湛《たた》えて、異様に赫《かがや》いている。

私は覚えず猪口を持った手を引っ込めた。私の自尊心が余り甚だしく傷《きずつ》けられたので、私の手は殆《ほとん》ど反射的にこの女の持った徳利を避けたのである。

「あら。どうなすったの。」

女の目に映じているのは、前に異なった感情である。それを分析したら、怪訝《かいが》が五分に厭嫌《えんけん》が五分であろう。秋水のかたり物に拍手した私は女の理解する人間であったのに、猪口の手を引いた私は、忽《たちま》ち女の理解すること能《あた》わざる人間となったのである。私ははっと思って、一旦《いったん》引いた手を又出した。そして注《つ》がれた杯の酒を見つつ、私は自ら省みた。

「まあ、己《おれ》はなんと云う未錬《みれん》な、いく地のない人間だろう。今己と相対しているのは何者だ。あの白粉《おしろい》の仮面の背後に潜む小さい霊が、己を浪花節の愛好者だと思ったのがどうしたと云うのだ。そう思うなら、そう思わせて置くが好いではないか。試みに反対の場合を思ってみろ。この霊が己を三味線の調子のわかる人間だと思ってくれたら、それが己の喜ぶべき事だろうか。己の光栄だろうか。己はその光栄を担《にな》ってどうする。それがなんになる。己の感情は己の感情である。己の思想も己の思想である。天下に一人《にん》のそれを理解してくれる人がなくたって、己はそれに安んじなくてはならない。それに安んじて恬然《てんぜん》＊としていなくてはならない。それが出来ぬとしたら、己はどうなるだろう。独りで煩悶《はんもん》するか。そして発狂するか。額を石壁に打《ぶ》ち附けるように、人に向かって説くか。救世軍の伝道者のように辻《つじ》に立って叫ぶか。馬鹿《ばか》な。己は幼稚《ようち》だ。己にはなんの修養もない。己はあの床の間の前にすわって、愉快に酒を飲んでいる、真率な、無邪気な、そして公々然とその愛する所のものを愛し、知行一致の境界に住している人には、遙に劣っている。己はこの己に酬をしてくれる芸者にも劣っている。」

こう思いつつ、頭を挙げて前を見れば、もう若い芸者はいなかった。それに気が附くと同時に、私は少し離れた所から鼠頭魚が私を見ているのに気が附いた。鼠頭魚は私の前に来て、じっと私を見た。

「どうなすったの。さっきからひどく塞《ふさ》ぎ込んでいらっしゃるじゃありませんか。余興に中《あ》てられなすったのじゃなくって。」

「なに。大ちがいだ。つい馬鹿な事を考えていたもんだから。」

こう云って私は杯を一息に干した。

じいさんばあさん

文化六年*の春が暮れて行く頃であった。麻布竜土町《あざぶりゅうどちょう》*の、今歩兵第三聯隊《れんたい》の兵営になっている地所の南隣で、三河国奥殿《みかわのくにおくとの》*の領主松平左七郎乗羨《のりのぶ》*と云う大名の邸《やしき》の中《うち》に、大工が這入《はい》って小さい明家《あきや》を修復している。近所のものが誰の住まいになるのだと云って聞けば、松平の家中の士《さむらい》で、宮重久右衛門《みやしげきゅうえもん》と云う人が隠居所を拵《こしら》えるのだと云うことである。なる程宮重の家の離座敷と云っても好いような明家で、只《ただ》台所だけが、小さいながらに、別に出来ていたのである。近所のものが、そんなら久右衛門さんが隠居しなさるのだろうかと云って聞けば、そうではないそうである。田舎にいた久右衛門さんの兄きが出て来て這入るのだと云うことである。

四月五日に、まだ壁が乾き切らぬと云うのに、果して見知らぬ爺《じ》いさんが小さい荷物を持って、宮重方に著《つ》いて、すぐに隠居所に這入った。久右衛門は胡麻塩頭《ごましおあたま》をしているのに、この爺いさんは髪が真白である。それでも腰などは少しも曲がっていない。結構な拵《こしらえ》の両刀を挿《さ》した姿がなかなか立派である。どう見ても田舎者らしくはない。

爺いさんが隠居所に這入ってから二三日立つと、そこへ婆《ば》あさんが一人来て同居した。それも真白な髪を小さい丸髷《まるまげ》に結《い》っていて、爺いさんに負けぬように品格が好い。

それまでは久右衛門方の勝手から膳《ぜん》を運んでいたのに、婆あさんが来て、爺いさんと自分との食べる物を、子供がまま事をするような工合に拵えることになった。

　この翁媼《おうおん》二人の中の好いことは無類である。近所のものは、若《も》しあれが若い男女であったら、どうも平気で見ていることが出来まいなどと云った。中には、あれは夫婦ではあるまい、兄妹《きょうだい》だろうと云うものもあった。その理由とする所を聞けば、あの二人は隔てのない中《うち》に礼儀があって、夫婦にしては、少し遠慮をし過ぎているようだと云うのであった。

　二人は富裕とは見えない。しかし不自由はせぬらしく、又久右衛門に累《るい》を及ぼすような事もないらしい。殊《こと》に婆あさんの方は、跡から大分《だいぶ》荷物が来て、衣類なんぞは立派な物を持っているようである。荷物が来てから間もなく、誰が言い出したか、あの婆あさんは御殿女中*をしたものだと云う噂《うわさ》が、近所に広まった。

　二人の生活はいかにも隠居らしい、気楽な生活である。爺いさんは眼鏡を掛けて本を読む。細字で日記を附ける。毎日同じ時刻に刀剣に打粉《うちこ》*を打って拭《ふ》く。体《たい》を極《き》めて木刀を揮《ふ》る。婆あさんは例のまま事の真似《まね》をして、その隙《すき》には爺いさんの傍《そば》に来て団扇《うちわ》であおぐ。もう時候がそろそろ暑くなる頃だからである。婆あさんが暫《しば》くあおぐうちに、爺いさんは読みさした本を置いて話をし出す。二人はさも楽しそうに話すのである。

どうかすると二人で朝早くから出掛けることがある。最初に出て行った跡で、久右衛門の女房が近所のものに話したと云う詞《ことば》が偶然伝えられた。「あれは菩提所《ぼだいしょ》*の松泉《しょうせん》寺《じ》へ往きなすったのでございます。息子さんが生きていなさると、今年三十九になりなさるのだから、立派な男盛と云うものでございますのに」と云ったと云うのである。松泉寺と云うのは、今の青山御所《あおやまごしょ》*の向裏《むこううら》に当る、赤坂黒鍬谷《くろくわだに》*の寺である。これを聞いて近所のものは、二人が出歩くのは、最初のその日に限らず、過ぎ去った昔の夢の迹《あと》を辿《たど》るのであろうと察した。

　とかくするうちに夏が過ぎ秋が過ぎた。もう物珍らしげに爺いさん婆あさんの噂をするものもなくなった。所が、もう年が押し詰まって十二月二十八日となって、きのうの大雪の跡の道を、江戸城へ往反《おうへん》する、歳暮《さいぼ》拝賀*の大小名諸役人織るが如《ごと》き最中に、宮重の隠居所にいる婆あさんが、今お城から下がったばかりの、邸の主人松平左七郎に広間へ呼び出されて、将軍徳川家斉《いえなり》*の命を伝えられた。「永年遠国《えんごく》に罷在候《まかりありそろ》夫《おっと》の為《ため》、貞節を尽候《つくしそろ》趣《おもむき》聞召《きこしめ》され、厚き思召《おぼしめし》を以《もっ》て褒美《ほうび》として銀*十枚下し置かる」と云う口上であった。

　今年の暮には、西丸*にいた大納言家慶《いえよし》*と有栖《ありす》川《がわ》職仁親王《よしひとしんのう》*の女楽宮《じょらくみや》*との婚儀などがあったので、頂戴物《ちょうだいもの》をする人数《にんず》が例年よりも多かったが、宮重の隠居所の婆あさんに銀十枚を下さったのだけは、異数《いすう》として*世間に評判せられた。

これがために宮重の隠居所の翁媼二人は、一時江戸に名高くなった。爺いさんは元大番*石川阿波守総恒《いしかわあわのかみふさつね》組美濃部伊織《みのべいおり》と云って、宮重久右衛門の実兄である。婆あさんは伊織の妻るんと云って、外桜田《そとさくらだ》*の黒田家の奥に仕えて表使格《おもてづかいかく》*になっていた女中である。るんが褒美を貰《もら》った時、夫伊織は七十二歳、るん自身は七十一歳であった。

明和三年*に大番頭《おおばんがしら》になった石川阿波守総恒の組に、美濃部伊織と云う士《さむらい》があった。剣術は儕輩《せいはい》*を抜いていて、手跡*も好く和歌の嗜《たしなみ》もあった。石川の邸は水道橋外で、今白山《はくさん》から来る電車が、お茶の水を降りて来る電車と行き逢う辺《あたり》の角屋《かどや》敷《しき》になっていた。しかし伊織は番町《ばんちょう》*に住んでいたので、上役とは詰所で落ち合うのみであった。

石川が大番頭になった年の翌年の春、伊織の叔母《おば》婿《むこ》で、やはり大番を勤めている山中藤右衛門と云うのが、丁度三十歳になる伊織に妻を世話をした。それは山中の妻の親戚《しんせき》に、戸田淡路守氏之《あわじのかみうじゆき》の家来有竹某《ありたけぼう》と云うものがあって、その有竹のよめの姉を世話をしたのである。

なぜ妹が先によめに往《い》って、姉が残っていたかと云うと、それは姉が邸奉公をしていたからである。素《もと》二人の女は安房国《あわのくに》朝夷郡《あさいごおり》真門村《まかどむら》*で由緒《ゆいしょ》のある内木四郎右衛門《うちきしろうえもん》と云うものの娘で、姉のるんは宝暦《ほうれき》二年十四歳で、市ヶ谷門外の尾張中納言宗勝《おわりちゅうなごんむねかつ》の奥の軽い召使になった。それから宝暦十一年尾州家《びしゅうけ》では代替《だいがわり》があって、宗睦《むねちか》の世になったが、るんは続いて奉公していて、とうとう明和三年まで十四年間勤めた。その留守に妹は戸田の家来有竹の息子の妻になって、外桜田の邸へ来たのである。

尾州家から下がったるんは二十九歳で、二十四歳になる妹の所へ手助《てだすけ》に入り込んで、なるべくお旗本の中《うち》で相応な家へよめに往きたいと云っていた。それを山中が聞いて、伊織に世話をしようと云うと、有竹では喜んで親元になって嫁入をさせることにした。そこで房州《ぼうしゅう》うまれの内木氏《うじ》のるんは有竹氏を冒《おか》して、外桜田の戸田邸から番町の美濃部方へよめに来たのである。

るんは美人と云う性《たち》の女ではない。若《も》し床の間の置物のような物を美人としたら、るんは調法に出来た器具のような物であろう。体格が好く、押出しが立派で、それで目から鼻へ抜けるように賢く、いつでもぼんやりして手を明けていると云うことがない。顔も顴骨《かんこつ》*が稍《やや》出張っているのが疵《きず》であるが、眉《まゆ》や目の間に才気が溢《あふ》れて見える。伊織は武芸が出来、学問の嗜もあって、色の白い美男である。只この人には肝癪持《かんしゃくもち》と云う病があるだけである。さて二人が夫婦になったところが、るんはひどく夫を好いて、手に据えるように大切にし、七十八歳になる夫の祖母にも、血を分けたものも及ばぬ程やさしくするので、伊織は好い女房を持ったと思って満足した。それで不断の肝癪は全く迹《あと》を斂《おさ》めて、何事をも勘弁するようになっていた。

翌年は明和五年で伊織の弟宮重はまだ七五郎と云っていたが、主家《しゅうけ》のその時の当主松平石見守乗穏《いわみのかみのりやす》が大番頭になったので、自分も同時に大番組に入《い》った。これで伊織、七五郎の兄弟は同じ勤をすることになったのである。

この大番と云う役には、京都二条の城と大坂の城とに交代して詰めることがある。伊織が妻を娶《めと》ってから四年立って、明和八年に松平石見守が二条在番の事になった。そこで宮重七五郎が上京しなくてはならぬのに病気であった。当時は代人差立《だいにんさしたて》と云うことが出来たので、伊織が七五郎の代人として石見守に附いて上京することになった。伊織は、丁度妊娠して臨月になっているるんを江戸に残して、明和八年四月に京都へ立った。

伊織は京都でその年の夏を無事に勤めたが、秋風の立ち初《そ》める頃、或る日寺町通の刀剣商の店で、質流れだと云う好い古刀を見出した。兼《かね》て好《い》い刀が一腰《こし》欲しいと心掛けていたので、それを買いたく思ったが、代金百五十両と云うのが、伊織の身に取っては容易ならぬ大金であった。

伊織は万一の時の用心に、いつも百両の金を胴巻に入れて体に附けていた。それを出すのは惜しくはない。しかし跡五十両の才覚が出来ない。そこで百五十両は高くはないと思いながら、商人にいろいろ説いて、とうとう百三十両までに負けて貰うことにして、買い取る約束をした。三十両は借財をする積《つもり》なのである。

伊織が金を借りた人は相番《あいばん》*の下島《しもじま》甚右衛門と云うものである。平生親しくはせぬが、工面《くめん》の好いと云うことを聞いていた。そこでこの下島に三十両借りて刀を手に入れ、拵えを直しに遣《や》った。

そのうち刀が出来て来たので、伊織はひどく嬉《うれ》しく思って、あたかも好し八月十五夜に、親しい友達柳原小兵衛等二三人を招いて、刀の披露《ひろう》旁《かたがた》馳走《ちそう》をした。友達は皆刀を褒めた。酒酣《たけなわ》になった頃、ふと下島がその席へ来合せた。めったに来ぬ人なので、伊織は金の催促に来たのではないかと、先《ま》ず不快に思った。しかし金を借りた義理があるので、杯《さかずき》をさして団欒《まとい》に入れた。

暫《しばら》く話をしているうちに、下島の詞《ことば》に何となく角《かど》があるのに、一同気が附いた。下島は金の催促に来たのではないが、自分の用立てた金で買った刀の披露をするのに自分を招かぬのを不平に思って、わざと酒宴の最中に尋ねて来たのである。

下島は二言三言《ふたことみこと》伊織と言い合っているうちに、とうとうこう云う事を言った。「刀は御奉公のために大切な品だから、随分*借財をして買っても好かろう。しかしそれに結構な拵をするのは贅沢《ぜいたく》だ。その上借財のある身分で刀の披露をしたり、月見をしたりするのは不心得だ」と云った。

この詞の意味よりも、下島の冷笑を帯びた語気が、いかにも聞き苦しかったので、俯向《うつむ》いて聞いていた伊織は勿論《もちろん》、一座の友達が皆不快に思った。

伊織は顔を挙げて云った。「只今のお詞は確に承った。その御返事はいずれ恩借の金子《きんす》を持参した上で、改《あらため》て申上げる。親しい間柄と云いながら、今晩わざわざ請待《しょうたい》した客の手前がある。どうぞこの席はこれでお立下されい」と云った。

下島は面色《かおいろ》が変った。「そうか。返れと云うなら返る。」こう言い放って立ちしなに、下島は自分の前に据えてあった膳を蹴返《けかえ》した。

「これは」と云って、伊織は傍《はた》にあった刀を取って立った。伊織の面色はこの時変っていた。

伊織と下島とが向き合って立って、二人が目と目を見合せた時、下島が一言「たわけ」と叫んだ。その声と共に、伊織の手に白刃《しらは》が閃《ひらめ》いて、下島は額を一刀《とう》切られた。

下島は切られながら刀を抜いたが、伊織に刃向うかと思うと、そうでなく、白刃を提《ひっさ》げたまま、身を翻《ひるがえ》して玄関へ逃げた。

伊織が続いて出ると、脇差を抜いた下島の仲間《ちゅうげん》*が立ち塞《ふさ》がった。「退《の》け」と叫んだ伊織の横に払った刀に仲間は腕を切られて後へ引いた。

その隙《ひま》に下島との間に距離が生じたので、伊織が一飛《ひととび》に追い縋《すが》ろうとした時、跡から附いて来た柳原小兵衛が、「逃げるなら逃がせい」と云いつつ、背後《うしろ》からしっかり抱き締めた。相手が死なずに済んだなら、伊織の罪が軽減せられるだろうと思ったからである。

伊織は刀を柳原にわたして、しおしおと座に返った。そして黙って俯向いた。

柳原は伊織の向いにすわって云った。「今晩の事は己《おれ》を始《はじめ》、一同が見ていた。いかにも勘弁出来ぬと云えばそれまでだ。しかし先へ刀を抜いた所存を、一応聞いて置きたい」と云った。

伊織は目に涙を浮べて暫く答えずにいたが、口を開いて一首の歌を誦《じゅ》した。

「いまさらに何《なに》とか云はむ黒髪《くろかみ》の
みだれ心はもとすゑもなし」

下島は額の創《きず》が存外重くて、二三日立って死んだ。伊織は江戸へ護送せられて取調を受けた。判決は「心得違の廉《かど》を以て、知行《ちぎょう》召放され、有馬左兵衛佐允純《ありまさひょうえのすけまさずみ》へ永の御預*仰付らる」と云うことであった。伊織が幸橋外《さいわいばしそと》*の有馬邸から、越前国《えちぜんのくに》丸岡*へ遣られたのは、安永と改元せられた翌年の八月である。

跡に残った美濃部家の家族は、それぞれ親類が引き取った。伊織の祖母貞松院《ていしょういん》は宮重七五郎方に往き、父の顔を見ることの出来なかった嫡子平内《ちゃくしへいない》と、妻るんとは有竹の分家になっている笠原新八郎方に往った。

二年程立って、貞松院が寂しがってよめの所へ一しょになったが、間もなく八十三歳で、病気と云う程の容体《ようだい》もなく死んだ。安永三年八月二十九日の事である。翌年又五歳になる平内が流行の疱瘡《ほうそう》*で死んだ。これは安永四年三月二十八日の事である。

るんは祖母をも息子をも、力の限《かぎり》介抱して臨終を見届け、松泉寺に葬《ほうむ》った。そこでるんは一生武家奉公をしようと思い立って、世話になっている笠原を始、親類に奉公先を捜すことを頼んだ。

暫く立つと、有竹氏の主家《しゅうけ》戸田淡路守氏養《うじやす》の隣邸、筑前国《ちくぜんのくに》福岡の領主黒田家の当主松平筑前守治之《はるゆき》の奥で、物馴れた女中を欲しがっていると云う噂《うわさ》が聞えた。笠原は人を頼んで、そこへるんを目見《めみ》え*に遣った。氏養と云うのは、六年前に氏之の跡を続《つ》いだ戸田家の当主である。

黒田家ではるんを一目見て、すぐに雇い入れた。これが安永六年の春であった。

るんはこれから文化五年七月まで、三十一年間黒田家に勤めていて、治之《はるゆき》、治高《はるたか》、斉隆《なりたか》、斉清《なりきよ》の四代の奥方に仕え、表使格《おもてづかいかく》に進められ、隠居して終身二人《にん》扶持《ふち》*を貰うことになった。この間るんは給料の中《うち》から松泉寺へ金を納めて、美濃部家の墓に香華《こうげ》を絶やさなかった。

隠居を許された時、るんは一旦笠原方へ引き取ったが、間もなく故郷の安房へ帰った。当時の朝夷郡真門村で、今の安房郡江見村《えみむら》である。

その翌年の文化六年に、越前国丸岡の配所で、安永元年から三十七年間、人に手跡や剣術を教えて暮していた夫伊織が、「三月八日浚明院殿《しゅんめいいんでん》*御追善《ごついぜん》の為、御慈悲の思召を以て、永《なが》の御預《おあずけ》御《ご》免《めん》仰出《おおせいだ》され」て、江戸へ帰ることになった。それを聞いたるんは、喜んで安房から江戸へ来て、竜土町の家で、三十七年振に再会したのである。

寒《かん》山《ざん》拾《じっ》得《とく》

唐《とう》の貞観《じょうがん》*の頃だと云うから、西洋は七世紀の初《はじめ》日本は年号と云うもののやっと出来掛かった時である。閭丘胤《りょきゅういん》*と云う官吏がいたそうである。尤《もっと》もそんな人はいなかったらしいと云う人もある。なぜかと云うと、閭は台州《たいしゅう》*の主簿《しゅぼ》*になっていたと言い伝えられているのに、新旧の唐書*に伝が見えない。主簿と云えば、刺史《しし》*とか太守《たいしゅ》*とか云うと同じ官である。支那《しな》全国が道《どう》に分れ、道が州又は郡に分れ、それが県に分れ、県の下に郷《ごう》があり郷の下に里《り》がある。州には刺史と云い、郡には太守と云う。一体日本で県より小さいものに郡の名を附けているのは不都合だと、吉田東伍*さんなんぞは不服を唱えている。閭が果して台州の主簿であったとすると日本の府県知事位の官吏である。そうして見ると、唐書の列伝に出ている筈だと云うのである。しかし閭がいなくては話が成り立たぬから、ともかくもいたことにして置くのである。

さて閭が台州に著任《ちゃくにん》してから三日目になった。長安《ちょうあん》*で北支那の土埃《つちほこり》を被《かぶ》って、濁った水を飲んでいた男が台州に来て中央支那の肥えた土を踏み、澄んだ水を飲むことになったので、上機嫌である。それにこの三日の間に、多人数《たにんず》の下役が来て謁見《えっけん》をする。受持々々の事務を形式的に報告する。その慌《あわ》ただしい中に、地方長官の威勢の大きいことを味って、意気揚々としているのである。

閭は前日に下役のものに言って置いて、今朝は早く起きて、天台県*の国清寺《こくせいじ》*をさして出掛けることにした。これは長安にいた時から、台州に著《つ》いたら早速往《ゆ》こうと極《き》めていたのである。

何の用事があって国清寺へ往くかと云うと、それには因縁がある。閭が長安で主簿の任命を受けて、これから任地へ旅立とうとした時、生憎《あいにく》こらえられぬ程の頭痛が起った。単純なレウマチス性の頭痛ではあったが、閭は平生から少し神経質であったので、掛かり附の医者の薬を飲んでもなかなかなおらない。これでは旅立の日を延ばさなくてはなるまいかと云って、女房と相談していると、そこへ小女《こおんな》が来て、「只今《ただいま》御門の前へ乞食坊主《こじきぼうず》がまいりまして、御主人にお目に掛かりたいと申しますがいかがいたしましょう」と云った。

「ふん、坊主か」と云って閭は暫《しばら》く考えたが、「とにかく逢《あ》ってみるから、ここへ通せ」と言い附けた。そして女房を奥へ引っ込ませた。

元来閭は科挙*に応ずるために、経書《けいしょ》*を読んで、五言の詩を作ることを習ったばかりで、仏典を読んだこともなく、老子《ろうし》*を研究したこともない。しかし僧侶《そうりょ》や道士と云うものに対しては、何故《なぜ》と云うこともなく尊敬の念を持っている。自分の会得《えとく》せぬものに対する、盲目の尊敬とでも云おうか。そこで坊主と聞いて逢おうと云ったのである。

間もなく這入《はい》って来たのは、一人《にん》の背の高い僧であった。垢《あか》つき弊《やぶ》れた法衣《ほうえ》を着て、長く伸びた髪を、眉《まゆ》の上で切っている。目に被さってうるさくなるまで打ち遣《う》《や》って置いたものと見える。手には鉄鉢《てつぱつ》を持っている。

僧は黙って立っているので閭が問うてみた。「わたしに逢いたいと云われたそうだが、なんの御用かな。」

僧は云った。「あなたは台州へお出《いで》なさることにおなりなすったそうでございますね。それに頭痛に悩んでお出なさると申すことでございます。わたくしはそれを直して進ぜようと思って参りました。」

「いかにも言われる通《とおり》で、その頭痛のために出立《しゅったつ》の日を延ばそうかと思っていますが、どうして直してくれられる積《つもり》か。何か薬方でも御存じか。」

「いや。四大*の身を悩ます病は幻でございます。只清浄《しょうじょう》な水がこの受糧器に一ぱいあれば宜《よろ》しい。呪《まじない》で直して進ぜます。」

「はあ呪をなさるのか。」こう云って少し考えたが「仔細《しさい》あるまい、一つまじなって下さい」と云った。これは医道の事などは平生深く考えてもおらぬので、どう云う治療ならさせる、どういう治療ならさせぬと云う定見がないから、只自分の悟性*に依頼して、その折々に判断するのであった。勿論《もちろん》そう云う人だから、掛かり附の医者と云うのも善く人選《にんせん》をしたわけではなかった。素問《そもん》＊や霊枢《れいすう》＊でも読むような医者を捜して極《き》めていたのではなく、近所に住んでいて呼ぶのに面倒のない医者に懸かっていたのだから、ろくな薬は飲ませて貰《もら》うことが出来なかったのである。今乞食坊主に頼む気になったのは、なんとなくえらそうに見える坊主の態度に信を起したのと、水一ぱいでする呪なら間違った処《ところ》で危険な事もあるまいと思ったのとのためである。丁度東京で高等官連中が紅療治《べにりょうじ》＊や気合術＊に依頼するのと同じ事である。

閭は小女を呼んで、汲立《くみたて》の水を鉢《はち》に入れて来いと命じた。水が来た。僧はそれを受け取って、胸に捧《ささ》げて、じっと閭を見詰めた。清浄な水でも好ければ、不潔な水でも好い、湯でも茶でも好いのである。不潔な水でなかったのは、閭がためには勿怪《もっけ》の幸《さいわい》であった。暫く見詰めているうちに、閭は覚えず精神を僧の捧げている水に集注した。

この時僧は鉄鉢の水を口に銜《ふく》んで、突然ふっと閭の頭に吹き懸けた。

閭はびっくりして、背中に冷汗が出た。

「お頭痛は」と僧が問うた。

「あ。癒《なお》りました。」実際閭はこれまで頭痛がする、頭痛がすると気にしていて、どうしても癒らせずにいた頭痛を、坊主の水に気を取られて、取り逃がしてしまったのである。

僧は徐《しず》かに鉢に残った水を床に傾けた。そして「そんならこれでお暇《いとま》をいたします」と云うや否《いな》や、くるりと閭に背中を向けて、戸口の方へ歩き出した。

「まあ、一寸《ちょっと》」と閭が呼び留めた。

僧は振り返った。「何か御用で。」

「寸志のお礼がいたしたいのですが。」

「いや。わたくしは群生《ぐんしょう》*を福利し、憍慢《きょうまん》を折伏《しゃくぶく》*するために、乞食《こつじき》はいたしますが、療治代は戴《いただ》きませぬ。」

「なる程。それでは強いては申しますまい。あなたはどちらのお方か、それを伺って置きたいのですが。」

「これまでおった処でございますか。それは天台の国清寺で。」

「はあ。天台におられたのですな。お名は。」

「豊干《ぶかん》*と申します。」

「天台国清寺の豊干と仰《おっ》しゃる。」閭はしっかりおぼえて置こうと努力するように、眉を顰《ひそ》めた。「わたしもこれから台州へ往くものであって見れば、殊《こと》さらお懐《なつ》かしい。」

序《ついで》だから伺いたいが、台州には逢いに往《い》って為《た》めになるような、えらい人はおられませんかな。」

「さようでございます。国清寺に拾得《じっとく》＊と申すものがおります。実は普賢《ふげん》＊でございます。それから寺の西の方に、寒巌《かんがん》と云う石窟《せっくつ》があって、そこに寒山《かんざん》＊と申すものがおります。実は文殊《もんじゅ》＊でございます。さようならお暇をいたします。」こう言ってしまって、ついと出て行った。

こう云う因縁があるので、閭は天台の国清寺をさして出懸けるのである。

全体世の中の人の、道とか宗教とか云うものに対する態度に三通りある。自分の職業に気を取られて、唯営々役々《ただえいえいえきえき》＊と年月《としつき》を送っている人は、道と云うものを顧みない。これは読書人でも同じ事である。勿論書を読んで深く考えたら、道に到達せずにはいられまい。しかしそうまで考えないでも、日々の務《つとめ》だけは弁じて行かれよう。これは全く無頓著《むとんちやく》な人である。

次に著意して道を求める人がある。専念に道を求めて、万事を抛《なげう》つこともあれば、日々の務は怠らずに、断えず道に志していることもある。儒学に入《い》っても、道教に入っても、仏法に入っても基督《クリスト》教に入っても同じ事である。こう云う人が深く這入り込むと日々の務が即《すなわ》ち道そのものになってしまう。約《つづ》めて言えばこれは皆道を求める人である。

この無頓著な人と、道を求める人との中間に、道と云うものの存在を客観的に認めていて、それに対して全く無頓著だと云うわけでもなく、さればと云って自ら進んで道を求めるでもなく、自分をば道に疎遠《そえん》な人だと諦念《あきら》め、別に道に親密な人がいるように思って、それを尊敬する人がある。尊敬はどの種類の人にもあるが、単に同じ対象を尊敬する場合を顧慮して云って見ると、道を求める人なら遅れているものが進んでいるものを尊敬することになり、ここに言う中間人物なら、自分のわからぬもの、会得することの出来ぬものを尊敬することになる。そこに盲目の尊敬が生ずる。盲目の尊敬では、偶《たまたま》それをさし向ける対象が正鵠《せいこく》を得ていても、なんにもならぬのである。

閭は衣服を改め輿《よ》に乗って、台州の官舎を出た。従者が数十人ある。

時は冬の初で、霜が少し降っている。椒江《しょうこう》の支流で、始豊渓《しほうけい》と云う川の左岸《さがん》を迂回《うかい》しつつ北へ進んで行く。初め陰《くも》っていた空がようよう晴れて、蒼白《あおじろ》い日が岸の紅葉《もみじ》を照している。路《みち》で出合う老幼は、皆輿を避けて跪《ひざまず》く。輿の中では閭がひどく好い心持になっている。牧民*の職にいて賢者《けんしゃ》を礼すると云うのが、手柄のように思われて、閭に満足を与えるのである。

台州から天台県までは六十里半程である。日本の六里半程である。ゆるゆる輿を舁《か》かせて来たので、県から役人の迎えに出たのに逢った時、もう午《ひる》を過ぎていた。知県の官舎で休んで、馳走になりつつ聞いてみると、ここから国清寺までは、爪尖上《つまさきあが》りの道が又六十里ある。往き著くまでには夜《よ》に入《い》りそうである。そこで閭は知県の官舎に泊ることにした。

翌朝知県に送られて出た。きょうもきのうに変らぬ天気である。一体天台一万八千丈とは、いつ誰が測量したにしても、所詮《しょせん》高過ぎるようだが、とにかく虎のいる山である。道はなかなかきのうのようには捗《はかど》らない。途中で午飯《ひるめし》を食って、日が西に傾き掛かった頃、国清寺の三門*に著いた。智者大師《ちしゃだいし》*の滅後に、隋《ずい》の煬帝《ようだい》*が立てたと云う寺である。

寺でも主簿の御参詣《ごさんけい》だと云うので、おろそかにはしない。道翹《どうぎょう》*と云う僧が出迎えて、閭を客間に案内した。さて茶菓の饗応《きょうおう》が済むと、閭が問うた。「当寺に豊干と云う僧がおられましたか。」

道翹が答えた。「豊干と仰《おっし》ゃいますか。それは先頃まで、本堂の背後《うしろ》の僧院におられましたが、行脚《あんぎや》に出られたきり、帰られませぬ。」

「当寺ではどう云う事をしておられましたか。」

「さようでございます。僧共の食べる米を舂《つ》いておられました。」

「はあ。そして何か外の僧達と変ったことはなかったのですか。」

「いえ。それがございましたので、初め只骨惜みをしない、親切な同宿*だと存じていました豊干さんを、わたくし共が大切にいたすようになりました。すると或《あ》る日ふいと出て行ってしまわれました。」

「それはどう云う事があったのですか。」

「全く不思議な事でございました。或る日山から虎に騎《の》って帰って参られたのでございます。そしてそのまま廊下へ這入って、虎の背で詩を吟じて歩かれました。一体詩を吟ずることの好《すき》な人で、裏の僧院でも、夜になると詩を吟ぜられました。」

「はあ。活《い》きた阿羅漢《あらかん》*ですな。その僧院の址《あと》はどうなっていますか。」

「只今も明家《あきや》になっておりますが、折々夜になると、虎が参って吼《ほ》えております。」

「そんなら御苦労ながら、そこへ御案内を願いましょう。」こう云って、閭は座を起《た》った。

道翹は蛛《くも》の網《い》を払いつつ先に立って、閭を豊干のいた明家に連れて行った。日がもう暮れ掛かったので、薄暗い屋内を見廻すに、がらんとして何一つ無い。道翹は身を屈《かが》めて石畳の上の虎の足跡を指さした。偶《たまたま》山風が窓の外を吹いて通って、堆《うずたか》い庭の落葉を捲《ま》き上げた。その音が寂寞《せきばく》を破ってざわざわと鳴ると、閭は髪の毛の根を締附けられるように感じて、全身の肌に粟《あわ》を生じた。*

閭は忙《せわ》しげに明家を出た。そして跡から附いて来る道翹に言った。「拾得と云う僧は、まだ当寺におられますか。」

道翹は不審らしく閭の顔を見た。「好く御存じでございます。先刻《せんこく》あちらの厨《くりや》で、寒山と申すものと火に当っておりましたから、御用がおありなさるなら、呼び寄せましょうか。」

「ははあ。寒山も来ておられますか。それは願っても無い事です。どうぞ御苦労序《ついで》に厨に御案内を願いましょう。」

「承知いたしました」と云って、道翹は本堂に附いて西へ歩いて行く。

閭が背後《うしろ》から問うた。「拾得さんはいつ頃から当寺におられますか。」

「もう余程久しい事でございます。あれは豊干さんが松林の中から拾って帰られた捨子でございます。」

「はあ。そして当寺では何をしておられますか。」

「拾われて参ってから三年程立ちました時、食堂で上座《じょうざ》の像に香を上げたり、燈明《とうみょう》を上げたり、その外供えものをさせたりいたしましたそうでございます。そのうち或る日上座の像に食事を供えて置いて、自分が向き合って一しょに食べているのを見付けられましたそうでございます。賓頭盧《びんずる》尊者《そんじゃ》*の像がどれだけ尊《たっと》いものか存ぜずにいたしたこととみえます。唯今では厨で僧共の食器を洗わせております。」

「はあ」と言って、閭は二足三足歩いてから問うた。「それから唯今寒山と仰しゃったが、それはどう云う方ですか。」

「寒山でございますか。これは当寺から西の方の寒巌と申す石窟に住んでおりますものでございます。拾得が食器を滌《あら》います時、残っている飯や菜《さい》を竹の筒に入れて取って置きますと、寒山はそれを貰《もら》いに参るのでございます。」

「なる程」と云って、閭は附いて行く。心の中《うち》では、そんな事をしている寒山、拾得が文殊、普賢なら、虎に騎った豊干はなんだろうなどと、田舎者が芝居を見て、どの役がどの俳優かと思い惑う時のような気分になっているのである。

「甚《はなは》だむさくるしい所で」と云いつつ、道翹は閭を厨《うち》の中に連れ込んだ。

ここは湯気が一ぱい籠《こ》もっていて、遽《にわか》に這入《はい》って見ると、しかと物を見定めることも出来ぬ位である。その灰色の中に大きい竈《かまど》が三つあって、どれにも残った薪《まき》が真赤に燃えている。暫《しばら》く立ち止まって見ているうちに、石の壁に沿うて造り附けてある卓《つくえ》の上で大勢の僧が飯や菜や汁を鍋釜《なべかま》から移しているのが見えて来た。

この時道翹が奥の方へ向いて、「おい、拾得」と呼び掛けた。

閭がその視線を辿《たど》って、入口から一番遠い竈の前を見ると、そこに二人の僧の蹲《うずくま》って火に当っているのが見えた。

一人は髪の二三寸伸びた頭を剃《む》き出して、足には草履《ぞうり》を穿《は》いている。今一人は木の皮で編んだ帽を被《かぶ》って、足には木履《ぼくり》*を穿いている。どちらも痩《や》せて身すぼらしい小男で、豊干のような大男ではない。

道翹が呼び掛けた時、頭を剃き出した方は振り向いてにやりと笑ったが、返事はしなかった。これが拾得だと見える。帽を被った方は身動きもしない。これが寒山なのであろう。

閭はこう見当を附けて二人の傍《そば》へ進み寄った。そして袖《そで》を掻《か》き合せて恭《うやうや》しく礼をして、「朝儀大夫《ちょうぎたいふ》*、使持節《しじせつ》*、台州の主簿、上柱国《じょうちゅうこく》*、賜緋魚袋《しひぎょたい》*、閭丘胤と申すものでございます」と名告《なの》った。

二人は同時に閭を一目見た。それから二人で顔を見合せて腹の底から籠《こ》み上げて来るような笑声を出したかと思うと、一しょに立ち上がって、厨を駆け出して逃げた。逃げしなに寒山が「豊干がしゃべったな」と云ったのが聞えた。

驚いて跡を見送っている閭が周囲には、飯や菜や汁を盛っていた僧等が、ぞろぞろと来てたかった。道翹は真蒼《まっさお》な顔をして立ち竦《すく》んでいた。

附寒山拾得縁起

徒然草《つれづれぐさ》*に最初の仏《ほとけ》はどうして出来たかと問われて困ったと云うような話があった。子供に物を問われて困ることは度々《たびたび》である。中にも宗教上の事には、答に窮することが多い。しかしそれを拒んで答えずにしまうのは、殆《ほとん》どそれは譃《うそ》だと云うと同じようになる。近頃帰一協会*などでは、それを子供のために悪いと云って気遣《きづか》っている。

寒山詩が所々《しょしょ》で活字本にして出されるので、私の内の子供がその広告を読んで買って貰いたいと云った。

「それは漢字ばかりで書いた本で、お前にはまだ読めない」と云うと、重ねて「どんな事が書いてあります」と問う。多分広告に、修養のために読むべき書だと云うような事が書いてあったので、子供が熱心に内容を知りたく思ったのであろう。

私は取り敢《あ》えずこんな事を言った。床の間に先頃掛けてあった画《え》をおぼえているだろう。唐子《からこ》*のような人が二人で笑っていた。あれが寒山と拾得とをかいたものである。寒山詩はその寒山の作った詩なのだ。詩はなかなかむずかしいと云った。

子供は少し見当が附いたらしい様子で、「詩はむずかしくてわからないかも知れませんが、その寒山と云う人だの、それと一しょにいる拾得と云う人だのは、どんな人でございます」と云った。私は已《や》むことを得ないで、寒山拾得の話をした。

私は丁度その時、何か一つ話を書いて貰いたいと頼まれていたので、子供にした話を、殆《ほとん》どそのまま書いた。いつもと違《ちが》って、一冊の参考書をも見ずに書いたのである。この「寒山拾得」と云う話は、まだ書肆《しょし》*の手にわたしはせぬが、多分新小説*に出ることになるだろう。

子供はこの話には満足しなかった。大人の読者は恐らくは一層満足しないだろう。子供には、話した跡でいろいろの事を問われて、私は又已むことを得ずに、いろいろな事を答えたが、それを悉《ことごと》く書くことは出来ない。最も窮したのは、寒山が文殊で、拾得は普賢だと云ったために、文殊だの普賢だのの事を問われ、それをどうかこうか答えると、又その文殊が寒山で、普賢が拾得だと云うのがわからぬと云われた時である。私はとうとう宮崎虎之助*さんの事を話した。宮崎さんはメッシアス*だと自分で云っていて、又そのメッシアスを拝みに往《ゆ》く人もあるからである。これは現在にある例で説明したら、幾らかわかり易《やす》かろうと思ったからである。

しかしこの説明は功を奏せなかった。子供には昔の寒山が文殊であったのがわからぬと同じく、今の宮崎さんがメッシアスであるのがわからなかった。私は一つの関を踰《こ》えて、又一つの関に出逢ったように思った。そしてとうとうこう云った。「実はパパアも文殊なのだが、まだ誰も拝みに来ないのだよ。」

注解

舞姫

ページ

八　＊熾熱燈　炭素フィラメントに電流を流すことで発光する、エジソン発明の白熱電燈のこと。他に炭素棒の電極に電流を通すと白色光を放つアーク燈という説もあるが、こちらは高光度のため、一般には街燈などに用いられていた。

＊セイゴン　Saigon　サイゴンのこと。ベトナム南部の都市で、仏領交趾《こうし》支那《シナ》の首都。サイゴン河に臨む港は、十九世紀中頃からヨーロッパ航路の中間地点および貿易拠点となる。一九七六年ベトナム社会主義共和国の成立に伴いホー・チミン市と改称。

＊ニル、アドミラリイ　Nil admirari（ラテン）。なにごとにも驚かないこと。外界に左右されないで生きる冷淡な態度、精神をいう。古代ローマの詩人ホラティウスの「書簡詩」に出てくる言葉。

九　＊ブリンヂイシイ　Brindisi　イタリア東南部、アドリア海に面した港町ブリンディジのこと。極東航路の主要寄港地。

＊生面　初対面。

＊微恙　気分がすぐれないこと。軽い病気。
＊腸日ごとに九廻す　うれいなやんで、腸がいくたびも回転するの意で、苦痛や憂悶《ゆうもん》のはなはだしいさまの形容。九回の腸、断腸の思いと同義。司馬遷「報任安書」に「腸一日ニ九回ス」とある。
＊銷せむ　「銷」は消す、とかすの意。
＊房奴　船室付きの給仕係。ボーイ。
＊庭の訓　家庭教育。庭訓。
＊予備黌　「黌」は学び舎、学舎の意。東京大学の専門課程（本科）に進学する前に課せられた予科的な教育機関。旧制第一高等学校の前身（現在の東大教養学部）の東京大学予備門か。明治十年に設立された東京大学は当初、旧東京開成学校に属した法学・理学・文学の三学部、旧東京医学校に属した医学部、官立東京英語学校と東京開成学校普通科とを合併した予備門の三つの機構から成っていた。当時、「大学」といえば東大を指し、特に法理文学部は立身出世を目指す旧藩士族層の子弟が多く所属していた。

一〇

＊学士の称　東京大学本科卒業生に与えられる称号。
＊検束　自由を抑制、束縛すること。身を慎むこと。
＊大道髪の如き　大道のまっすぐなさま。儲光羲《ちょこうぎ》の「洛陽道」（「唐詩選」）に「大道直キコト髪ノ如ク」とある。
＊ウンテル、デン、リンデン　Unter den Linden（菩提樹の下の意）。ベルリンの中心街

を東西に走る公園式の大通り。その名の如く、菩提樹が植樹され、西側にはブランデンブルク門やティーアルガルデンがある。

＊維廉一世　Wilhelm I（1797—1888）。ヴィルヘルム一世。対オーストリア・対フランス両戦争に勝利したプロシア国王。一八七一年にドイツを統一し、ドイツ帝国の初代皇帝となる。近衛兵の行進時には、ウンテル・デン・リンデン街の東端南側に面した宮殿の窓辺に姿を現した。

＊土瀝青　タールからとった黒色の道路舗装用粘質物質。アスファルトの別称。

＊ブランデンブルク門　Brandenburg Tor　ウンテル・デン・リンデンの西端にあり、一七九一年に新古典主義派の建築家ラングハンスの設計によって建てられた。古代アテネのパルテノン神殿の列柱門を模した壮麗な門の上には、四頭だての馬車を駆る勝利の女神像をいただく。

＊凱旋塔　ブランデンブルク門の西北方、ケーニヒス広場にある高さ六十メートル余りの戦勝記念塔で、塔上に黄金の勝利の女神ヴィクトリア像を掲げる。一八六四年の対デンマーク、六六年の対オーストリア、七〇—七一年の対フランス戦の戦勝およびドイツ統一を記念して、一八七三年に建てられた。

＊目睫の間　目と睫《まつげ》の間。転じて非常に接近している所。目前。

一一　＊応接に遑なき　いちいち応じているひまがないほど、美しい景物などがたくさんあるさま。

＊普魯西　Prussia　ドイツ連邦の一王国、プロセインともいう。首都はベルリン。ドイツを統一したプロシアが帝国の中心的地域となり、プロシア国王がドイツ皇帝を兼ねたため、ドイツ帝国を指してプロシアということも少なくなかった。

＊講筵　講義をする場所。「筵」はむしろの意。

＊好尚　物事を好みたっとぶこと。嗜好《しこう》。

一二 ＊所動的　「所」は受身の意。他によって動かされること。受動的。

＊瑣々たる　細小なこと。わずらわしいさま。

＊紛々たる万事は破竹の如くなる　「紛々」は乱れもつれる様子。「破竹」は竹を割るように勢いがよいこと。ここでは、もつれていた全《すべ》ての物事がうまく解決すること。

＊蔗を嚼む境　佳境に同じ。中国晋《しん》代の画家、顧愷之《こがいし》は甘蔗《さとうきび》を食う時、味の悪い尻尾《しっぽ》の方から食べはじめるのが常だった。人が怪しんで、その理由を問うと〈こうすると、だんだん旨《うま》くなってくる（漸《ようや》ク佳境ニ入ル）〉と答えたという故事がある。出典は「晋書」。

一三 ＊讒誣　「讒」はそしるの意で、「誣」は偽りをいって人を貶《おとし》めるの意。事実無根の事柄を言い立てて人をそしること。

＊合歓　マメ科の落葉高木。六、七月淡紅色の花をつける。夜間や刺激を受けると葉が閉じる。

一四 ＊レエベマン　Lebemann（独）　bon vivant（仏）のドイツ語訳。上流社会における道楽者、遊蕩児《ゆうとうじ》。ゲイ・ボーイのたぐいか。

＊獣苑　ティヤーガルテン　Tiergarten　ブランデンブルグ門の西方に隣接する広大な森林公園。市民の憩の場所として知られていた。

＊モンビシユウ街　Monbijou　ウンテル・デン・リンデン街の東端から北進し、シュプレー川に架かるモンビシュウ橋を渡ったところにある街。Monbijou（仏）「私の宝石」の意。

＊僑居　仮の住まい。寓居《ぐうきょ》。

＊クロステル巷　Kloster　ウンテル・デン・リンデンの東方、シュプレー川を渡った地域にある町の名。クロステル教会やマリー教会などの古寺があり、鷗外も一時住んだことがある。「独逸《ドイツ》日記」では「僧房街」と訳され、ユダヤ人や売笑婦などが多く住んでいた。

一五　＊繋累　わずらわしい関わり、心のつながりのこと。

＊欷歔　悲しんですすり泣くこと。

一六　＊獣綿　動物の毛と綿糸との混織織物。

＊すぎぬ　死去した。

＊マンサルド　mansarde（仏）　上部を緩く、下部を急傾斜にした二重勾配《こうばい》のいわゆるマンサード式屋根。下部に採光用の小窓を設《しつら》え、屋根裏部屋として使う。建築家の François Mansart（1598―1666）にちなんだ名称。

一七　＊氈　毛を撚《よ》って作った敷物。

一八　＊ヰクトリア座　Viktoria Theater　ヴィクトリア座。クロステル街の北東、三百メートルほどの所にあった劇場。

＊シヨオペンハウエル　Arthur Schopenhauer（1788—1860）。ドイツの哲学者で厭世《えんせい》主義を説いた。ベルリン大学に教え、主著「意志及び表象としての世界」など。

＊シルレル　Friedrich von Schiller（1759—1805）。シラー。ゲーテと並ぶドイツ古典主義の詩人・劇作家。代表作「群盗」「ヴィルヘルム・テル」など。鷗外に「シルレルが医たりし時の事を記す」「シルレル伝」がある。

＊兀座　動かずにじっと座っていること。

＊速了　はやがてん。はやのみこみ。

＊痴騃　愚かで無邪気なこと。ここでは、まだ肉体の交わりのない幼い関係を指す。

＊岐路に走る　本筋ではないわき道にそれること。豊太郎が法律研究よりも歴史や文学に夢中になっていることを指す。

一九　＊クルズス　Kursus（独）課程、講習（会）、講座。ここでは踊り子になるための講習のこと。

＊ハツクレンデル　Friedrich Wilhelm von Hackländer（1816—77）。ドイツの詩人・大衆小説家。「当世の奴隷《どれい》」の出典は小説「欧州奴隷生活」か。鷗外訳に「黄授章」「ふた夜」がある。

＊温習　「温」は習熟する意。繰り返し練習、稽古《けいこ》すること。

＊親腹から　親と兄弟姉妹。「腹から」は同じ母親から生まれた兄弟姉妹の意。

＊コルポルタアジユ　Kolportage（独）通俗本、大衆小説の行商販売のこと。この頃、廉価《れんか》大衆小説（コルポルタージュ・ロマン）が貸本屋や書籍行商人などにより民衆に広く流通していた。

二〇＊数奇　不遇。不運。ふしあわせなこと。

二一＊キヨオニヒ街　König Strasse　ウンテル・デン・リンデンの東に位置し、クロステル街と交叉《こうさ》する、市庁舎のある大通り。

＊休息所　新聞の閲覧ができる縦覧所で、カフェを兼ねるところもあった。

＊取引所　キヨオニヒ街の近くには証券取引所があった。

＊掌上の舞　身のこなしの軽やかな舞。出典は「飛燕《ひえん》外伝」（「漢ノ趙《ちょう》飛燕、能《よ》ク掌上ノ儛ヲ作《な》ス」）。前漢の孝成帝の皇后である、歌舞を得意とした飛燕の踊るさまをたとえている。

二二＊ビヨルネ　Ludwig Börne（1786―1837）。ベルネ。青年ドイツ派（パリ七月革命以降、生活芸術の自由を求めて権力に抵抗した文学運動）に属する文芸評論家。ドイツ官憲の弾圧を逃れてパリに住み、「パリ通信」により文筆活動を継続した。ハイネがウィットのある嘲笑《ちょうしょう》をこととしていたのに対して、より政治的目的の露骨な政治攻撃を行なった。

＊ハイネ　Heinrich Heine（1797―1856）。青年ドイツ派に属するロマン派の抒情《じょじょう》詩人。ナポレオンとフランス革命への共感から政治的に覚醒《かくせい》、封建的なドイツの旧体制を時局詩

によって批判。ベルネとともにパリに亡命して活動を始めるが、やがて両者は「政治革命か社会革命か」をめぐって対立、決別する。代表作「歌の本」「ハルツ紀行」など。

＊仏得力三世　フレデリック三世（Friedrich Ⅲ, 1831—88）。一八八八年三月、父ヴィルヘルム一世没後ドイツ皇帝に即位したが、そのわずか三ヵ月後に喉頭癌《こうとうがん》のため死去した。

＊崩殂　天子が亡くなること。

＊新帝　ヴィルヘルム二世（1859—1941）。ヴィルヘルム一世の孫で、フレデリック三世の子。第一次世界大戦の中心人物で、軍事拡大と植民地獲得につとめた。我が国ではカイゼルとして知られる。

＊ビスマルク侯　Otto Eduard Leopold Bismarck（1815—98）。ドイツ帝国宰相。ヴィルヘルム一世の下でオーストリア、フランスに勝利し、ドイツ統一後は「鉄血宰相」として帝国の礎《いしずえ》を築くとともにヨーロッパ外交の中心人物となった。が、新帝とは政策上対立することが多く、一八九〇年宰相を辞任。豊太郎はその進退問題に注目している。

＊旧業をたづぬること　もともと学んでいた法律の研究をすること。

＊民間学　アカデミック（官学）に対していう。ここではジャーナリズムの手になる批評、研究のたぐいをさす。

＊一隻の眼孔　「一隻眼」ともいい、ものを見抜く力のある眼識。鑑識眼。

＊凸凹坎坷　「凸凹」はでこぼこが激しいことで、「坎坷」は平らかでなく、行きなやむことの意。

二三　＊庖厨　台所。

＊悪しき便にてはよも　このあとに「あらじ」といった言葉が省略されており、まさか悪い知らせの手紙ではないでしょうねの意。

＊上襦袢　ここではワイシャツのこと。

二四　＊ゲエロック　Gehrock（独）フロックコート。男子の通常礼服。

＊ドロシユケ　Droschke（独）一頭だての辻《つじ》馬車。

＊カイゼルホオフ　Kaiserhof（独）「王宮」の意で、ベルリンの中央官庁街にあった一流ホテル。

＊プリユツシユ　Plüsch（独）絹または綿の毛長ビロードの種類。フラシ天。高級家具などに用いる。

＊ゾファ　Sofa（独）ソファー。長椅子。

＊前房　家の最も前方にある部屋。控えの間。

二五　＊踟蹰　進むことをためらい、たたずむこと。躊躇《ちゅうちょ》すること。

＊轗軻数奇　不遇で、不幸せなこと。「轗軻」は行きなやむさま。転じて、物事がうまく進まないことを指す。「数奇」は不幸な運命の意。

＊成心　ある考えにとらわれた見方。先入観。

＊曲庇者　事実を偽ったり、物事の道理を曲げたりして他人をかばう人。下心や企《たくら》みをもっている人。

二七　＊うべなふ　承諾する。同意する。

＊ゴタ板の魯廷の貴族譜　ベルリン西南部の地方都市ゴータ Gotha にあるユストゥス・ペルテス地理書・地図出版社で刊行されていた欧州の王家の系譜を記した貴族名鑑、いわゆる「ゴータ年鑑」のこと。「魯廷」はロシア宮廷のこと。通訳をする時に必要としたのであろう。

二八　＊知る人がり　「がり」は「許《もと》」。知人のもとにの意。

＊舌人　通訳。

＊青雲の上　「青雲」は学徳の高いたとえで、高位高官の意。豊太郎がロシア宮廷において高位高官に交じり活躍したことを指す。

＊ペエテルブルク　Peterburg　ロシア連邦北西部、帝政ロシア時代の首都。ソビエト連邦樹立後は、首都がモスクワに移ったことにより、一時レニングラードと改称されたが、現在は旧称のサンクトペテルブルクが復活。

＊エポレット　Epaulette（独）　房つき肩章。

＊カミン　Kamin（独）　壁にたき口がとりつけられた暖炉。

＊生計　生活の手段。てだて。

二九　＊ステッチンわたり　「わたり」は付近、あたりの意。ステッチン Stettin はウンテル・デン・リンデンの北方にある駅名という説と、ベルリン北東部、旧ドイツ領ポンメルンの首都名（現在のポーランド領）という説がある。

三〇　＊屋上の禽　手の届かない、得られないもののたとえ。

三一　＊馭丁　馬を使いこなす人。御者。

＊低徊踟蹰　「低徊」はさまよう、まわり巡るの意。「低徊踟蹰」はいろいろと考えを巡らせて、ためらうこと。

＊襁褓　おむつ。

三二　＊あだし名　「あだし」は他の、異なった、実《じつ》がないの意。ここでは、太田以外の姓をつけ、赤ん坊を私生児にしないよう懇願している。

＊寺に入らん日　寺院で子供に洗礼を受けさせる日。

＊落居たり　気持ちが落ち着く。安心する。

＊特操　常に変わらないみさお。堅く守って変わらない心。

＊黒がねの額　鉄面皮の意。あつかましく、恥知らずなこと。厚顔無恥。

＊榻　背もたれのある、こしかけ部分の低い長椅子《ながいす》。ベンチ。

三三　＊モハビット　Moabit　ベルリン西北部、シュプレー川北岸の地域。テイヤーガルテンの北方にある。

＊カルル街　Karl strasse　シュプレー川の北岸を東西に貫く街で、ウンテル・デン・リンデンとほぼ平行している。

＊烱然　明るく、光り輝くさま。

三四　＊人事を知る　意識を取り戻すこと。

三五　＊パラノイア　Paranoia（独）　偏執症（狂）。妄想《もうそう》型の精神分裂病の一種、またはそれに近いものとされているが、時代により諸説ある。

＊ダルドルフ　Dalldorf　ベルリンから十キロほど北方にある郊外の町。

＊瘋狂院　精神病院。

うたかたの記

三八　＊バワリア　Bavaria　バイエルン Bayern ともいい、ドイツ南東部にあった国。六世紀フランク王国に従属し、そののち神聖ローマ帝国の支配下に入る。一八〇六年王国となり、一八七一年に成立したプロイセン主導のドイツ第二帝制下においても特権的な地位を確保。十二世紀から二十世紀までヴィッテルスバッハ家がこの地を統治した。首都はミュンヘン。像はバヴァリアを象徴する女神。

＊ルウドヰヒ第一世　Ludwig I（1786―1868）。バイエルン王。芸術を愛好しミュンヘンを芸術の都としたが、踊子を寵愛《ちょうあい》して国政を乱し、息子マクシミリアン二世に譲位した。

＊凱旋門　ミュンヘンの中心部から北にのびるルートヴィヒ通りに、ルートヴィヒ一世の命により作られた。ローマのコンスタンティヌスの凱旋門を模し、門上には四頭の獅子《しし》がひく戦車にのるバヴァリア像がある。

＊トリエント　Trient（独）　イタリア北東部の大理石の産地トレント Trento。

＊美術学校　Akademie der bildenden Künste　ミュンヘンの造形芸術国立専門学校のこと。

凱旋門の西側にある。
*ピロッチイ　Karl Theodor von Piloty（1826―86）。ドイツの画家。当時、美術学校校長で、いわゆるミュンヘン歴史画派に属した。
*カツフエエ、ミネルワ　Café Minerva　「独逸《ドイツ》日記」明治十九年八月十五日の条にこの店名が見られる。美術学校の向かい側にあった。「ミネルワ」（ミネルヴァ）は、ローマ神話の技芸の女神で、ギリシア神話のアテナと同一視された。
*かち色　褐色。黒みがかった紺色。
三九 *エキステル　Julius Exter（1863―1939）。ユリウス・エクステル。「鷗外漁史が『うたかたの記』『舞姫』『文つかひ』の由来及び逸話」（談話筆記）で鷗外は「エキステルと云う画工も実在の人物」をモデルとしたといっている。エクステルはミュンヘン歴史画派に学んだが、のちドイツ・ゼツェッション（分離派）の一員となった画家。
*なめなる　無礼である。無作法である。
*ドレスデン　Dresden　ドイツ東部のザクセン侯国 Sachsen の首府。美術、音楽などの芸術活動の一大中心地であった。
四〇 *ヱヌス　venus　ヴィーナス。耕作地や菜園を守護するローマ神話の女神。古くから、美と恋愛の女神であるギリシア神話のアフロディテと同一視された。
*かいなで　平凡な。ありふれた。
*巨勢　鷗外の友人原田直次郎（1863―99）をモデルとしている。原田は一八八四年ドイ

ツに留学、ドイツロマン主義絵画の影響を受け、帰国後は明治美術会創立の中心的存在となった。

＊かしこなる画堂　ドレスデンの美術館のこと。世界有数の歴史を持ち、ラファエロ、デューラー、ルーベンスをはじめとする貴重なコレクションを所蔵。

四一　＊ピナコテエク　Pinakothek（独）　もとは、ギリシア・ローマ世界で神々に捧《ささ》げられた絵画を保存する神聖な場所を意味した。ミュンヘンには、主に十四―十八世紀の絵画を所蔵するアルテ・ピナコテーク(Alte Pinakothek)と、十九世紀以降の絵画を蔵するノイエ・ピナコテーク（Neue Pinakothek）がある。

＊索遜　Sachsen　ドイツ東部にあるザクセン侯国。

＊まとゐ　団欒《だんらん》。親しい集まり。

＊いひけたで　「言い消つ」の打消で、けなさずに、の意。

＊謝肉の祭　謝肉祭。カーニヴァル。「独逸日記」明治十九年三月八日の条には「『カルネ、ワレ』carne vale は伊太利《イタリア》の語、肉よさらばといふ義なり。我旧時の盆踊に伯仲す」とある。

＊百眼　眼の部分が切り抜いてある仮面。

四二　＊マロオニイ、セニヨレ　Maroni, Signore（独）「独逸日記」明治十九年十二月十八日の条には「売る者は皆伊太利人なり。栗を君 Maroni, Signore の声街に満つ」とある。

＊鷹匠頭巾　Kapuze（独）防寒頭巾《ずきん》の一つ。「鷹匠頭巾」は江戸時代に鷹匠の用いた頭巾

で、尖《とが》った頭布の裾《すそ》を左右に広げ、紐《ひも》であごの下を括《くく》ったもの。

＊目籠　目の粗いかご。

＊常盤木　一年じゅう緑の葉のある木。常緑樹。

＊フアイルヘン、ゲフエルリヒ　Veilchen gefällig（独）スミレはいかがですか、の意。

四三 ＊よも　四方。あちらこちら。

＊逸足　すばやく走ること。

四四 ＊暖簾師　Hausierer（独）まがいものを売る商人。

＊そこひ　底ひ。きわめて深い底。

＊嚢中　財布のなか。

＊マルク　Mark（独）当時のドイツの貨幣単位。

＊レダ　Leda　ギリシア神話のスパルタ王テュンダレウスの妻。白鳥に姿を変えたゼウスと交わり、ディオスクロイ兄弟とヘレナを生んだ。

＊マドンナ　Madonna　聖母マリアの像。

＊ヘレナ　Helena　ヘレネ、ヘレンともいう。レダの項を参照。絶世の美女で、スパルタ王メネラオスの妻、のちトロイア王プリアモスの息子パリスの妻となる。

四五 ＊ライン　Rhein　スイスのアルプスに発し、ドイツ、オランダを経て北海に注ぐ大河。

＊ニツクセン　Nixen　ゲルマン神話の水の精 Nix の女性形 Nixe の複数形。

＊ニユムフエン　Nymphen　ギリシア神話の、乙女の姿をした海・川・泉などの精 Nymphe の複数形。

＊モンゴリア　mongolian（英）の転。モンゴル人種の。

＊いしくも　よくも。けなげにも。

四六 ＊ロオレライ　Lorelei ライン川中流の右岸にある巌山。音を反響させる性質から、美しい歌声、あるいはうるわしい姿で人間をひきつけて死に至らせる妖女《ようじょ》という形象を得た。クレメンス・ブレンターノやハインリヒ・ハイネの詩に歌われた。

＊すさめ玉はむや　「すさむ」は気分の赴くままにふるまうの意で、よい意にも悪い意にも用いる。相手にしてくださるでしょうか、の意。

四七 ＊フイレンチエ派　イタリアのフィレンツェを中心に、十四世紀から十六世紀にかけてルネサンス（文芸復興）美術の主流をなした流派。

＊ミケランジエロ　Michelangelo Buonarroti（1475―1564）。フィレンツェ派の画家、彫刻家、詩人。代表作は絵画「最後の審判」、彫刻「ダヴィデ」など。

＊ヰンチイ　Leonardo da Vinci（1452―1519）。レオナルド・ダ・ヴィンチ。フィレンツェ派の画家、建築家、自然科学者。代表作は絵画「モナ・リザ」「最後の晩餐《ばんさん》」など。

＊和蘭派　フランドル派。十五世紀、フランドル地方（現在のベルギー西部、オランダ南西部、フランス北部にまたがる地域）におこった美術の流派。

＊ルウベンス　Peter Paul Rubens（1577―1640）。フランドル派の画家。バロック絵画の巨匠。

＊ファン・ヂイク　Antoon van Dyck（1599—1641）。ファン＝ダイク、画家。ルーベンスの弟子で肖像画を得意とした。

＊アルブレヒト・ドユウレル　Albrecht Dürer（1471—1528）。アルブレヒト・デューラー、ニュルンベルク生まれの画家、版画家。神聖ローマ帝国マクシミリアン一世に重用された。

＊スツヂイ　Studie（独）習作。

＊十二使徒　キリストが福音を伝えるために選んだ十二人の弟子。

＊すさまじげなる　興ざめのした。

四八　＊あらけぬ　「散《あら》去く」に完了の助動詞「ぬ」が接続したもので、散り散りになった、の意。

＊フロイライン　Fräulein（独）未婚の女性に冠する語で、「〜嬢」の意。

＊シルレル、モヌメント　Schillermonument（独）シラー記念像。マクシミリアン広場の北端にある。「シルレル」については二七九頁を参照。

四九　＊みな月　水無月。六月。

＊さいなみ玉ふな　苦しめないでください。

＊つら杖　ほおづえ。

五〇　＊今の国王　ルートヴィヒ二世 Ludwig II（1845—86）のこと。城の建設やワグナーの音楽に情熱を傾けた芸術愛好家であったが、しだいに厭世《えんせい》的傾向を深め、精神に異常をきたし、シュタルンベルク湖で侍医グッデンとともに溺死《できし》。「独逸日記」には、明治十九年六月十三日の条に王とグッデンについての記述がある。

＊冬園　Wintergarten（独）温室。

＊タンダルヂニスが刻める、ファウストと少女との名高き石像　イタリアの彫刻家タンタルディーニ Antonio Tantardini（1829―79）作の大理石像「ファウストとグレートヘン」を指す（小堀桂一郎「若き日の森鷗外」東京大学出版会、昭和四四・一〇）。

＊キオスク　Kiosk（独）眺望、休憩用に庭園に設けられる建物。あずまや。

＊すまふ　抵抗する。

五一

＊ノイシユワンスタイン　Neuschwanstein　ノイシュヴァンシュタイン。ミュンヘン東南方のドイツ・アルプスにある地名。ルートヴィヒ二世の命により一八六九年に着工された城がある。

＊スタルンベルヒの湖　Starnbergersee　シュタルンベルク湖。ミュンヘンから西南へ約十五キロの地点にある湖。

＊ベルヒといふ城　Schloß Berg　シュタルンベルク湖東岸にある城館。

＊独逸、仏蘭西の戦ありし時……　プロイセンを主とするドイツ諸邦とフランスとの間の普仏戦争（1870―71）。プロイセン側が勝利し、フランスから多額の賠償金とアルザス-ロレーヌ地方を得た。ルートヴィヒ二世はカトリック派の国会勢力を押さえてプロテスタントのプロイセンに協力。戦争中の七一年五月、ドイツ統一が達成され、新ドイ

ツ帝国（第二帝国）が誕生。バイエルンはその中で特権的な地位を認められた。

五二　＊ダハハウエル街　Dachauerstrasse　ミュンヘンの中心部から西北に延び、ダッハウ Dachau へ至る街路。

＊衒う　ひけらかす。

五三　＊ゼエスハウプト　Seeshaupt　シュタルンベルク湖南端の岸にある町。

＊レオニ　Leoni　シュタルンベルク湖の東岸にある町。

＊加特力教信ずる養父母は、英吉利人に使はるるを嫌ひぬれど　イングランドは英国国教会派であったので、ローマカトリックを信じる養父母とは信仰が違っていたということ。

五四　＊ひがよみ　間違えて読むこと。

＊クニッゲ　Adolf Freiherr von Knigge（1752—96）。ドイツの著述家。「交際法」は彼の最も有名な著作で、鷗外の「智慧袋《ちえ》」「心頭語」にその強い影響がみえる。

＊フムボルトが長生術　Christoph. W. Hufeland（1762—1836）の誤り。フーフェラントの「長生術」が東京大学図書館鷗外文庫に所蔵されている（小堀桂一郎「若き日の森鷗外」）。フーフェラントはドイツの医学者。

＊ギヨオテ　Johann Wolfgang von Goethe（1749—1832）。ゲーテ。ドイツの代表的作家、詩人。ワイマール公国の政務長官などを務めながら、シラーとともにドイツ文学の黄金時代を築いた。代表作「若きウェルテルの悩み」「ファウスト」など。

＊じゆして「誦して」。暗誦して。

＊キヨオニヒ　Robert König（1828—1900）。ケーニヒ。ドイツの文学史家。

＊テエヌ　Hippolyte Adolphe Taine（1828—93）。フランスの批評家、歴史家。実証主義の立場から、文化の発展は人種、環境、時代の三条件で決定されると説いた。

＊グスタアフ・フライタハ　Gustav Freytag（1816—95）。フライターク。ドイツの作家。代表作「ドイツ文化史」など。

五五　＊ゼネカ　Lucius Annaeus Seneca（前4—後65）。ローマの詩人、哲学者。皇帝ネロの師。その著「心の平静について」のなかに、「いかなる大天才でも狂気を交えないものはなかった」とある。

＊シエエクスピア　William Shakespeare（1564—1616）。イギリスの劇作家。「ハムレット」第二幕第二場に、「狂人は、正気のものにはとても思いつかないうまいことを言う」というポローニアスの傍白がある。

＊沙門　出家して仏門に入る人。僧侶《そうりょ》。

＊ささるる　閉ざされる。

＊スタルンベルヒ　Starnberg　前出（二九一頁）シュタルンベルク湖の北端にある町。

五六　＊グッデン　Bernhard Aloys von Gudden（1824—86）。ルートヴィヒ二世の診察を担当していた精神科医。「独逸日記」明治十九年六月十三日の条には「グッデンは特に精神病の医たるのみならず、平生神経中心系の学に諳熟《あんじゅく》し、鳴世の著述あり。又詩賦《しふ》を好む」とある。

＊府　首府ミュンヘンのこと。
＊ホオヘンシユワンガウ　Hohenschwangau　バイエルン国南東部の、ドイツ・アルプスの麓《ふもと》にある村。ルートヴィヒ二世の父、マクシミリアン二世が建てた城がある。
＊かちより　徒歩で。
五七　＊アルペン　Alpen（独）アルプス。
五八　＊座にえ忍びあへで隠るべし　座にいるのに耐えられず、姿を隠すでしょう。
＊木のはし　木の切れ端。つまらないもののたとえ。
＊人あなづり　人を見くびり馬鹿《ばか》にすること。
＊一弾指　指をはじくほどのごく短い時間。瞬間。
＊大理石脈に熱血跳る如くにて　白い肌が紅潮するさまをたとえた表現。
＊酒手　心づけ。チップ。
＊絮の如き「絮」は「綿」に同じ。綿のように柔らかくて弾力のあるさま。
五九　＊神　雷。鳴神。
＊ナハチガル　Nachtigall（独）ナイチンゲール。夜鳴鶯。
＊玲瓏　玉が鳴るような美しい音色。
＊しばなける　しきりに鳴く。
＊村雲　叢雲《むらくも》。むらがり立つ雲。
六〇　＊ロットマンが岡　Rottmannshöhe　シュタルンベルク湖東岸にある丘。ドイツの画家カ

ール・ロットマン Karl Rottman（1797―1850）が、湖上第一の景勝の地であると賞したことからこの名がある。

＊伶人　音楽を奏《かな》でる人。

＊半腹　山の頂と麓《ふもと》の間。

＊カロラ池　Carolasee　ドレスデン市大公園にある池。

六二　＊アイヘン　Eichen（独）オーク。ブナ科ナラ属の木の総称。カシワ、ナラなど。Eiche の複数形。

＊エルレン　Erlen（独）ハンノキ属の木。Erle の複数形。

六三　＊贄　いけにえ。

＊うたかた　水の泡。はかなく、消えやすいもののたとえ。

＊うたてき　心に染まない。いやな。

＊耶蘇歴　西暦。キリストの生まれた年を起点とした暦。

＊殂せられし　「殂」は、天子が死ぬこと。

六四　＊バワリア鍪　Bayerischer Raupenhelm（独）十九世紀後半にバイエルン軍の兵士たちがかぶった、馬毛飾りの付いた鉄兜《てつかぶと》。

＊横死　思いがけない災難で死ぬこと。不慮の死。

鶏

六六　＊小倉　福岡県北部、関門海峡東南岸あたり。現在の北九州市小倉。森鷗外は明治三十二年六月十九日に小倉に入り、三十五年三月まで小倉第十二師団軍医部長に着任した。

＊仲為　荷物をかついで運ぶ人夫。船の貨物のあげおろし作業や土木業に従事する。

＊手籠　肥たご。

＊旭町　福岡県門司港地区北東部の山間に位置する。現在の北九州市門司区。

六七　＊室町　現在の北九州市小倉北区の町名。明治二十四年に九州鉄道小倉駅（現小倉駅）が設置された。

＊廉あって上官に謁する　理由があって上官に面会する。ここでは少佐参謀着任の挨拶《あいさつ》のため。

六八　＊渋紙色　和紙に柿渋を塗った「渋紙」のような赤黒い色。

＊鉄丹　赤色顔料の一つ。暗く黄がかった赤色を出す。インドのベンガル地方で産したことからこう呼ばれる。

＊代赭　代赭石を粉末にした赤色系帯褐色の顔料。中国・山西省代州から良質なものが採れることからこう呼ばれる。

＊要塞　戦略上の重要地点に設けられる、主に防衛を目的とした軍事施設。

六九　＊金天狗　当時、市販されていた紙巻煙草《たばこ》。「天狗堂」の商品で、他に銀天狗・赤天狗・青天狗などがあった。

七〇　＊豊津　福岡県東部の地名。上代には豊前国の国府・国分寺が置かれていた。

七一　＊別当　馬を飼育する馬丁。

七一　＊口入屋　奉公人の斡旋《あっせん》、仲人を業とするところ。

七二　＊野木さんのお流儀　野木さんは乃木希典《まれすけ》（1849―1912　当時は中将）がモデル。質実剛健の生活ぶりで知られていた。

＊師団長　「師団」は旧陸軍編成上の陸軍部隊の一つで、司令部を有し、独立して作戦する戦略単位。その長官。

＊都督　全軍を統率する総大将。

＊輜重輸卒　旧陸軍で、輜重兵の下で食料・被服・武器・弾薬などの軍需品を前線に輸送、補給運搬に従事した兵卒。

七三　＊予備役　現役を終わった軍人が一定期間服する兵役。平常は市民生活を送るが、非常時および演習の際は召集され、軍務に服する。

＊大里　門司と小倉との中間にある町名。

＊徴発　軍需物資として民間から強制的に物を取り立てること。

＊大連　中国遼寧《りょうねい》省にある港湾都市。遼東半島の末端に近く、日露戦争後、日本の租借地となった。

＊背嚢　背に負う方形のかばんで、毛皮またはズックで作ったもの。

＊金州　中国・遼寧省の都市。錦州。東北部と華北とを結ぶ軍事上の要地。

七五　＊ちゃん　ちゃんころの略。当時の中国人に対する蔑称《べっしょう》。

＊夏衣袴　東南アジア特有の高温多湿な熱帯地域で軍隊が作戦行動を行なうにあたり、酷暑に適応するための軍服として着用された。夏服。

＊長浜　現在の小倉北区にある砂津川河口に位置する町。昭和十年代に埋め立てが始まるまで漁業が盛んであった。

七六　＊鶴の子　上新粉で製した、祝儀《しゅうぎ》用の卵形をした「鶴の子餅《もち》」の略。「小倉日記」明治三十三年一月三十日の条に「落雁《らくがん》に似て卵形なり色皆白し」とある。小倉市米町の福田屋が製造元。

＊舎営　軍隊が家屋内に休養、宿泊すること。

七七　＊襦袢袴下　旧軍隊用語でズボン下。下着の一種。

七八　＊柑子色　黄に赤みをおびた色。だいだい色。

＊半圏状　半円状のこと。

八一　＊手水を使った　「手水」は手や顔を洗うための水。手や顔を洗ったの意。

＊麻裏　「麻裏草履」の略。平たく編んだ麻糸の組緒を裏に縫い付けた草履。

八三　＊nuances　（仏）ニュアンス。言葉の意味の微妙な差異や調子。

＊philippica　（ラテン）フィリピッカ。デモステネスがフィリップ王を罵倒《ばとう》した十二演説の一つで、転じて、激しい攻撃演説。痛論。

八四　＊般若湯　僧侶《そうりょ》の隠語で、酒のこと。

＊鑽籬菜　僧侶の隠語で、鶏のこと。

＊éventualité（仏）エヴァンチュアリテ。偶発事、不測の事件。

八五　＊prétentieux（仏）プレタンショー。わざとらしい。気取った。

＊旗鼓相当って　戦場で敵味方となって会すること。ここでは弁論をたたかわせる、の意。

八七　＊Havana　ハバナはキューバ共和国の首都。ハバナ葉巻は高級葉巻として嗜好されていた。

＊Manila　マニラはフィリピン共和国の首都。ここではマニラ葉巻を指す。

＊La Bruyère　Jean de La Bruyère（1645―96）ジャン・ド・ラ・ブリュイエール。フランスの随筆家。モラリストの一人で、主著に「性格論」がある。

八八　＊象牙紙　きめ細かい淡黄色の上質紙。アイボリー紙。

＊図嚢　地図などを入れる革製のかばん。昔軍人などが用いた。

＊根調　基本的な調子。基調。

八九　＊Transvaal　トランスバール共和国（1852―1910）。ボーア人が南アフリカのバール川の北に建国。金鉱が発見されるとイギリスが侵略したため、一八九九年南アフリカ戦争（ボーア戦争）となり、一九〇二年に敗れてオレンジ自由国と共にイギリスに併合され、一九一〇年南アフリカ連邦の一州となった。

＊戦役以来　明治二十七、八年の日清《につしん》戦争から。

＊老実家　事になれてまめやかな人物。

九〇　＊馬借　小倉の町名。紫川と支流とが成す三角地帯にある町。

九一　＊魚町　現在の小倉北区東部の町名。紫川と砂津川の間に位置し、町並みは南北にのびている。

　　　＊京町　現在の小倉北区東部の町名。江戸期は小倉城下の一町で、東曲輪《くるわ》のうちであった。

九二　＊目見え　奉公人などが主人にはじめて会うこと。

　　　＊水浅葱　薄く緑がかったあい色。みずいろ。

　　　＊比那古　日奈古《ひなご》とも。現在の築上《ちくじょう》郡椎田《しいだ》町。小倉から海沿いに大分に南下する中間あたりに位置する。

九四　＊傭聘　頼んで雇うこと。

九六　＊帷子　正絹や麻布で仕立てた単衣《ひとえ》。

　　　＊二日市　筑紫野市武蔵《むさし》にある二日市温泉。天拝山麓《さんろく》、大宰府《だざいふ》都府楼跡の南約二キロに位置する。古く次田《すいた》の湯と呼ばれ、千数百年の歴史を持つ。

九七　＊北方　小倉市南方の郊外。

　　　＊乞巧奠　陰暦七月七日の夜に行なう牽牛《けんぎゅう》・織女《しょくじょ》星の祭。七夕祭。

　　　＊盂蘭盆　陰暦七月十五日を中心に行なわれる祖先の霊を祭る仏事。先祖供養《くよう》と施餓鬼《せがき》が合体したもの。お盆。

九八　＊樒　モクレン科の有毒常緑小高木。全体に香気があり、仏前に供え、また葉と樹皮を乾かして粉末とし、抹香《まっこう》または線香を作り、材は数珠《じゅず》などにする。

＊口説　「踊口説」の略。くどき節は長い叙事的な歌謡を、おなじ曲節を反復してうたうもの。

九九　＊sagittale　(仏)　サジッタル。矢のような。

＊債を取りに来る　「債」は掛売りの略。信用ある買い手に対し、即金ではなく一定の期日に代金を受け取る約束で品物を売ることで、ここではその代金を取りにきたことをいう。

一〇〇　＊あなぐろうとはしない　「あなぐる」はさぐる、探し出すの意。ここでは詳しく調べようとはしないこと。

＊見せ割木　見せて置くだけで、実際には使わないので減らない薪。別当は主人の薪を使っているわけである。

一〇一　＊systématiquement　(仏)　システマティックメント。体系的に。組織的に。

＊経理法　財産の管理等に関しての、筋道をたてた規則的方法。

＊système　(仏)　システム。方式。うまいやり方。

一〇二　＊二十六夜待　陰暦一月と七月の二十六日の夜に、月の出るのを待って拝すること。江戸時代に盛んだった風習で、月光に阿弥陀仏《あみだぶつ》・観音・勢至の三尊の姿を現すと言い伝えられていた。

かのように

一〇五　＊手水　ここではトイレの意。

＊学習院　現在の学習院大学の前身。華族の子弟を教育する目的で、明治十年十月に創立。

＊文科大学　現在の東京大学文学部。

＊畢生の　一生を費やすべき。

＊迦膩色迦王　Kaniska I（在位130頃―170頃）。カニシカ王。インド、クシャーナ朝（一世紀―三世紀ごろ）三代目の王。クシャーナ朝最盛期の王で、仏教を保護し第四回仏典結集を行なった。

＊仏典結集　仏教教典の整理統一事業。カニシカ王が行なった仏典結集は第四回結集で、サンスクリット語によって行なわれた。

＊阿輸迦王　Aśoka（在位前268頃―前232頃）アショーカ王。インド、マウリヤ朝（前317頃―前180頃）三代目の王。在位前半は軍事にいそしみ半島南端を除く全インド統一をなしとげ、アショーカ朝の最盛期を築いた。その後、仏教に帰依《きえ》して徳治政治に転換。第三回仏典結集を行ない、各地に石柱碑、磨崖碑《まがいひ》を建てるなど様々な仏教政策を行なった。

＊サンスクリット　Sanskrit　古代インドの標準文章語。バラモン教の聖典ウェーダを書くための言語だったものが、前三世紀頃に規格化され、仏典にも転用された。仏教経典は主にこの言語で書かれた。梵語《ぼんご》。

＊高楠博士　高楠順次郎（1866―1945）がモデル。仏教学の権威で、東京大学教授、東洋大学学長。「大正新修大蔵経」を監修した。

＊梵語　サンスクリットに同じ。

一〇六 ＊青山博士　青山胤通《たねみち》（1859―1917）がモデル。内科、小児科の権威で東京大学教授、伝染病研究所長。鷗外と同じ時期にドイツに留学した。

＊お時計を頂戴しに出て来る優等生　恩賜《おんし》の銀時計。東京大学では大正七年（1918）まで優秀な卒業生に天皇から銀時計が授与されていた。

一〇七 ＊責を塞ぐ　とりあえず責任を果たす。

＊子爵　明治憲法によって定められ勅旨によって授与される栄典。爵は華族の世襲的階級で、公、侯、伯、子、男の五等あり、子爵は上から四番目の等級。

＊嫡子　正妻の長子で家督を相続するもの。跡継ぎ。

一〇八 ＊ポルトセエド　Port Said　ポートサイドのこと。エジプトの北東部、スエズ運河の北の入り口に位置する港湾都市。

＊ステレオチイプ　stéréotypé（仏）ステレオタイプ。紋切り型。

＊マルセイユ　Marseille　フランス南東部の港湾都市。地中海に面し、当時洋行する船にとってヨーロッパの入り口に位置していた。

＊掛値　実際に売られている値段よりわざと高く付けられている値段。

＊フォアイエエ　foyer（仏）休憩室、ロビー。

＊Tout ce qui brille, n'est pas or（仏）「光るもの必ずしも金ではない」ということわざ。ここでは装《よそお》いは貴婦人でも中身は大違いという意。

＊三省堂　神田神保町にある出版社。

＊エエリヒ・シュミット総長　Erich Schmidt（1853—1913）。ドイツの文学史家。ベルリン大学教授。ゲーテの「原本ファウスト」など古典主義文学の研究で知られる。

一〇九

＊イタリア復興時代　イタリア・ルネッサンス（十四世紀末—十六世紀初頭）。

＊宗教革新　十六世紀、カトリック教会の腐敗を告発したルター、カルバンらによって聖書中心主義の立場をとるプロテスタントが出現したことを指す。同時期のドイツではカトリックとプロテスタントの対立が宗教戦争にまで発展した。

＊プラグマチスムス　Pragmatismus（独）プラグマティズム。実用主義、実践主義。観念よりも行動を重視する実践的な哲学の流派。観念をすべて行為のための道具とみなし、真理を先に立てることをせず、物事は目的を達成するために役立つかどうかで規定されることになる。アメリカのジェームスやデューイ、パースらを代表とする。

＊フリイドリヒ・ヘッベル　Christian Friedrich Hebbel（1813—63）。ドイツの劇作家。ドイツ写実主義の立場から近代心理劇、社会劇を開拓した。代表作に「ユーディト」など。

＊藩屏　皇室を守護する者。華族。

＊アドルフ・ハルナック　Adolf von Harnack（1851—1930）。ドイツの歴史学者。ベルリ

ン大学教授。「新約聖書」の研究を中心に教会史、教理史などプロテスタントの研究で知られる。自由主義、歴史主義の立場をとり、信仰の対象はイエス・キリストではなくその教えにあるとした。

二一〇 ＊ウィルヘルム第二世　Wilhelm II（1859—1941）。二八一頁「新帝」の項を参照。

＊テオドジウス　Theodosius Harnack（1817—89）。テオドジウス・ハルナック。アドルフ・ハルナックの父。ルター派の神学者。

＊新教　プロテスタント。十六世紀頃、カトリック（旧教）に対抗してルターによる聖書中心主義など宗教改革を唱えた新しいキリスト教の総称。

＊擣きくるめて　ひっくるめて。

＊人心の帰嚮　人心がおもむくところ。

二一一 ＊ロオマ法王　ローマ教皇に同じ。ローマ教会の最高職で、カトリックでは地上におけるキリストの代理者とされる。バチカン市国の元首。

＊グレシア正教　ギリシア正教会。カトリックの一派。東ローマ帝国の国教としてコンスタンチノープルを中心に発達した。一〇五四年にローマ教会と絶縁。ロシアではその影響下に十世紀末にロシア正教会が分派、一五五九年には完全に独立した。

＊黔首　人民。庶民。「黔」は黒色を表し、古代中国では位のない人民は冠をかぶらず、黒髪を出していたことによる。

＊無政府主義者　アナーキスト。無政府主義（アナーキズム）は社会主義の一派で、一切

の権力を否定し、個人の自由に基づく社会の実現をめざす。その一派はテロリズムを肯定し、一八八一年ロシア皇帝アレクサンドル二世は無政府主義の流れをくむナロードニキ（人民主義者）によって暗殺された。主な思想家にバクーニン、クロポトキンなど。日本ではクロポトキンの翻訳をおこなった幸徳秋水、大杉栄などが知られている。

一一二 ＊ツアアル tsar（露）皇帝。帝政ロシアの皇帝。当時のロシア皇帝はニコライ二世（Nikolai II 1868—1918、在位1894—1917）。暗殺されたアレクサンドル二世の孫。

＊福音 キリスト教における神と救いの教え。

＊西洋事情 福沢諭吉の著書（1866—70）。西洋文明の紹介として啓蒙《けいもう》的な役割を果たし、当時のベストセラーとなった。

＊輿地誌略 内田正雄の編訳による書物（1873—77）。世界地理を紹介して、「西洋事情」とともに当時のベストセラーとなった。

一一三 ＊朱子 朱熹《しゅき》（1130—1200）。「論語」に詳細な注を施し、儒教の一派である朱子学を完成させた。

一一五 ＊唯俗に従って聊復爾り 世間一般に従い、とりあえずそれでやっていこうという意。

＊糊塗 表面を取りつくろってごまかすこと。

一一六 ＊頽勢 宗教・信仰の勢いが衰えていること。

一一八 ＊パンジオナアト Pensionat（独）寄宿舎。

＊ヴィコント Vicomte（独）子爵。

二二〇　＊位階　明治政府が制定した栄典。一位から八位まで、それぞれ正・従が付いて十六階ある。

二二一　＊ボオレ　Bowle（独）　ボール酒。カクテルの一種。

＊プロジット・ノイヤアル　Prosit Neujahr（独）　新年おめでとうの意。

＊グラットアイス　Glatteis（独）　地面が凍ってガラスのようになっているもの。アイスバーン。

二二二　＊ウンテル・デン・リンデン　二七五頁「舞姫」の項を参照。

＊ストララウ　Stralau　ベルリン郊外の村。

＊スプレエ川　Spree　シュプレー川。ベルリン市内を流れ、ハーヴェル川に合流する。

二二三　＊スウィッツル　Switzerland　スイス。アルプス山脈に接する高原の国で、避暑地として知られる。

＊小春　陰暦十月の異称。

二二四　＊羅紗　地が厚く、目が細かい毛織物。表面はけば立っている。

＊運動椅子　揺り椅子。ロッキング・チェアー。

＊三国時代　後漢滅亡から晋《しん》が中国を統一するまでの、魏《ぎ》・呉《ご》・蜀《しょく》の三国が鼎立《ていりつ》した時代（220—281）。

二二六　＊髀に肉を生じたのを見て歎じた　いわゆる「髀肉の嘆」のこと。「髀」は股《もも》のこと。蜀の皇帝劉備《りゅうび》が自分の股の肉が肥え太ったのを見て、これでは馬に乗って戦場を駆けることができないと嘆いたという故事による。

一二七　＊無動作性萎縮　運動していない器官や組織が縮んでしまうこと。

＊一肚皮時宜に合わず　「肚皮」は腹の皮、転じて心中を指す。一癖ある人間が時流と相《あい》容《い》れないの意。

＊ヘッケル　Ernst Heinrich Haeckel（1834―1919）。ドイツの動物学者、思想家。ドイツで最初にダーウィンの進化論を受け入れ、個体発生は系統発生の短縮されたものという反復説を提出、生物発生に関して唯物論的な説を主張した。著書に「生命の不可思議」など。

＊アントロポゲニイ　Antropogenie, oder Entwicklungsgeschichte des Menschen「人間発生史」。ヘッケルの著書。一八七四年に刊行。猿人からジャワ原人にいたるまでの進化過程を論じている。

一二八　＊草昧　未開。未発達。

＊斥候　戦場で敵の軍隊の動向を探るための見張り兵。

一二九　＊プロテスタント教　三〇五頁「新教」を参照。

一三〇　＊蟠結　わだかまって結び目のように絡まっていること。

＊脈管　つながっている道。

一三一　＊セゾン　saison（仏）季節。

＊鼴鼠　もぐら。

＊顱頂　頭のてっぺん。
＊ロア　roi（仏）国王。
＊ブッフォン　bouffon（仏）道化役者。王の側に控え、冗談などを言って王の機嫌をとる。

一三三　＊ホオフナル　Hofnarr（独）宮廷の道化師。
＊倡優　俳優、役者。ここではブッフォン、ホオフナルに同じ意。
＊けんつく　厳しい小言。
＊サンチマンタル　sentimental（仏）感傷的。
＊メルシイ　merci（仏）ありがとう。
＊鼈甲　ウミガメの甲羅を煮て作る材料。くし、眼鏡の縁、カフスボタンなどに使う。

一三四　＊溜池　東京都港区赤坂溜池町。
＊シャン・ゼリゼェ　Champs-Élysées　パリ市西北部にある大通りで、有名な遊歩道。
＊テアアトル・フランセェ　Théâtre-Français　セーヌ右岸、パレ・ロワイヤルにあるフランス座。
＊ジムナアズ・ドラマチック　Gymnase-Dramatique　新ボン通り、ブールヴァール・ボンヌ＝ヌヴェルにあるジムナーズ座。
＊ジイ・フィロゾフィイ・デス・アルス・オップ　Die Philosophie des Als Ob　ハンス・ファイヒンガー Hans Vaihinger（1852—1933）の著書。「かのようにの哲学」。一九一一

年に刊行。ファイヒンガーはドイツのカント学者でカント教会を設立し、経験界を人類の理論的・実践的・宗教的擬制の体系の上に立てられた「かのようにの世界」だと主張した。

一三五　＊タッス　Tasse（独）紅茶茶碗。

＊アルス・オップ　Als ob（独）あたかも……かのように。

＊コム・シィ　Comme si（仏）あたかも……かのように。

＊ランゲ　Friedrich Albert Lange（1828—75）。ドイツの新カント派の哲学者、経済学者。唯物論《ゆいぶつろん》の限界を明らかにして外界が意識の所産にすぎないと主張し、ファイヒンガーにも強く影響を与えた。著書に「唯物論史」など。

＊湊合　Synthesis（独）の訳語。総合。ランゲの用語で外界についての認識を成立させ、概念を形成する主観の機能を指す。

一三六　＊カント　Immanuel Kant（1724—1804）。ドイツの哲学者。科学的認識の成立根拠について、認識は対象の複製ではなく主観が感覚によって秩序づけることによって成立すると主張。また伝統的形而上《けいじじょう》学を否定し、形而上学の批判哲学を樹立した。著書に「純粋理性批判」「判断力批判」など。

＊プラグマチスム　pragmatisme（仏）三〇四頁「プラグマチスムス」の項を参照。

一三七　＊シュライエルマッヘル　Friedrich Daniel Ernst Schleiermacher（1768—1834）。シュライエルマッハー。ドイツのプロテスタント神学者。宗教改革以後、プロテスタント神学に新しい基礎を与え、近代プロテスタント神学の父と呼ばれる。著書に「宗教論」「独語録」など。

一四〇　*青玉　サファイア。

一四一　*イブセン　Henrik Ibsen（1828―1906）。イプセン。ノルウェーの劇作家。近代劇の祖とされ、個人主義思想に基づいて社会や道徳の矛盾を批判する自然主義の手法で多くの劇を書いた。代表作に「人形の家」「幽霊」「ヘッダ・ガブラー」など。

*儼乎として　厳かに。

*ヒポテジス　hypothesis（英）仮説。

一四二　*道学先生　道徳にこだわって世俗や人情の機微にうとい学者。

*ファナチスム　fanatisme（仏）狂信的な信仰。

一四三　*遵奉　きまりに従って守ること。

阿部一族

一四八　*細川忠利　（1586―1641）細川忠興《ただおき》の三男。元和《げんな》六（1620）年に父の後を継ぎ、寛永九（1632）年肥後五十四万石の領主に任ぜられ熊本城に入った。初代熊本藩主。

*寛永十八年　一六四一年。

*肥後国　旧国名で、現在の熊本県。

*典医　抱えの医者。

＊方剤　調合した薬。

＊島原一揆　島原の乱。寛永十四（1637）年十月に天草および島原の天主教徒が、キリシタン弾圧に反抗して蜂起《ほうき》した内乱。原城に立て籠って頑強に抵抗したが、翌年二月老中松平信綱の指揮する九州諸侯の兵に鎮圧された。

＊天草四郎時貞　益田四郎時貞（1621？―38）。島原の乱の首領。洗礼名ジェロニモ。一揆の際白絹をはおり、額に十字をたて、手に御幣を持って指揮したという。

＊松平伊豆守　松平信綱（1596―1662）。将軍家光の側近から寛永十（1633）年に老中となり、島原一揆、由井正雪の乱（慶安事件）の際に手腕を示した。

＊阿部豊後守　阿部忠秋（1602―75）。武蔵忍《むさしおし》の城主。寛永十二（1635）年に老中となった。

＊阿部対馬守　阿部重次（1598―1651）。武蔵岩槻《いわつき》の城主。寛永十五（1638）年に老中となり、慶安四（1651）年家光に殉死した。

＊沙汰書　主君や官府の指令、指図を示した書類。

＊針医　鍼《はり》治療をする医者。

＊下向　都から地方へと赴くこと。

＊上使　江戸幕府から諸大名などに上意を伝えるために派遣した使者。

＊添地　江戸時代、各役所の屋敷に付属している土地のこと。

＊熊本花畑　現在の熊本市花畑町。熊本城本丸の南方で、藩主の別邸があった。

一四九 ＊申の刻　午後四時前後（正確には午後三時から五時までの間）。

＊今年十七〔二十三〕歳　細川光貞（1619―49）は、正しくは二十三歳。作者の誤記と思われる。以下誤記と思われるところは〔　〕で補った。

＊遠江国　旧国名で、現在の静岡県西部。

＊訃音　訃報。死亡の知らせ。

＊立田山の泰勝寺　現在の熊本市黒髪町にある熊本城東北の竜田山にあった細川藤孝（幽斎）の菩提寺《ぼだいじ》。藤孝の法号から泰勝院と名付けられた。京都妙心寺の末寺。

＊妙心寺　京都市右京区にある臨済宗妙心寺派の大本山。臨済宗最大の伽藍《がらん》を持つ。延元二（1337）年に創建され、豊臣秀吉らの援護によって再興した。

＊三斎　細川忠興（1563―1645）。細川藤孝（幽斎）の長男で、織田信長に仕えた。妻は明智光秀の娘玉（のちガラシヤ）。のち豊臣秀吉、徳川家康に仕え、関ヶ原の戦では東軍で功をあげたことにより豊前《ぶぜん》・豊後《ぶんご》に四十万石を拝領した。また、当時屈指の文化人としても知られる。

一五〇 ＊飽田郡春日村岫雲院　現在の熊本市春日三丁目にある臨済宗大徳寺派の寺院。

＊荼毗　死骸《しがい》を火葬すること。

＊高麗門　熊本城南西隅の外門。

＊霊屋　御霊をしずめ祀《まつ》る所。

＊沢庵和尚　沢庵宗彭《そうほう》（1573―1645）。江戸初期の臨済宗の僧。三十五歳で大徳寺の第一

座、堺《さかい》の南宗寺の住持となる。大徳寺の後継問題で幕府とあらそい（紫衣事件）、寛永六（1629）年出羽に流されたが、のち許されて家光の厚遇をうけ、東海寺の開山となった。

一五一　＊方目　「方目」は鳥の名で、みぞこひ。ここでは鷭《ばん》の意味に用いられている。鷭はツル目クイナ科の鳩《はと》くらいの大きさの水鳥で、日本には夏に飛来する。

＊児小姓　元服前の年若の小姓。

＊井筒　井戸の地上に出口を木や石で囲んだ円形や方形になった部分。

＊鷹匠衆　主君の鷹を預って馴育《じゅんいく》し、鷹狩（飼いならした鷹を放って野禽《やきん》や小獣を捕えさせる狩猟のこと）に従事する人々。

一五二　＊中陰　人の死後四十九日の称。七日ごとに法事を行なう。仏教で人が死んでから前生での報いが定まって未来の生を受けるまでの間とされる。

＊勤行　仏前で読経《どきょう》、礼拝などの勤めを行なうこと。

＊初幟の祝　男児の初節句に幟を立てて祝うこと。

＊死天の山　死出の山。仏教の「十王経」に説く死後初七日に秦広王の庁に至る間にある険しい山。

＊三途の川　人が死んで七日目に冥土《めいど》に行くまでに渡るとされる川。

＊名聞　世間の評判。名誉。

＊抜駈　戦陣で軍令によらずに他を出し抜いて先駆すること。

一五三　＊値遇　人から認められて優遇されること。

＊仏涅槃　「涅槃」は仏教にいうニルヴァーナで、煩悩《ぼんのう》を断じた絶対的静寂の境地。転じて仏陀《ぶつだ》や聖者の死を意味する。

＊大乗の教　仏教の二大流派の一。紀元一、二世紀ごろ起こり、それまでの出家者中心・自利中心であった小乗の教えに対し、利他救済の立場に立って、広く人間の平等と救済に関する教義を説いた。

＊懸許　許可を垂れること。

＊金口　釈迦《しゃか》の口。転じて仏の説法。仏がそなえているという三十二相のひとつとして、その身が黄金色であるところからいう。

＊机廻りの用　日夜主君の側《そば》近くに仕えて雑務につく近習役のこと。

＊本復　病気が全快すること。

一五四　＊推参　さしでがましく、無礼なふるまい。

＊情の剛い　強情である。執念深い。

一五五　＊備後畳　備後（現在の広島県東部周辺の旧国名）産の畳。最高級品。

一五八　＊吊葱　忍草をたばねて種々の形に整え、涼を添えるために軒先に吊すもの。

＊手水鉢　手水を入れておく鉢。手洗い。

＊捲物　杉や檜《ひのき》を薄く加工して曲げて作った木製品。

＊一時　一日を十二時に分け、十二支で表した。現在の二時間に当たる。

一五九　＊いかい　形容詞「いかし（厳し）」の口語化したもので、たいそう、ひどくの意。

一六〇　＊東光院　現在の熊本市東子飼町にある日蓮宗の寺院。

＊歯せぬ　「歯」は同類、仲間の意。仲間としないこと。

＊治乱　世の中が治まっていることと乱れていること。

一六一　＊人情世故　人間が本来もっている思いやりやいつくしみの心と世の中の様々なことがら。

＊通達　滞りなく行き届くこと。

一六二　＊尾張国　旧国名で、現在の愛知県西部。

＊今川家　駿河《するが》国の守護、戦国大名。義元の代に遠江《とおとうみ》、三河にまで勢力を張ったが、永禄三（1560）年の桶狭間《おけはざま》の戦に織田信長に敗れて衰退した。

＊朝鮮征伐　豊臣秀吉の朝鮮出兵、文禄・慶長の役のこと。文禄元（1592）年から慶長三（1598）年。

＊加藤嘉明　（1563—1631）安土桃山時代の武将。豊臣秀吉に仕え、賤《しず》ヶ岳《たけ》の七本槍《やり》として知られ、朝鮮出兵に際しては船奉行として水軍を率い軍功があった。のち関ヶ原の戦では徳川家に従い会津若松四十八万石の藩主となった。

＊大阪籠城の時　大坂冬の陣・夏の陣。慶長十九（1614）年から翌年にかけて江戸幕府が大坂城に籠城した豊臣氏を滅ぼした合戦。

＊後藤基次　（1560？—1615）黒田孝高《よしたか》、長政父子に仕えた武将で、豊臣秀吉の九州攻め、文禄の役に従軍し、関ヶ原の戦でも戦功をあげた。のち浪人して豊臣秀頼に招かれ、大

坂夏の陣で戦死した。

＊横目役　目付の指揮を受けて監察にあたる警察役のもの。

＊加藤清正　（1562―1611）幼少から豊臣秀吉に仕え、朝鮮出兵の際戦功をあげ、関ヶ原の戦では徳川家康に味方し、熊本城五十二万石の城主となった。

＊忠広が封を除かれた時　清正の長男（一説に三男）忠広（1601―53）は慶長十六（1611）年の清正の死後十一歳で家督を継いだが、藩内抗争が続き藩政の混乱を招いたため、幕府の豊臣系大名の一掃策もあり寛永九（1632）年に改易された。

＊先登　真っ先に物事を行なうこと。

＊宗像中納言氏貞　（？―1586）筑前宗像神社の大宮司。宗像氏は在地領主となり鎌倉幕府御家人となったが、次第に勢力が衰えて氏貞の死後は没落した。

一六三

＊出雲国　旧国名で、現在の島根県東部。

＊尼子　戦国時代の豪族。近江守護京極高秀の子高久が同国犬山郡尼子庄に住し尼子氏と称したのにはじまり、その子持久は出雲守護代となり、子清定が興隆の基礎を固めた。一時衰えた家勢を勝久が再興したが、天正六（1578）年毛利氏に滅ぼされた。勝久を助けて戦った山中鹿之介《しかのすけ》らの尼子十勇士が有名。

＊知行　将軍・大名が家臣に俸給として土地の支配権を与えること。また、その領地のこと。

＊側役　主君のすぐ近くに仕える近習役。

＊城の太鼓　時刻を知らせるため、通常一時間間隔で鳴らされた太鼓。
＊切米　知行を持たない中・下級武士に、年俸として与えられる扶持米《ふちまい》。
＊阿菊物語　元和元（1615）年に成立した写本。大坂落城の折の見聞記。当時城中で淀君《よどぎみ》に仕えた二十歳の侍女の眼から見た戦争記録として、天保八（1837）年に、おなじく関ヶ原の役の見聞を誌した「おあん物語」と合本で刊行された。
＊愛宕山　京都市北西部にある標高約千メートルの山。愛宕神社がある。
＊安座　あぐらをかくこと。
＊追腹　臣下が主君の後を追って切腹すること。殉死。
＊小脇差　脇に差す小刀のうち短いもの。
＊丹後国　旧国名で、現在の京都府北部。
＊三斎公　三一三頁の注参照。
＊仲津　現在の大分県中津市。細川忠興の隠居城があった。
＊狼藉者　乱暴する者。暴れ者。

一六四

＊奥納戸役　奥向きの衣服や機材を管理出納《すいとう》する役。
＊大伴家　豊前守・鎮西奉行として代々西国に重きをなしたが、義統《よしむね》の時、豊臣秀吉に領地を没収された。
＊南郷下田村　現在の熊本県阿蘇《あそ》郡長陽村。
＊庭方　花畑屋敷の南側にある庭園を管理、監視する役。

一六五　＊犬牽　犬飼に同じ。鷹狩のときに鳥を追わせるための猟犬を飼い馴《な》らす人。
＊追廻田畑　花畑屋敷の後方にあり、農作業の実態と作況を知るために設けたという。「追廻」の名は馬術の稽古《けいこ》場であったことから。
＊浅葱　薄い葱《き》の葉の色。薄い藍色《あいいろ》。みずいろ。
＊下司　身分の低い家来のこと。
一六七　＊触組　決まった役職を持たず、欠員が生じた場合の補充要員。
＊夜伽　警護や看護のために夜中付き添うこと。
一六八　＊小姓　主君の側に仕えて雑用をする武士。
＊肯綮に中っていて　「肯」は骨につく肉、「綮」は筋と肉が結合する所の意で、「肯綮」は物事の急所、肝心な所をいう。「肯綮に中る」とは意見や批判などが急所をついてうまくあたること。
＊間然すべき所　非難されるべき欠点。
一七一　＊山崎　現在の熊本市山崎町。忠利の居館があった熊本城の南側の地域を指す。
＊新知　新しく受ける知行。新領地。
＊五月闇　梅雨のころ晴れ間なく昼もなお暗いこと。
一七三　＊慥かな槍一本　信頼できる武将一人。弥五兵衛自身を指す。
一七四　＊作事　家屋を造ったり修理したりすること。普請《ふしん》。
＊入魁　懇意、親密にすること。

一七五　＊小身もの　地位が低く、俸禄《ほうろく》が少ない者。

＊大目附役　重役の一で、家老、中老と同席して政治の参議を見聞する役。

＊苛察　細かいところまで厳しく詮索《せんさく》すること。

一七六　＊怏々として　不平不満があり満足しないさま。

＊向陽院　現在の熊本市横手にある。忠利の菩提寺《ぼだいじ》妙解寺建立《こんりゅう》に先立ってその子院として建てられた。忠利の位牌《いはい》を安置したと伝えられる。

＊堂宇　壮大な建物。殿堂。

＊紫野大徳寺　京都紫野にある臨済宗大徳寺派の大本山。十四世紀初頭に始まり十五世紀には一休らによって再興された。

＊御紋附上下　紋所を染め抜いた上下の衣服。上下は江戸時代の武士の礼装で同じ染色の肩衣《かたぎぬ》と袴《はかま》を小袖《こそで》の上に着る。

＊時服　季節に合わせて着る衣服。

＊馬廻　主君の乗馬の際に近くで護衛にあたる武士。

＊長上下　肩衣と同じ地色の長袴。

＊徒士　徒歩で行列の先頭を勤めた武士。

＊半上下　肩衣と同じ地色の小袴。目見得以下の武家や庶民の礼服。

一七七　＊御香奠　死者の霊に供する香の代わりに供える金品。

＊髻　髪を頭頂部に束ねた部分。髻を切ることは出家を意味する。

一七八 ＊詰衆 主君の側に詰めていた当直の警備役。
＊瑕瑾 短所。欠点。
＊おし籠め 江戸時代の刑罰の一つで、一定期間門を閉ざして出入りを禁ずるもの。
＊桑門 僧侶《そうりょ》。出家した人。

一七九 ＊井手の口 現在の熊本市大江町。昔この場所に刑場があった。
＊奸盗 悪がしこい盗賊。

一八〇 ＊側者頭 月番で殿中の警備にあたる者の長。
＊小頭 側者頭の副役。
＊譜第 譜代。代々その主家に仕える家臣。
＊乙名 武家の家臣のかしらとなる人物。家老・年寄など。
＊廻役 夜廻をつかさどる人。

一八一 ＊究竟 屈強。きわめて力が強いこと。
＊小西行長 (?—1600) 天正十六(1588)年肥後宇土十二万石の領主となり、文禄・慶長の役では一番隊として出陣。関ヶ原の戦で敗北し京都六条河原で斬首《ざんしゅ》された。キリシタン大名。

一八三 ＊更闌けて 「更」は日没から日出までを五等分して呼ぶ時刻の名称で、「闌く」とは、たけなわになるの意。夜ふけて。
＊抜足 音を立てないようにそっと足を抜くように上げて歩くこと。

*長押　和風建築で、鴨居《かもい》の上や敷居の下などの側面に取り付けた、柱と柱の間をつなぐ水平材。

*手槍　柄が細く短い槍。

一八四 *細川高国　（1484—1531）戦国期の武将。足利幕府の管領《かんれい》細川政元の養子となり、のち管領となった。享禄《きょうろく》四（1531）年に細川晴元と戦い敗れて摂津尼崎で自刃《じじん》した。

*摂津国　旧国名で、現在の大阪府、兵庫県の一部。

*河内　旧国名で、現在の大阪府東部。

*竹内越　現在の奈良県と大阪府の県境にあり、当時の河内国と大和国をつなぐ交通の要衝。

*紀伊国太田の城　現在の和歌山市太田にある。豊臣秀吉が天正十三（1585）年に雑賀《さいか》衆を攻略した紀州攻めの際、水攻めにより落城。

*白練　練糸で織った白地の絹織物。

*李王宮　李氏朝鮮の王家の宮殿。現在のソウルにあった。

*豊前　旧国名で、現在の福岡県東部、大分県北部。当時忠興は豊前小倉城主であった。

一八五 *猩々緋　黒みをおびて、あざやかな深紅色。

*柳川　現在の福岡県柳川市。

*立花飛騨守宗茂　（1569—1642）はじめ豊臣秀吉に仕え柳河十三万石を領したが、関ヶ原の戦で西軍につき所領を没収された。大坂の陣では家康に味方し、柳河十万九千石に

復し、寛永八年飛騨守に任ぜられ、同十五年に島原追討に従った。
＊感状　戦での功績に対して与えられる文書。
＊関兼光　室町時代中期の関派の刀工、関兼元のことか。
＊直焼無銘　「直焼」は刀の刃の焼き方。刃文（刃の上にある波紋のような模様）を真っ直ぐにあらわすもの。乱焼に対していう。「無銘」は刀に刀工の記名がないこと。
＊横鑢　茎《なかご》（刀身の柄《つか》に入った部分）を仕上げたやすり目が、刀身に対して水平に施してあるもの。
＊銀の九曜の三並の目貫　「目貫」は刀の柄を刀身に固着するための金具。目貫に銀を用いて細川家の家紋である九曜星をかたどった三組の紋を配したもの。
＊赤銅縁、金拵　刀の外装を黄金の金具で装飾し、赤銅で縁どってあるもの。
＊奸物　悪知恵が働く人。
一八六　＊出格　通例から外れていること。別格。
＊物怪の幸　思いがけなく得た意外な幸い。
一八七　＊極印　消せないしるしや証拠。
一八八　＊名香初音　興津《おきつ》弥五右衛門が細川忠興の命により長崎で買い付けたという伽羅《きやら》の銘木。鷗外の「興津弥五右衛門の遺書」に「希代の名木なれば『聞く度に珍らしければ郭公《ほととぎす》いつも初音の心地こそすれ』と申す古歌に本づき、銘を初音と附けたり」とある。
＊合印の角取紙　味方の目印として肩に付ける四隅を切った方形の紙。

＊正盛　文亀《ぶんき》・永正（1501―20）ごろ備後《びんご》（現在の広島県三原市周辺）に居住していた流派から出た有名な刀工。

＊男結　ひもの結び方の一つで、右端を左端の下に回し、さらに右に返して輪を作り、左の端を通して結ぶ方法。解けにくいので垣根・矢来・門松などを結ぶときに用いる。

一八九　＊近江国和田　「近江国」は旧国名で、現在の滋賀県。同県甲賀郡甲賀町和田。

＊蒲生賢秀　（1534―84）近江蒲生郡日野城主。織田信長に仕え、天正十（1582）年の本能寺の変の際には信長の家族を日野城にかくまった。

＊与一郎忠隆　（1581―1646）細川忠興の長男。長岡忠隆。妻は前田利家の娘。関ヶ原の戦では東軍に従い、戦後は山城北野で過ごした。

＊慶長五年　一六〇〇年。関ヶ原の戦の際。

＊入道　在家のまま出家の相をなす者。

＊番頭　殿中、営中に宿直勤番して雑務・警備をつかさどった番衆の長。

＊黒羽二重　羽二重は経糸《たていと》・緯糸《よこいと》に撚《よ》りをかけない生糸を用いて平織りにした、緻密《ちみつ》で肌触りの良い上質な生地。柔らかく上品な光沢があり、紋付の礼装に用いる。

＊備前長船の刀　備前国（現在の岡山県南東部）長船在住の刀工が造った刀。

＊十文字の槍　普通の槍の穂先の下方に左右の枝がついた十文字の形をした槍。

＊大袈裟に切った　袈裟をかけるように一方の肩から他方の腋《わき》へ斜めに大きく切ったの意。

一九〇　＊箙　背中に負って矢を携帯する器。

＊半弓　大弓《だいきゅう》に対して短い弓で、座った姿勢で矢を射ることができる。

＊麦秋　ばくしゅうとも読む。麦の収穫時である初夏の頃をさす。

＊蜘のい　蜘蛛の巣。

一九一　＊貫の木　閂《かんぬき》のこと。門や建物の扉を閉ざすための横木。

＊好うわせた　よくおいでくださった、の意。「わす」は「おはす」の約で、来るの意の敬語動詞。

＊しざって　退る。あとへ引き下がって。後退して。

一九二　＊ひはら　脾腹《ひばら》。脇腹《わきばら》のこと。

一九三　＊槍脇を詰めて　槍をふるう主人のすぐそばにいて。

一九四　＊未の刻　午後二時前後（正確には午後一時から三時までの間）。

一九五　＊執奏　主君に取り次いで申し上げること。

＊突居た　「つい」は「突き」の転の接頭語で、ひざまずく、かしこまって座ること。

＊水落　みぞおち。胸骨の下の方にある急所で、胸の中央のくぼんだ部分。

一九六　＊新免武蔵　宮本武蔵（1584？—1645）。江戸時代初期の有名な剣客で、二天流をあみだした。寛永十七（1640）年に細川忠利の客分となり、禄高三百石十人扶持大組頭格に任じられた。

一九七　＊元亀天正の頃　元亀、天正はともに年号（1570—91）。元亀元年は一五七〇年、その五年前は将軍足利義輝が弑《しい》された年である。天正の最後の年（十九年）は一五九一年、この年に豊臣秀吉の養子秀次が関白に任じられた。「元亀天正の頃」はいわゆる戦国時代で、織田信長と秀吉が相次いで全国を平定した時期にあたる。
＊城攻野合せ　城に攻め込んだり、平地で合戦をすること。
＊茶の子の茶の子の朝茶の子　「茶の子」は朝飯、または朝飯前に仕事をする時などに食べる簡単な茶漬。腹にたまらないことから、容易にできることの意。お茶の子さいさい。
＊正保元年　一六四四年。
＊府外　「府」は、ここでは熊本の城下町のこと。「府外」はその外。
＊益城小池村　現在の熊本県上益城郡益城町小池。
＊閉門　江戸時代の刑罰の一つで、武士や僧侶《そうりょ》に科された監禁刑。門を閉ざして昼夜出入りを禁じること。
＊白川　阿蘇から熊本城下を北西から南東に流れる川。

堺事件

二〇〇　＊徳川慶喜　(1837—1913)　十五代将軍。慶応三(1867)年、大政奉還を行なうが、王政復古の大号令や鳥羽・伏見の戦いにより、朝廷に対して恭順した。江戸幕府最後の将軍。
＊伏見、鳥羽　戊辰《ぼしん》戦争の発端となった鳥羽・伏見の戦のこと。慶応三年十二月、薩摩《さつま》藩などの倒幕派が、徳川慶喜に辞官・納地（内大臣の官位辞退と、領地の返上）を求めたが、慶喜はこれに応じず、大坂城に移り権力奪還を画策。翌年一月三日、幕府軍は京都

南郊の鳥羽・伏見で薩摩・長州両軍と衝突したが、大敗。翌日、薩長軍は朝廷からの錦《きん》旗《き》を受けて官軍となり、六日幕府軍は敗走した。これに伴い、慶喜は大坂城から海路で江戸へと逃げ戻った。

＊薩摩　旧国名で、現在の鹿児島県西部。島津藩。

＊長門　旧国名で、現在の山口県北西部。毛利藩。

＊土佐　旧国名で、現在の高知県。山内藩。

＊陣所　兵の集まる所。

＊与力　役所の奉行などに属し、民政・警察のことなどを補佐した職務。

＊同心　多くの場合、与力の配下で、警衛などにあたった職務。

＊大目附　主に、藩士の監察にあたった職務。

＊目附　大目附の下で、監察の実行にあたった職務。

＊総会所　市制の長老として堺の南北二郷を代表する総年寄が市政に関する事務を処理する役所。櫛屋《くしや》町の総会所は北組のもの。

＊軍監府　土佐藩が堺に出張する兵を監察し、町政を取り締まった役所。

＊河内　旧国名で、現在の大阪府東部。

＊大和　旧国名で、現在の奈良県。

＊町年寄　一般には、江戸時代、町奉行の支配を受け、町内の令達収税を掌《つかさど》った町役人をいう。大阪では総年寄と称し、この場合の町年寄はいわば江戸の町名主にあたる。

＊摂津　旧国名で、現在の大阪府、兵庫県の一部。
＊天保山　現在の大阪市港区淀川《よどがわ》の支流安治川《あじがわ》の河口の左岸にある小丘。幕末には砲台が築かれた。
＊大和橋　堺市の北端を流れる大和川に架かる橋。大阪南部と堺を結ぶ。
二〇一 ＊外国事務係　明治元（1868）年、外交をつかさどる政府機関として置かれた外国事務科の一つ。外国事務科は、のち外国事務局と改称。
＊免状　外国人が、国内の旅行に必要な許可証。当時、居留地以外の居住・旅行は制限されていた。
＊扼して　要所をおさえて。
＊通弁　通訳。
＊端艇　陸と停泊中の本船との間を行き交う、小舟。
二〇二 ＊鳶の者　建築、土木工事の作業などを行なう者。江戸時代における消火は、彼らによる破壊消防が中心だったため火消しの別称でもある。
＊鳶口　樫《かし》の棒の先に鉄製の鉤《かぎ》をつけたもの。消防用の道具。
二〇三 ＊松山藩　伊予（現在の愛媛県）松山十五万石。戊辰《ぼしん》戦争後、朝敵として一時高知藩に軍事占領された。廃藩後は、松山県となる。
＊錦旗　赤地の錦《にしき》の地に日月の章をつけた旗。官軍の標《しるし》。
＊下横目　大目附、目附の下につき、監察組織の末端を担《にな》う職務。

＊斥候　敵状・地形などの状況を偵察させるために派遣するもの。
＊台場　砲台を据えつけた場所。
＊岸和田藩　和泉《いずみ》（現在の大阪府南部）岸和田藩五万三千石。
二〇四　＊蔵屋敷　藩が、年貢《ねんぐ》米・特産物（蔵物）を取引するための場所。保管・販売を兼ねた。
＊住吉街道　堺と大阪を結ぶ街道。紀州街道の一部。
＊なかし商　仲士商。荷物を、船から蔵屋敷への水揚げを担当する商人。
＊未の刻　午後二時前後（正確には午後一時から三時までの間）。
二〇五　＊勤事控　停職。謹慎を命じる措置。
＊煩累　面倒。心配。
＊誰何　姓名・身分を問いただすこと。
＊山内土佐守豊信　（1827―72）号は、容堂。土佐高知二十四万二千石の前藩主。後藤象二郎・坂本竜馬等の建議を受けて、徳川慶喜に大政奉還を申し立てた。徳川家の保全に勤めるものの、失敗。当時、病臥《びょうが》中であった。
＊公使 Léon Roche　レオン・ロッシュ　（1809―1901）フランスの外交官。元治元（1864）年、駐日フランス公使として来日。反幕的なイギリスのパークスと対抗し、下関砲撃事件などにおいて幕府を支援した。本国の政策転換のため、明治元（1868）年帰国。
＊朝議　朝廷の会議。
二〇六　＊勇怯　勇気と臆病《おくびょう》。

＊土居徳太郎　土居八之助と垣内徳太郎が併さってしまったもので、作者の誤記と思われる。以下、誤記と思われるところは〔　〕で補った。

二〇七

＊預け　江戸時代の刑事的処分のひとつ。未決囚や罪人を、私人や団体に預け拘留・監禁すること。

＊北山道　伊予（愛媛県）から高知城下に至る道。

＊遠足留　遠方への外出を禁止すること。

＊平常の通心得べし　謹慎から、平常通りの勤務と生活を許されること。

＊佩刀　腰に帯びる大小の剣。

二〇八

＊土佐守豊範　（1846―86）土佐第十六代藩主。安政六（1859）年、豊信（容堂）の隠居とともに家督をつぐ。当時十三歳。

＊御所労　御病気。

＊上裁　上の裁決。

二一〇

＊船牢　船の中に監禁すること。

＊以後別儀なく申し付ける　一切の処罰は終わったので、従来通り勤務するよう申し渡す。

＊故旧　以前からの知人。

＊髻　頭髪を集めたばねて結んだところ。

二一一

＊お構の身分　追放。ここでは有罪の身分ということ。

＊推参　自分の方からおしかけて訪問すること。

二一四　＊御名代　山内豊信の代理のこと。この場合、家老深尾鼎。
＊お上御両所　前藩主の山内豊信と現藩主の山内豊範。
＊大守様　十万石以上の国主大名をいう。ここでは山内豊範を指す。
＊御不例　御病気。
＊君辱しめらるれば臣死す　主君が恥辱をうければ、臣下は命を投げ出してもその恥をそそがねばならないということ。「国語」越語「范蠡《はんれい》曰、為二人臣一者、君憂臣労、君辱臣死」による。

二一五　＊微衷　自分の真心の謙譲語。
＊出格の御詮議　特別の扱い。
＊行住動作　日常の行動。

二一六　＊高足駄　高下駄。士分の者にのみ許された。
＊留守居　藩の江戸屋敷で、幕府・他藩などとの連絡にあたった職務。主に外交を担当し、儀式や作法に精通していた。

二一七　＊陣笠小袴　「陣笠」は陣中で兜《かぶと》のかわりにかぶった笠、「小袴」は足元の裾《すそ》に縁をつけた袴。
＊持鑓　自分の鑓。
＊後押　最後尾を守るための軍勢。
＊高張提灯　長い竿《さお》の先につけて高くあげるようにこしらえた提灯。

＊長径　先頭から後尾までの距離。

＊五丁　「丁」は尺貫法の長さの単位で、一丁は六十間で約百九メートル。「五丁」は約五百五十メートル。

二一八

＊妙国寺　現在の堺市材木町東三丁目にある大寺。日蓮宗本山。

＊扈従格　「扈従」とは主君の傍らにひかえ、警備その他を勤め、主君の外出に随行もする。「扈従格」とは、その身分のこと。

二一九

＊侍読　藩主などに学問を教授する学者。

＊文館　文久元（1861）年、文武館として設置された土佐藩の藩校。のち致道館と改称。

＊馬廻格　騎馬で主君の護衛にあたる平士の格。

＊腹稾　あらかじめ心中で考えておいた詩文。腹案。

＊七絶　七言絶句。漢詩の一体で、起承転結の七言四句よりなる。

＊除却妖……不足論　「妖氛を除却し国恩に答う。決然、豈に人言を省す可けんや。唯だ大義をして千載に伝えしむ。一死、元来論ずるに足らず」。「妖氛」は、なにか悪い事でも起りそうな怪しい気配の意で、死を賭《と》して攘夷《じょうい》に尽力する覚悟を披瀝《ひれき》した詩。当時、国内は急速に開国への道に進もうとしていた。

二二一

＊幔幕　幕の一種。式場などで張り巡らす幕のこと。

＊苫　菅《すげ》・茅《かや》などを編み屋根を覆《おお》うのに用いるもの。

＊宝珠院　現在の堺市宿屋町東にある、真言宗の寺。

二三三　＊午の刻　真昼の十二時前後（正確には午前十一時から午後一時までの間）。
＊刀の下緒　刀の鞘《さや》の孔に通して下げる緒。
＊臨検の席　切腹の際、それを見届けるための検使が立ち会う場所。
＊床机　野外で用いる腰掛。
二三四　＊因幡　旧国名で、現在の鳥取県東部。鳥取池田藩三十五万五千石。
＊備前　旧国名で、現在の岡山県南東部。岡山池田藩三十一万五千石。
＊未の刻　午後二時前後（正確には午後一時から午後三時までの間）。
＊申の刻　午後四時前後（正確には午後三時から午後五時までの間）。
二三五　＊四方　儀式において、物を載せるための台。
＊大網　胃から垂れ下がった腹膜のひだ。
二三六　＊三間　「間」は尺貫法の長さの単位で、一間は六尺で約一・八メートル。「三間」は約五～六メートル。
二三七　＊包擁　だきかかえるように取り囲むこと。
＊とても　どうせの意。
二三八　＊肥後　旧国名で、現在の熊本県。
＊安芸　旧国名で、現在の広島県西部。
＊吉左右　吉報。「左右」は結果・状況などについての知らせ、たよりの意。
＊子の刻　真夜中の十二時前後（正確には午後十一時から午前一時までの間）。

二二九
＊朝旨　朝廷の意向。
＊早追　急用の際、急ぎ駕籠《かご》を走らせること。
＊赤穂浪人　元禄十五（1702）年十二月十四日、主君浅野長矩《ながのり》の敵吉良義央《きらよしなか》を討った大石内蔵助《くらのすけ》良雄ら元赤穂藩士四十七人のこと。吉良を討った後、切腹を命じられるまで細川家には大石良雄以下十七人が預けられた。
＊井伊掃部頭　（1815—60）井伊直弼《なおすけ》。幕末期の大老で、彦根三十五万石の城主。ハリスとの日米修好通商条約を勅許なく締結、反対派を厳しく弾圧した（安政の大獄）ため、水戸浪士に暗殺された（桜田門外の変）。
＊水戸浪人　関鉄之介ら水戸藩士十七人と薩摩藩士有村次左衛門は、万延元（1860）年に登城途中の井伊直弼を桜田門外で暗殺。事件後、細川家には計八人が預けられた。
二三〇
＊敷畳をする　夜具を敷きたたむこと。
＊焼物　あぶって焼いた魚肉・鶏肉などの料理。
＊徒士　騎馬を許されない下級武士。
＊七菜二の膳附　もてなしのため、本膳に添えて二の膳が出ること。豪華な食事。
＊宰領　流罪に処せられた人の護送を監督する職務。
＊木津川口　木津川は淀川の分流。土佐藩邸の西を流れ、大阪湾に注ぐ。
＊千本松　木津川河口の目標として設けた石垣千本松。現在の大阪市西成区南津守付近。
＊浦戸　現在の高知市浦戸。

＊松が鼻　高知城下町東端の埠頭《ふとう》。現在の高知市。
＊帯屋町　現在の高知市帯屋町。
＊巳の刻　午前十時前後（正確には午前九時から午前十一時までの間）。
＊巳の刻半　一刻の真ん中を半と呼ぶ。午前十時頃。
＊扶持切米　切米（俸禄として支給された米）と扶持（手当てとして別に支給された米、または金銭）。扶持は一人一日玄米五合の割合で毎月支給、切米は春夏秋の三期に分割支給された。
＊渡川　現在の高知県土佐湾に注ぐ四万十《しまんと》川のこと。

二三一
＊介補　援助。
＊幡多中村　現在の高知県中村市中村。
＊蟄居　外出を禁じられ、一室に謹慎させられること。
＊土佐郡朝倉村　現在の高知市朝倉。
＊幡多郡入田村　現在の中村市具同。

二三二
＊法会　死者の供養《くよう》。
＊四書　大学・中庸・論語・孟子《もうし》の総称。
＊素読　文意を解釈することなく、文字だけを声を出して読むこと。
＊時疫　流行病。
＊御用召　出頭しなさいという命令の通達。

＊各通　各自に、同じ文で知らせた通知。
＊帰住御免　流刑地からの帰還を許可すること。
＊兵士某父に被仰付　「兵士某」が父になることを認める。
＊以前之年数被継遣之　就役中の年数をこれに加算する。
二三三　＊三等下席　身分の呼称。明治二年に定められた士族の位。士族という名称は、昭和二十二（1947）年に消滅する。
＊七石三斗　「石」「斗」は尺貫法の体積の単位で、主として米穀を量るのに用いられた。一石は十斗で、一斗は十升。

余興

二三六　＊柳橋　東京都台東区浅草柳橋。隅田川に合流する神田川の川口に架かる橋の名で、江戸時代から花柳界の地として有名。
＊亀清　柳橋にある隅田川に面した著名な料亭。
＊裸裎　はだぬき。はだか。
＊技手　運転手。
＊絽　搦《からみ》織物の一種。一本の経糸《たていと》に一、二本の経糸がからみながら緯糸《よこいと》と組み合うため、透き間が生じ、横の縞目《しまめ》が現れる。夏季の衣料として用いることが多い。
＊下足札　寄席《よせ》や料亭などで、履き物を預けた際に、渡される札。

*鼠頭魚　硬骨魚綱スズキ目キス科に属する海水魚。体は筒型で長く、口は小さい。

二三七

*家令　皇族や華族の家の事務や会計を管理する人。

二三八

*承塵　長押《なげし》。柱と柱とをつなぐ水平材。

*不折まがい　「不折」は中村不折（1866—1943）のこと。洋画家。本名は鈼太郎《さくたろう》。太平洋画会を主宰、また書家としても知られ、鷗外の墓碑銘を書いた。「まがい」は似せること。

*辟邪軒秋水　桃中軒雲右衛門（1873—1916）のことか。雲右衛門は「武士道鼓吹《こすい》」と称し、「義士伝」を中心に据えて口演した。

*浪界　浪花節《なにわぶし》界。浪花節は、曲師の弾く三味線に節をつけてうたう部分と啖呵《たんか》という語りからなる、唄入りの語り芸。

*泰斗　泰山や北斗のように、その道で世人から最も仰ぎ尊ばれている権威者。

*由井正雪　（1605？—51）軍学者。幕府覆滅を図った慶安事件の主謀者。事件発覚後、自刃《じじん》。

*ワグネル　Richard Wagner（1813—83）ワグナー。ドイツの作曲家。音楽、演劇、詩歌を総合して楽劇を創始した。「タンホイザー」「トリスタンとイゾルデ」「ニーベルンゲンの指輪」などの作がある。

*トリスタン　Tristan　ワグナーの「トリスタンとイゾルデ」三幕の登場人物。騎士トリスタンは敵国の王女イゾルデと恋に落ち、家臣の裏切りにより発覚。トリスタンは剣

に倒れ、イゾルデも後を追うように死ぬ。

二三九　＊清元　浄瑠璃《じようるり》の流派の一つで、清元節。特色として他流に比べ、発声や節回しに装飾技巧が多く、三味線の音色も緩急強弱の表情が多い。

＊脂粉の気　「脂粉」はべにとおしろい、転じて化粧の意。女らしいなまめかしさ。

＊唾壺を撃砕する底　「唾壺」は唾吐《つばは》き。中国ではこれを打ち拍子をとる。王処仲は酒後毎《ごと》に、如意棒《によいぼう》で唾壺を打ち、拍子をとったが、壺の口がすっかり欠けてしまったという（『世説』）。

二四〇　＊堅坐　二膝《ふたひざ》を立てて脚を並べる坐り方。

二四二　＊告別の詞　「告別」は別れを告げること。ここでは聴衆に向かっての終わりの挨拶《あいさつ》。

＊恬然　安らかで静かな様。平気でいる様。

じいさんばあさん

二四六　＊文化六年　一八〇九年。

＊麻布竜土町　現在の東京都港区六本木。

＊三河国奥殿　「三河」は旧国名で、現在の愛知県東部。同県岡崎市奥殿町。

＊松平左七郎乗羨　（1790—1827）三河奥殿藩一万六千石松平家第六代。享和二（1802）年から文政十（1827）年まで当主。

二四七　＊御殿女中　宮中・将軍家・大名の奥向きに仕える女中。

二四八

＊打粉　刀剣を研ぎまたは手入れする時に用いる砥粉《とのこ》。

＊菩提所　死者の冥福《めいふく》を祈って供養《くよう》を行なう場。ここでは、一家が代々その寺の宗旨に帰《き》依《え》し、そこに墓所を定め法事などを依頼する菩提寺のある場所。

＊青山御所　現在の東京都港区赤坂にあった、英照皇太后（孝明天皇皇后）の御所。

＊赤坂黒鍬谷　現在の東京都港区赤坂。

＊歳暮拝賀　幕府年中行事の一つで、十二月二十八日に諸大名が登城し歳暮の祝儀《しゅうぎ》を述べる儀式。

＊徳川家斉　（1773―1841）江戸幕府第十一代将軍。天明七（1787）年から天保八（1837）年まで在位した。

＊銀　元文丁銀。下賜《かし》銀は豆板銀ではなく、丁銀であった。

＊西丸　江戸城の一郭で本丸の西南方に位置する。将軍の隠居所・世子居所として使用された。

＊大納言家慶　（1793―1853）後の第十二代将軍徳川家慶。天保八（1837）年から嘉永六（1853）年まで在位した。

＊有栖川職仁親王　正しくは織仁親王（1753―1820）。有栖川第六代の宮。

＊楽宮　（1795―1840）織仁親王の第八王女。文化六年十二月一日に徳川家慶と結婚。

二四九

＊異数として　異例として。

＊大番　江戸幕府の職名。戦時は先鋒《せんぽう》となり、平時は要地の在番に当たった。十二組に分

かれ、江戸城営中・二の丸諸門を警護し、うち二組ずつは二条城・大坂城に在勤した。

＊外桜田　現在の東京都千代田区霞ヶ関あたり。江戸時代には江戸城内堀と外堀に挟まれた範囲で、黒田家を含む武家屋敷が立ち並んでいた。

＊表使格　奥女中のうち、年寄と中老との中間に位する。諸買物を監督し、諸役人と対応する。

＊明和三年　一七六六年。

＊儕輩　なかま。

＊手跡　筆跡の意で、ここでは書道のこと。

＊番町　現在の東京都千代田区内。

二五〇 ＊安房国朝夷郡真門村　「安房」は旧国名で、現在の千葉県南部。同県鴨川市内。

＊顴骨　ほおぼね。

二五二 ＊相番　大番勤めの仲間。

二五三 ＊随分　分限に応じての意。

二五四 ＊仲間　「中間」とも書く。江戸時代、武士に仕えて雑務に従った奉公人の称。

二五五 ＊御預　禁錮《きんこ》刑の一種。ここでは、大名預で、罪人を他の大名に預けて禁錮する刑。他に、寺預、町（村）預、親類預などがあった。

＊幸橋外　現在の東京都港区新橋。

＊越前国丸岡　「越前」は旧国名で、現在の福井県東部。同県坂井郡丸岡町。

二五六 ＊疱瘡　天然痘《てんねんとう》の俗称。
＊目見え　奉公しようとする者が主家に出向き、吟味を受けること。
＊二人扶持　一人扶持は一日玄米五合の支給。
＊浚明院殿　十代将軍家治（1737—86）の諡号《しごう》。宝暦十（1760）年から天明六（1786）年の間在位し、田沼意次《おきつぐ》を老中に登用した。

寒山拾得

二五八 ＊貞観　中国、唐の第二代皇帝太宗の年号。西暦六二七年から六四九年。
＊年号と云うもの　わが国で年号がはじめて定められたのは大化元（645）年で、唐の貞観十九年にあたる。以後大宝元（701）年まではなお白雉《はくち》（650）、朱鳥（686）などの年号が断続的につけられるにとどまっていた。
＊閭丘胤　「寒山詩集」序に「朝議大夫使持節台州諸軍主刺史上柱国賜緋魚袋　閭丘胤」という署名がある。閭丘が姓、胤が名で、鷗外が閭を姓としているのは誤り。また閭丘胤の名が唐代のいかなる文献にも見当たらないことから実在の人物ではなかったと推定されている。
＊台州　唐代の地名。現在の浙江《せっこう》省東部の州。
＊主簿　各官署にあって帳簿をつかさどり、庶務を統括する役人の長。隋《ずい》代に置かれ、唐はそれを踏襲した。

*新旧の唐書　中国の正史。「旧唐書《くとうじょ》」は二百巻、五代の後晋《こうしん》の勅撰で、劉昫《りゅうく》らの手になり、「新唐書」は二百二十五巻、宋の仁宗の勅命により欧陽脩《おうようしゅう》・宋祁《そうき》らの手になった。

*刺史　漢唐時代の州の長官。

*太守　郡の長官。唐の太祖の時、郡を州と改め、太守を刺史と称した。

*吉田東伍　(1864—1918)歴史・地理学者。早稲田大学教授。著書「倒叙日本史」「大日本地名辞書」など。能楽の研究でも知られる。

*長安　唐の首都。漢代から唐代にかけてもっとも繁栄した。現在の西安。

二五九　*天台県　現在の浙江省東部の県。

*国清寺　天台県天台山の南麓《なんろく》にある天台宗の総本山。この地で天台宗を開いた智顗《ちぎ》の没後、隋《ずい》・開皇十八(581)年に煬帝《ようだい》の勅命により創建された。

*科挙　隋にはじまり、清朝《しんちょう》末まで行なわれた官吏登用試験。

*経書　儒教の最も基本的な教えを記した書。四書、五経の類。

*老子　中国、春秋時代の思想家、またはその遺著と伝えられるもの。儒教の仁義道徳を否定し、無為自然こそ真実の道であると説いた。

二六〇　*四大　仏教の元素説で、いっさいの物質を構成するとされる地大・水大・火大・風大の四元素。人の身体もこの四大から成り、病気はそれらの調和が崩されたときに起こると考えられた。

*悟性　思考の能力。理性。

二六一 *素問　中国最古の医学書。九巻。黄帝《こうてい》とその侍医岐伯《きはく》との問答を記録したものと伝えられ、東洋医学の原点として尊ばれた。

*霊枢　「素問」と合わせて黄帝内経といわれ、鍼術《しんじゅつ》の重要な古典である。

*紅療治　大正期に流行した民間療法。中国渡来の古法と称して、紅花の絞り汁を錫《すず》の容器に蓄えて飲用し、もしくは頭部その他の患部へすりこんで治療したもの。

*気合術　気合を応用して行なう精神療法。種々の呪文《じゆもん》により患者を催眠状態に導き、病気のもとである憑物《つきもの》を払うために気合をかけて治療する。

二六二 *群生　あらゆる生き物。

*折伏　悪人、悪法をくじき、仏法を妨げるものを屈服させること。

*豊干　生没年不詳。中国の禅僧。唐代に天台山国清寺に住し、寒山・拾得と親交を結んだ。彼等二人とあわせて「国清三隠」と呼ばれるが、実在の人物であるかは不明で、伝説的な存在。また常に虎に乗って遊行したとも伝えられ、水墨画の題材とされる。

二六三 *拾得　生没年不詳。唐代の僧。伝説的な人物。豊干の拾い児ゆえこの名があり、普賢《ふげん》の化身と称せられる。

*普賢　仏教の菩薩《ぼさつ》。文殊《もんじゆ》とともに釈迦《しやか》の脇士《きようじ》。仏の理・定・行の徳を表す。釈迦の右に侍す。智慧《ちえ》の文殊に対し、慈悲の普賢。法華経《ほけきよう》では行者を守るため白象に乗るとされ、仏像も六牙《ろくが》の白象に乗ったものが多い。

*寒山　生没年不詳。中国の伝説的人物。天台山中の寒巌に隠棲《いんせい》し、時に国清寺に赴き、

豊干・拾得と親交を深めたといわれる。没後、豊干・拾得の詩を合わせて一冊を編んだとされるのが「寒山詩集」である。

＊文殊　仏教の菩薩。普賢が慈悲を表すのに対し、智慧を表し、釈迦の左に侍す。中国では五台山がその霊地。獅子《しし》に乗る姿で表現される。

＊営々役々　あくせくと休みなく働くさま。

二六四

＊約めて　要約して、短くしての意。

＊正鵠を得て　「正鵠」は弓の的の中央の黒いところで、転じて、ねらいどころ、物事の急所の意。核心をつくこと。

＊輿　こし。人を乗せる台の下に二本の長柄をつけて、肩にかつぎ上げ、または手で腰の辺にささえて運ぶ乗り物。

＊椒江　浙江省臨海県を東流して台洲湾に注ぐ川。

＊始豊渓　天台山の西南を流れ、臨海を経て椒江に合流する川。

二六五

＊牧民　人民を治めること。

＊三門　禅寺の仏殿前にある門。仏殿を涅槃《ねはん》に擬し、そこへ至る空門、無相門、無作門の三解脱《げだつ》門にたとえていったもの。

＊智者大師　(538—597)　中国の天台宗の開祖、智顗《ちぎ》のこと。五七五年に天台山に入り、禅観の実践を基盤に天台教義の雄大な体系を確立。著書「法華文句」「法華玄義」「摩訶《まか》止観《しかん》」など。

二六六　＊煬帝　（569—618）中国、隋の第二代皇帝（在位604—618）。姓は楊、名は広。仁寿四（604）年、父文帝を殺して帝位につき、遺詔と称して皇太子である兄一家を殺害。土木工事と奢侈《しゃし》のため民心が離反して各地に乱が起こり、臣下の武将に殺された。

＊道翹　生没年不詳。中国の天台山国清寺の僧侶《そうりょ》。「国清寺碑」に寺主としてその名が見えるが、詳細は不明。

＊同宿　同じ寺に住み、同じ師について学ぶこと、またその僧。同僚の僧侶。

＊阿羅漢　arhat（梵）真人、殺賊と訳す。羅漢。煩悩《ぼんのう》を脱し、生死を超越して悟りを得たもの。とくに小乗仏教では、修行者の最高位として功徳《くどく》のそなわった学者をいう。

二六七　＊粟を生じた　「粟」は鳥肌のこと。鳥肌が立つ。

二六八　＊賓頭盧尊者　仏弟子。十六羅漢の第一で、白頭・長眉《ちょうび》の相を具《そな》える。十六羅漢は永くこの世に在住して正法を護持するという十六人の羅漢で、賓頭盧は神通に長じたが、みだりに神通を用いて仏に叱責《しっせき》され、涅槃《ねはん》を許されず、仏の滅後も衆生を救い続けるとされる。インド小乗寺院では上座に置き、中国では食堂《じきどう》にその像を安置する風がある。

二六九　＊木履　下駄。足駄。

＊朝儀大夫　正五位以下の唐名。

＊使持節　晋《しん》代の官名で、天子の使者であるというしるしを持ってゆく使者。

＊上柱国　令制の正二位《しょうにい》の唐名。

＊賜緋魚袋　「魚袋」は魚符（門鑑）を入れる袋で、位により色別があった。緋色はその

最高位。

二七一　＊徒然草　吉田兼好（兼好法師）による随筆集。鎌倉時代、一三一〇年頃に断続的に執筆された。この話は最終段の二四三段にある。

＊帰一協会　明治四十五年に成瀬《なるせ》仁蔵《じんぞう》が中心となり、姉崎正治、浮田《うきた》和民《かずたみ》、渋沢栄一らの学者や実業家によって結成された会。協会の名称「帰一」は、王陽明の「万物帰一」からとられ、「階級・国民・人権・宗教の帰一」を標語にかかげて、諸宗教が同一の目的に向かって相互理解と協力を推進することを期した。

＊唐子　中国風の髪型や服装をした童子の姿。

二七二　＊書肆　出版社。書店。

＊新小説　文芸雑誌。明治二十二年一月に創刊。途中中絶したが、幸田露伴が編集主任となり明治二十九年に再刊し、昭和二年に廃刊。本作品は大正五年一月号の「新小説」に掲載された。

＊宮崎虎之助（1872—1929）「我が福音」（明治三十七）を著述し、仏陀・キリストに次ぐ、第三の預言者と自称。またみずからメシヤ（救世主）なりと称し、世間の話題になった。

＊メッシアス　Messias（独）。メシア。救世主。

千葉俊二

森鷗外　人と作品
――不党と社交

山崎正和

鷗外は朋党《ほうとう》の僻《へき》、親分気質の微塵《みじん》も無い人である。自らも言い、世間も之《これ》を悉《し》って居る。我々も壮時鷗外に接したが全くその通りだと思った。人から悪く利用せられる事も嫌だが、人を利用する事もしない。煢然《けいぜん》孤独である。而《しか》も、「しがらみ草紙」の昔からいつもサロンの話相手を身の廻りに有している。「明星」、「昴《スバル》」、「屋上庭園」、「三田文学」、「自由劇場」のわかい連中は随分無作法であり、鷗外から観《み》たら乳臭児《ちのみご》に過ぎなかったろうが、いつもにこにこと接見して相手になった。

木下杢太郎《もくたろう》の『森鷗外』の一節であるが、一見なにげないこの文章が、鷗外の人となりの深い構造に迫っているようにみえる。たしかに、鷗外は思想的にも文壇的にも党派を作らず、その意味で厳しく「孤独」でありながら、「いつもサロンの話相手を身の廻りに有して」いた。この微妙な精神の矛盾は、ひそかに彼の創作活動の底にまで根をおろしていて、この作家とその作品を、日本の近代文学史のなかでいささか異例の存在にしてきた。あえていえば、それは、彼を従来の日本の精神風土のなかで孤立させ、いわゆる文学青年のあいだで不人気を喞《かこ》たせた原因であった、とさえいえるかもしれない。

だが、このことの含蓄を理解するには、ここで杢太郎のいう「サロン」の意味、それが日本の近代社会のなかで負わされた、独特の不幸な意味を知っておかねばならない。じつは、杢太郎その人が、近代の本格的な芸術サロンとしては日本最初の、そして、たぶん最後の企てとなった「パンの会」の主宰者であって、この言葉には特別の感慨をひそませていた、と考えられるからである。

明治の一群の知識人にとって、日本には西洋風の社交文化が育っていないというのは、切実な共通の思いであった。江戸幕府の厳格主義的な文化政策は、社交を裏街道の遊廓《ゆうかく》の世界におしこめ、「富国強兵」を急ぐ明治の社会もまた、個人の優雅な交歓といった観念には無縁であった。人間関係といえば、公の世界では、軍や官や企業の組織化が急速に進められ、また、利害と主張をめぐる党派の力が強まるばかりであった。私の世界では、古い血縁の絆《きずな》も頑固に残っていたうえ、新しく生まれた核家族はそれ以上に閉鎖的、拘束的であって、いずれにせよ、自由な社交を窒息させる環境を作り出していた。

明治三十六年、美術評論家・岩村透《とおる》（芋洗）は『巴里《パリ》之美術学生』という一書を著し、パリの芸術サロンの雰囲気をなつかしみながら、日本社会の非社交的な性格を嘆いて、次のように書いている。

　西洋人の云う交際と云う様なものが日本に行われて居るであろうか。他人の相手になる事の嫌いな、多勢の前に出る事の厭《きら》いな、人に口を開く事を憚《はばか》り、人の話を聴く事を好かん、自分の感情を人に打開けて語る事をせぬ、他人の前に威張りたがり、己の実力をなるべく大袈裟《おおげさ》に見せたがる、と云う、斯様《かよう》な人間が、交際などと云うものが出来るか知らむ。（中略）威張りたいから、人の云う事は聞きたくない、何事も自分一人と云う考では、すべて共同と云う精神から湧《わい》て来る快楽は味えない。西洋風の倶楽部《クラブ》とか或は仏蘭西《フランス》のカッフェの様なものは真似《まね》たくも出来ない、矢張り一体の根性が待合の四畳半に合う様に出来ている。

この同じ憂慮は、同時代の作家・永井荷風《かふう》にもわけもたれていて、その小説『新帰朝者日記』の主人公は、「日本人の乱雑無礼な宴会のさま」を罵《ののし》って、西洋風の社交の情景に手ばなしの憧憬《どうけい》を捧《ささ》げている。彼が招かれたサロンの会話は、「何《いず》れも純化された技巧的の中音で」交わされ、「いかにも自由に、楽しく、心置きなく見えながら、其《そ》れで居て些《いささ》かの喧《かしま》しい乱雑をも来さない」。そういう会合を訪ねるたびに、彼はそこに、「個人的私生涯から離れた技巧的生活の舞台」があることを感じ、自分自身も、「人に不快を起させない役柄を勤める俳優」であろうとするのだが、こうした洗練された対話の場所が日本には存在しない、といって嘆くのである。

同じころ、木下杢太郎、北原白秋といった若い詩人たちを中心に、画家や作家のサロン「パンの会」が開かれたのは、この意味で劃期《かっき》的な事件であった。当時、数少なかった西洋料理店で催された集りには、永井荷風、上田敏のような年長の文学者も顔を出して、第一に、この会は世代を超えた開放的な会合であった。画家もいれば小説家もいるという意味で、これはまたジャンルを超えた会話の場であったし、ときには外国人の参加もあったらしい。なにより、「パンの会」には固定的な指導者という存在がなく、師弟の上下関係もなければ、主義主張を絆とする党派的な結束もないのが、特色であった。

たぶん、ここには参加者がいぎたなく甘えあう雰囲気もなく、若者が肩を寄せあって、青臭い気勢をあげるような空気もなかったであろう。人生に傷ついた者がたがいの傷をなめあったり、傲慢《ごうまん》な兄貴分が弟分をいびるというような、古い「若衆宿《わかしゆやど》」の気風も見られなかったにちがいない。「私生活を離れた技巧的生活」という、荷風の理想がどこまで実現されたかは別として、少なくともこの会には、私的な感情の「無礼乱雑」なたれ流しがなかったことは、容易に想像できる。

しかし、おそらくこうした真に社交的な性格のゆえに、「パンの会」は日本の知的社会のなかで長続きすることがなく、その後、これに似たサロンが大きな力を持つこともなかった。明治から昭和にいたるまで、文壇を支配したのは、主義主張を持つ党派であり、師匠と弟子の集団であり、同世代の若者が結ぶ独特の友情の関係であった。思想的な組織集団はしばらく措《お》くとしても、志賀直哉《なおや》や武者小路《むしやのこうじ》実篤《さねあつ》の「白樺《しらかば》」同人にせよ、夏目漱石《そうせき》の私宅に集る「門下十傑」にせよ、同じように閉鎖的な気分に包まれた集団であった。

それらは、たんに外に向かって排他的であるだけでなく、内の仲間にたいして強い心理的な拘束力を持ち、粘っこい、湿潤な共通感情を分けあうことを要求した。その仲間は、たがいに誠実であることを求めあったが、その場合の誠実さとは、それぞれの私的な感情の真実を吐露しあうことであった。志賀直哉の「鳥尾の病気」に見られるように、若い友人たちは、たがいの憂鬱《ゆううつ》や神経衰弱すら剝《む》きだしにして、いっさいの「技巧的生活」を排して結びあおうと努めていた。

ひょっとすると、日本の近代精神史を解明するひとつの鍵《かぎ》は、明治末年から昭和の前半までつづいた、あの「友情」という特殊な観念の君臨だったかもしれない。それは、漱石の『こころ』の「先生」と友人「K」を支配し、無数の旧制高等学校の生徒たちの感情を呪縛《じゆばく》し、反俗と無頼を誇る文士たちの精神を支えてきた。多くの場合、友情は家族愛や男女の絆よりも強く、しかし、そうした濃密な感情に似て、公的世界の人間関係に対立する、純粋に私的な紐帯《ちゆうたい》を作りあげた。青年たちは、この紐帯のなかで最初の趣味を試され、人生についての見方を学び、いわば、人生観と世界観の原点を教えられるのであった。

この友情の集団には、師匠でなければ、たいてい兄貴分の教祖的な青年がいて、集団内部だけの秘教的な雰囲気のなかで、独特の尊敬と畏怖《いふ》を集めていた。彼は、友人たちの趣味と教養に裁断的な批評をくだし、その誠実さと忠誠心を試しては、心の最後の殻をも剝《は》ぎとることを要求した。ときには酒席の無礼講の狂態のなかで、ときには読書会や、同人誌の作品合評の席で、この感情生活をめぐる私的制裁は、あたかも青春の通過儀礼のように行なわれるのであった。

こうした友情の異様な君臨は、一方では、前近代的な「若衆宿」の気風のなごりでもあったろうが、他方では、伝統的な人間関係の崩壊の産物であったことも、疑いない。古い家族や地縁の繫《つな》がりから解放され、自我の自由を獲得したはずの青年たちは、じつはその自我が観念の玩具《がんぐ》にすぎず、実体的な感触に欠けることを漠然と感じていた。自己の内面をのぞいても、そこにうごめく世俗的な欲望を除けば、趣味や行動の基準となる確実なものがないことは、正直な眼には明らかであった。自己を自己として証明するものは、いつの世も他人との関係のほかにはないのであるが、そうした絆の一切を、彼らは古い習俗とともに捨て去っていたからである。

最大の皮肉は、こうして自我の身許《みもと》証明に不安を覚えた彼らが、その新たな拠《よ》り所《どころ》として、一見、近代的にみえて、じつはきわめて古い社会集団に頼ったことであった。師弟や友情の集団は、それを個人が選びとるという点で近代的にみえるが、いったん選んでしまえば、その先は一元的で全身的な帰属を要求するという点で、古めかしい。社交の場合のように、個人が複数の人間関係に距離をおいて関わり、そのどれにも属しながら属さないという自由な立場は、この集団では許されない。いいかえれば、それは青年たちに、自由に選びとったという自己満足は許すものの、実質的には、彼らが捨てた家族や地縁の絆と同質の集団だったのである。

この事実は、日本の近代文学の内容にも濃い影を落としていて、自然主義、浪漫《ろうまん》主義、マルクス主義の区別を問わず、作家の感覚に特有の陰鬱な基調を染めつけてきた。ひと言でいえば、それは道学的なまじめさと、他人にたいする無礼な率直さの混合物であり、閉鎖集団のなかだけで通用する、独善的な誠実さというべきものにほかならない。長らく、日本の近代批評家が文学に「真実」を求め、作家の姿勢に「切実さ」を要求したとき、その口吻《こうふん》は疑いなく、あの「若衆宿」の教祖的兄貴分のそれに似ていたのである。

このように見ると、鷗外がわれわれにとって何であったかはともかくとして、少なくとも何でなかったか、ということはすでに明白であろう。『妄想《もうぞう》』、『ヰタ・セクスアリス』といった、彼の自伝的な作品を読んでも、およそ鷗外が「若衆宿」的な人間関係とは無縁であり、むしろ、それに微かな嫌悪《けんお》を覚えていたことが感じとれる。賀《か》古鶴所《こつるど》という生涯の友人は持っていたが、その友情は、彼の文学的な感受性の形成には関係がなかった。『青年』、『灰燼《かいじん》』という、いわゆる青春小説の主人公を見ても、そこにはあの鬱陶しい友情の影はなく、逆に、それにたいする違和感の表明を読みとることができる。

若いころ、鷗外もたしかに一、二度、同人雑誌の編集にあたっているが、注目すべきことは、彼がそこに妹・喜美子を始めとする、家族の参加を許していたことであろう。家族の関係は、本質的に「若衆宿」の気質とあいいれないものであって、のちの小金井喜美子の回想によっても、事実、同人の雰囲気はサロンの社交のそれに似ていたらしい。

そして、鷗外の社交の能力は、彼のドイツ留学中に磨かれ、いわば国際的な水準に達していたことは、『独逸日記《ドイツ》』や、『文づかひ』のような初期の小説からもうかがうことができる。彼の描く、貴族や芸術家のサロンの情景は生気をおびているし、現実の鷗外が、宴席でドイツ人学者に反駁《はんばく》して、巧みな即興演説を行なったことは広く知られている。ロンドンで悶々《もんもん》たる孤独の日を送った漱石はもとより、初期の西洋留学生の誰に較《くら》べても、滞独中の鷗外が現地の多様な人物と交わり、それを楽しむ機会と能力に恵まれていたことは、議論の余地があるまい。

そうした鷗外は、先に触れた「パンの会」にも関心を寄せていたが、それ以外にも、後輩の文学者にたいしては、つねに非党派的な接触を保つように心がけていた。一例をあげれば、彼が明治四十年から自宅で開いた観潮楼歌会があるが、ここには意図的に、根岸《ねぎし》短歌会と新詩社と竹柏《ちくはく》会という、対立する三派の歌人が招かれていた。彼は、この席で斎藤茂吉や吉井勇、北原白秋や石川啄木《たくぼく》、上田敏や杢太郎といった、気質も思想も異にする後輩たちとつきあい、さらにそれとは別に、西園寺《さいおんじ》公望《きんもち》の主宰する歌会、「雨声会」の席にもつらなっていたのである。

ときに鷗外の作品には、人間の交際についてのいささかシニカルな表明があって、生来の人間嫌いをしのばせるふしがあるのは、疑いない事実である。『灰燼』の節蔵は、しばしば自分にも不可解な不機嫌に襲われ、それを他人のまえで抑制しているうちに、いつしか「柔和忍辱の仮面を被って」生きることになったという。『百物語』の主人公・飾磨屋《しかまや》は、千金をはたいて趣向をこらした余興の宴に人を招きながら、集った客をまえに虚無的で冷笑的な眼を宙に向けていた。一般に、いささかの人間嫌いは、むしろ文学的な精神の不可欠の要素というべきものであるが、鷗外を含めて、日本の近代作家にそれがとりわけてめだつことは、否定できない。

明治末年からの十年、とくに文学作品に顕著になり始めたあの独特の不機嫌、きわめて日本的な社会不適合の感情が何であったかについては、かつて別の場所で分析した（『不機嫌の時代』新潮社）。鷗外にとっても漱石にとっても、荷風や志賀直哉にとっても、内面の名状しがたい鬱屈の気分は、時代の共通の病いとして重くのしかかっていた。荷風のいう「私生涯」のなかでは、すべての鋭敏な青年が不機嫌だったのであって、それを根本的に解消するのは、文学という方法によっては不可能なことであった。

しかし、それにしても、この鬱屈を剝きだしにして他人と交わるか、あるいは、これを抑えて「技巧的生活」のなかで交際するか、というのは決定的な違いであって、それが作家の資質の全体と結びついていたことは、無視できない。いいかえれば、作家はじつは文学以前の段階で自己の感情と対決し、ひそかにそれを制御し、整形する作業を始めているのであって、この作業が文学創造に強い影響を及ぼすことは、否定できないのである。鷗外は明らかに、そのさい後者の道を選んだのであり、その意志的で克己的な姿勢が、いやがうえにも彼に自分の人間嫌いを鋭く自覚させたことは、想像に難くあるまい。

鷗外と漱石という二人の近代作家は、どうやら、この点で対蹠《たいせき》的な姿勢を選んだように思われるが、その事実を象徴的に暗示する挿話《そうわ》として、二人の書いた二葉亭四迷への追憶の記が思いだされる。二人はどちらも、四迷と深いつきあいの経歴はなく、それぞれ短い邂逅《かいこう》の機会を回顧しているのであるが、そのつかのまの会話のなかにも、二人の交際の姿勢の違いは鮮やかなのである。

漱石の『長谷川君と余』によれば、彼は四迷との人間的な接触が浅かったと感じ、「長谷川君は余を了解せず、余は長谷川君を了解しない」ままに、幽明境いを分けたことを嘆いている。そのくせ、この二人はほとんど初対面の会話で、たがいの感情状態の病状を話題にし、低気圧が来ると「頭は始終懊悩《おうのう》を離れない」こと、ために面会も謝絶せざるをえない苦痛を告白しあっている。明らかに、二人は不機嫌を共有することで睦《むつ》みあい、精神の裸体を見せあいながら、しかも漱石は、この程度の交流は真の人間的な「了解」になおほど遠い、とはがゆがっていた。

これにたいして、鷗外は『長谷川辰之助』という一文のなかで、一時間に満たない四迷との面談を振返って、その淡々たる清談の思い出に快く満足している。二人は私生活について語らず、文学についても語らず、ロシアの社会と風俗などをめぐって片言を交わすばかりであるが、それだけの会話を鷗外は隔ても遠慮もない交遊だと感じ、「丸で初《はじめ》て逢った人のようではない」と述懐する。

鷗外によれば、彼には逢いたいと思う人を自分から訪ねる習慣がなく、逆に、訪ねてくる客を謝絶したり淘汰《とうた》する習慣もない。その結果、彼には「逢いたくて逢わずにしまう人」が多いのであるが、そういう人物の一人である四迷に逢えたことに、鷗外はそれだけで天与の満足を覚えている。そして、もはや二度と逢えなくなった友人を思いやって、彼はその最後の瞬間を空想するのであるが、この想像のなかでこそ、鷗外はかつてなく四迷のそば近く寄りそっているようにみえる。

穏やかなインド洋の星空のもとで、病身の四迷は船のデッキの籐《とう》椅子《いす》に横たわって、ほどよく冷えた和《やわ》らかな空気を呼吸している。彼の眼にはふと、本郷弥生町《ほんごうやよい》の自宅の居間のランプが絵のように浮かぶが、しかし、そこへ無事に帰りつかれようかといった、よけいな心配はふしぎに起ってこない。「長谷川辰之助君はじいっと目を瞑《つぶ》っておられた。そして再び目を開かれなかった」。

思わず「小説を書いてしまった」、と照れて見せる鷗外であるが、この短文には彼の社交の心の原型がかいま見られ、それがどのような諦念《ていねん》に裏打ちされていたかが、さまざまとうかがわれるのである。

（昭和六十年三月、劇作家）

『阿部一族・舞姫』について

高橋義孝

この巻に収めた諸編は、成立発表年次順に排列してある。

『舞姫』(明治二十三年一月)は、別巻鷗外短編集『山椒大夫《さんしょうだゆう》・高瀬舟』(以下これを「別巻」と呼ぶ)中の『普請中』と併読するのを便とする。森家一族のどなたかの文章に、鷗外がドイツに留学中昵懇《じっこん》にしていた一ドイツ女性が後年遥々《はるばる》ドイツから日本に鷗外を尋ねてきて、一家がこれを非常に心配して、やっとドイツに帰らせることに成功したという事件の経緯を詳しく書いたものがあったと記憶する。『舞姫』のエリスと『普請中』の外国女性とは、関係のない二人物ではあるまい。鷗外のドイツにおける恋愛体験がこれら二作の土台石になっていると見ていいようである。しかし小説の出来としては、筆者は『普請中』をその渋い味わいの故《ゆえ》に『舞姫』の上に置きたい。だが世間を驚かせた点では、『普請中』は『舞姫』の足許《あしもと》にも及ばない。『舞姫』には内容が首尾一貫性において欠けるところはあっても、当時としては極めて新しい組合せ、すなわち近代的な内容と漢文調と和文調とを巧みにないまぜた嶄新《ざんしん》な雅文体との組合せの故に大変な評判を取った作品であった。最後の二行「嗚呼《ああ》、相沢謙吉が如き良友は世にまた得がたかるべし。されど我脳裡《のうり》に一点の彼を憎むこころ今日までも残れりけり」中の「相沢謙吉」は、本当は鷗外自身の中に棲《す》んでいた「フィリステル」（俗人、鷗外は『普請中』にこの語を用いている）なのである。もしこの「フィリステル」の語を好意的に翻訳するならば「聡明《そうめい》さ」とでも言えばよかろうか。また『普請中』には例によって鷗外の高飛車な啓蒙《けいもう》家的態度と衒学《げんがく》趣味が随処に顔をのぞかせている。「日本はまだそんなに進んでいないからなあ。日本はまだ普請中だ」はその一例である。

自分を一般大衆とはかけ離れた高等人種と見る態度は『鶏』（明治四十二年八月）に至っていよいよ顕著である。鷗外はよく「高尚な人物」ということを言っている。自分自身をもそういう「高尚な人物」と見ていたのはむろんのことであろう。初期の小説の主人公には、博士、高級官吏、軍人、教授など、世俗的な意味で「高尚な」人物ばかりを選んでいる。ただこの『鶏』という作品で一寸《ちよつと》面白いと思うのは、いわゆるユーモア小説などは書かなかった鷗外が巧まずしてユーモア小説を書いてしまったという点である。極言すればこの短編は俗受けのする作品である。平明素朴な意味で面白い。さすがの鷗外もこの小説にそういう一面のあることには気がつかなかったのではあるまいか。そしてユーモアは鷗外にとっては一つの不名誉を意味する。

文学の本質は思想内容にあるとする説と、いやそれは美にあるとする説とがある。『かのように』（明治四十五年一月）は、前者の説を支持する人々にとっては、まさに持ってこいの作品である。明治四十三年にいわゆる幸徳事件が起った。日本にも社会主義、無政府主義、労働運動が漸《ようや》くにして活溌《かっぱつ》になってきて、あらゆる権威的なもの、すなわち皇室、伝統、旧来の道徳体系をゆさぶり始める。そして鷗外は、そういう社会の風潮に対して支配階級、保守主義はいかに処すべきかについて考え、「山県《やまがた》公から危険思想対策、すなわち思想善導の方法を求められ、それに応じて書いたのが『かのように』という小説である」（唐木順三）というのが通説になっている。現に鷗外もまた後年、ある手紙の中に「一層深ク云ヘバ小生ノ一長者（山県有朋《ありとも》公であろう・筆者注）ニ対スル心理状態ガ根調トナリ居リソコニ多少ノ性命ハ有之《コレアリ》候《サフラフ》者《モノ》ト信ジテ書キタル次第ニ候」と書いているから、上記の通説はいよいよ確かなものとなってくると言ってもいい。鷗外はこの一編によって、人生の唯物論《ゆいぶつろん》的解釈の攻勢に対して砦《とりで》を築こうとしたわけである。従ってこの作品の中には、明治の支配階級の「イデオロギー」こそあれ、「美」などはないというわけである。筆者も永年こういう解釈に拠《よ》ってきたが、近頃改めてこの一編を読んでみると、この作品からもやはり鷗外の魂の密《ひそ》かな息づかいが聞えてくるように思う。それは、自己没却と自己主張という対立概念によっても言い現わすことの出来るところの、鷗外の内部にあった旧時代の武士気質《かたぎ》と、近代的な合理主義との角逐である。これはこの作品の最後の一行にその影を淡く落している。『かのように』はやはり注文品ではない。それどころかこの作品は鷗外が書いたものの中では最も大胆な作品ではなかったか。なぜなら最後の主人公の言葉、「所詮《しよせん》父と妥協して遣《や》る望はあるまいかね」に対して、友人の綾小路《あやこうじ》は「駄目、駄目」と答えている。この「父」はさきに言った一切の権威的なものの象徴である。従って「父」は皇室でもあり得る。とすると鷗外は、たとい自分ではこの点をはっきりと意識に上せていなかったにせよ、皇室の権威をすら否定していることになる。官憲は明治四十二年の『ヰタ・セクスアリス』を発売禁止処分に付した。しかし発売禁止処分に付してしかるべきだったのは、この『かのように』ではなかったか。こういう意味でこの作品は実に複雑なものを持っていると言わざるを得ない。

『阿部一族』（大正二年一月）は、鷗外の歴史小説の第二番目の作品である。鷗外は明治帝崩御、乃木大将夫妻殉死後、若干の例外を除いては専《もつぱ》ら過去の歴史世界に材料を仰いで小説を書き、また史伝を綴《つづ》った。『阿部一族』はそういう歴史物の中で最も有名になった作品である。筆者はこの小説中の「人には誰《た》が上にも好きな人、厭《いや》な人と云うものがある。そしてなぜ好きだか、厭だかと穿鑿《せんさく》して見ると、どうかすると捕捉《ほそく》する程の拠《よ》りどころが無い」という一節にこの小説を解明する鍵《かぎ》があると考える。言うまでもなくこの一編は別巻に収録した『杯』（明治四十三年一月）の系統を引く作品であり、『興津《おきつ》弥五右衛門の遺書』（大正元年十月）のように自己没却をではなしに、自己主張を主題としている。問題は封建制度下にある人間性の救済だと言っても差支《さしつか》えあるまい。そしてその人間性はこのような悲劇的な形でしか救済されざるを得なかったのである。鷗外は「市街戦の惨状が野戦より甚だしいと同じ道理で、皿に盛られた百虫《ひゃくちゅう》の相啖《あいくら》うにも譬《たと》えつべく、目も当てられぬ有様である」と書いているが、こういう言葉を書き誌《しる》して行く鷗外の目は、自然科学者の冷厳な光を湛《たた》えていたのではあるまいか。そしてこの自然科学者はやがてニヒリストに変身して行くのである。別巻収録の『二人の友』（大正四年六月）は、そういうニヒリストになって行かざるをえなかった人間の心の底に抑圧されていた愛情が鷗外に書かせた作品だったのではあるまいか。

『堺《さかい》事件』（大正三年二月）は『阿部一族』とは逆に、『興津弥五右衛門の遺書』の系列に属する作品である。試みに鷗外の歴史小説を発表年次順に挙げてみると、『興津*

弥五右衛門の遺書』（大正元年十月）『阿部一族』（大正二年一月）『佐橋甚五郎』（同年四月）*『護持院原の敵討』（同年十月）『大塩平八郎』（大正三年一月）『堺事件』（同年二月）『安井夫人』（同年四月）『栗山大膳』（同年九月）*『山椒大夫』（大正四年一月）『津下四郎左衛門』（同年四月）『魚玄機《ぎょげんき》』（同年七月）『じいさんばあさん』（同年九月）*『最後の一句』（同年十月）という順序になるが（＊印は別巻収録のもの）、これらの諸編を通読すると、作品の主題が自己没却と自己主張という二つの極の間を行きつ戻りつしている様子がよく解る。そして大正四年十月の『最後の一句』を最後として、『高瀬舟』と『寒山拾得《かんざんじっとく》』という短い間奏曲を経て、鷗外晩年の傑作『澀江抽斎《しぶえちゅうさい》』（大正五年一月―五月）に至って上に述べた二つの極の間の目まぐるしい往反《おうへん》がぴたりと熄《や》むのである。しかし鷗外は『澀江抽斎』からさらに彼のいわゆる「荒涼なるジェネアロジックの方向」（『なかじきり』大正六年九月）へと進んで行った。そして彼の生涯の最後の締め括《くく》りをしているのが、例の奇妙な遺言である。

余ハ少年ノ時ヨリ老死ニ至ルマデ一切秘密無ク交際シタル友人ハ賀古鶴所君ナリコ、ニ死ニ臨ンテ賀古君ノ一筆ヲ煩《ワヅラ》ハス死ハ一切ヲ打チ切ル重大事件ナリ奈何《イカ》ナル官権（憲）威力ト雖《イヘドモ》此《コレ》ニ反抗スル事ヲ得スト信ス余ハ石見人《イハミジン》森林太郎トシテ死セント欲ス宮内省陸軍省皆縁故アレドモ生死別ル、瞬間アラユル外形的取扱ヒヲ辞ス森林太郎トシテ死セントス墓ハ森林太郎墓ノ外一字モホル可《ベカ》ラス書ハ中村不折ニ依託シ宮内省陸軍省ノ栄典ハ絶対ニ取リヤメヲ請《コ》フ手続ハソレゾレアルベシコレ唯一ノ友人ニ云ヒ残スモノニシテ何人《ナンピト》ノ容喙《ヨウカイ》ヲモ許サズ

大正十一年七月六日

森林太郎　拇《ぼ》印《いん》

賀古鶴所書

（以上旧版岩波書店鷗外全集の原文のまま）

ところで『堺事件』が『阿部一族』とは逆の系列に立つ作品であることは説明するまでもあるまい。そしてその次に書かれた『安井夫人』もまたやはり自己の運命を全的に肯定する人間を描き出している。これら二作品は、『最後の一句』に至るまでの鷗外の歴史小説十二編中の丁度中央の辺に立っている。『堺事件』は第六番目の、『安井夫人』は第七番目の歴史小説である。

鷗外の歴史小説を通読して発見される第二の特色は、描かれる人物や事件に豊富なドキュメンテイションがある場合には、作品の主題は自己主張となり、その逆の場合には自己没却が一編の主題になっているという傾向が見られることである。単なる伝説を材料とした、すなわちドキュメンテイションのない題材を取扱った『山椒大夫』

では自己没却が主題になっているし、ドキュメンテイションの可能な題材を扱った『阿部一族』などでは逆に自己主張が主題になっている。これは恐らく鷗外が、「歴史の衣」が重くない場合には筆が恣意《しい》的に走って描かれる人間に過大な自由の許されることを怖《おそ》れ、「歴史の衣」が重い場合には、描かれる人間がその下に圧《お》しひしがれてしまうことを怖れたからのことではなかろうか。

『余興』は小品でもあり、一読して何ということもない作品であるが、別巻解説において書いておいた通り、鷗外の作品系列中では相当に大きな意義を持つ作品ではないかと思う。筆者にはまたこの一編の持つくすんだ調子が棄てがたい。『余興』は遠く『杯』にまでつらなる作品であり、その間には『阿部一族』もある。そして『じいさんばあさん』が『興津弥五右衛門の遺書』や『護持院原の敵討』の線を受けて『高瀬舟』につながって行くように、『余興』も『杯』の線を受けて『寒山拾得』につながって行く。

『高瀬舟』『附高瀬舟縁起』『寒山拾得』『附寒山拾得縁起』はすべて大正五年一月に発表された。『高瀬舟』は前年十二月五日に、『寒山拾得』は同じく十二月七日に脱稿した。これによっても鷗外が同じひと息で、これら内容の全く異なる二編を書き上げたことが解《わか》る。ということはつまり、これら二編は実は一つの作品として読まれるべきものだという意味である。これら二作品は二にして一なのである。現に大正五年一月一日発行雑誌『心の花』には両縁起が『高瀬舟と寒山拾得』と題して一つにまとめられて発表されている。これがのちに二つに分けられて今日の形になったのである。『高瀬舟』の主人公喜助は『カズイスチカ』の花房の翁《おきな》のさらに理想化された人物である。花房の翁には「有道者の面目に近い」ものがあるのに、罪人喜助は、鞭《むち》打たれて役から役へと勤めて行くのではなくて、足るということを知っていて、「どこまで往《い》って踏み止《とど》まることが出来るものやら分からない」人間ではなくて「今日の前で踏み止まって見せてくれる」人間である。その意味で喜助は覚醒《かくせい》せざる「有道者」である。しかし鷗外は喜助に完全に満足し得たであろうか。彼はかつて『仮面』（明治四十二年四月）という作品の中で市井《しせい》の一女性を評して主人公にこう言わせている、「どうだ、君、あの女の態度は。本能的人物には、確《たしか》に高尚な人物に似た処《ところ》があるなあ」。喜助は「有道者」かも知れないが、畢竟《ひっきょう》一本能的人物、いや遠島を仰せ付けられた犯罪人である。「高尚な人物」などではない。従って鷗外は喜助に満足し得ぬ筈《はず》である。では寒山拾得とはどうか。彼らは喜助よりさらに悪い。残飯で露命をつなぐ乞食坊主《こじきぼうず》である。高尚な人物などではさらさらない。ところが彼らは同時に文殊菩薩《もんじゅぼさつ》、普賢菩薩《ふげんぼさつ》なのである。高尚な人物どころか神なのである。神は鷗外の手にも負えまい。人間は神になることは出来ない。つまり喜助は神の如き愚者であり、寒山拾得は愚者の如き神である。ともに現実的には人間の理想像とは成りがたい。鷗外が求めた人物の理想像は、それが依然として「人間」である限りは普賢や文殊のような神であってはならず、そうかと言って『仮面』の中に登場する植木屋の内儀や喜助のような「本能的人物」であってもいけない。それは、どんな種類の束縛を受けていても、これに全くは屈するということのない自主独立の精神をその生活に磅礴《ほうはく》とさせながら、しかも他面悠々として拘束裡《り》にあって自由の境地に遊ぶといったような人間でなければなるまい。そういう人間像を実現してみせたのがほかならぬ澀江抽斎であった。鷗外は澀江抽斎において初めて永年探し求めてきた理想の人物にめぐり会うことが出来たのである。史伝『澀江抽斎』も、今はその前奏曲と呼んでもいいところの『高瀬舟』『寒山拾得』と同じく大正五年一月十三日から大阪毎日新聞と東京日日新聞に連載されて、五月十七日に完結した。この新聞連載の期間は鷗外にとって多事であった。三月十八日には母峰子が歿《ぼっ》した。四月十三日には陸軍省医務局長の椅子《いす》を鶴田禎次郎に譲って予備役に編入された。この年十二月九日には夏目漱石が歿した。その葬儀に参列した鷗外の様子を芥川龍之介が巧みな文章で書いている。

その後鷗外は帝室博物館総長となり宮内省の図書頭《ずしよのかみ》となって、考証、史伝製作、書籍解題等の仕事に携わっていたが、大正十一年七月九日午前七時、幽明界《さかい》を異にした。享年《きようねん》満六十歳と五カ月であった。死因は萎縮腎《いしゆくじん》ということであったが、近年それを肺結核だとする説もある。

（昭和四十三年三月、独文学）

年　譜

文久二年（一八六二年）　一月十九日（太陽暦二月十七日）石見国《いわみのくに》津和野（現・島根県鹿足郡津和野町町田）に父静泰（後に静男）、母ミ子《ね》（峰子）の長男として生れた。本名林太郎。姓は源、諱《いみな》は高湛《たかやす》。鷗外漁史、観潮楼主人等と号した。弟妹に篤次郎（三木竹二）、キミ（喜美子）、潤三郎がいる。森家は津和野藩主亀井家につかえた典医であった。

慶応三年（一八六七年）五歳　十一月、村田久兵衛に論語の素読を受ける。四年・明治元年（六歳）三月、米原綱善について孟子を学ぶ。二年（七歳）藩校養老館で四書を復読。三年（八歳）五経を学ぶ。父にオランダ文典を教えられる。四年（九歳）藩医室良悦にオランダ文典を学ぶ。

明治五年（一八七二年）十歳　六月、父について上京、向島小梅村の亀井家の下屋敷に住む。ついで向島曳舟通に移る。十月、ドイツ語を学ぶため本郷の進文学社に入り、神田小川町の西周《あまね》邸に寄寓《きぐう》する。六年（十一歳）六月、津和野の家を引き払い祖母、母、弟妹上京。

明治七年（一八七四年）十二歳　一月、第一大学区医学校予科（後・東京医学校、現・東京大学医学部）に入学。学齢が不足していたため万延元年（一八六〇年）生れとして願書を提出。以後、公にはこれを生年として用いた。九年（十四歳）十二月、東京医学校が本郷本富士町に移転し、寄宿舎に入る。

明治十年（一八七七年）十五歳　四月、東京医学校が東京開成学校と合併して東京大学医学部となり、本科生となる。同窓に賀古鶴所《つるど》、緒方収二郎等がいた。

明治十二年（一八七九年）十七歳　父は南足立郡郡医をしていたが、千住北組一丁目に一家を移し、橘《きっ》井《せい》堂医院を開業。十三年（十八歳）本郷龍岡町の下宿屋上条に移る。

明治十四年（一八八一年）十九歳　三月、下宿屋で火災に遭う。春頃、肋膜炎《ろくまくえん》を病む。七月、東京大学医学部卒業。九月、『河津金線君に質《ただ》す』を「読売新聞」に発表。はじめて活字化された文であった。十二月、東京陸軍病院課僚を命ぜられ、陸軍軍医副に任ぜられる。

明治十五年（一八八二年）二十歳　二月、第一軍管区徴兵副医官になる。従七位に叙せられる。五月、陸軍軍医本部課僚になる。プロシア陸軍衛生制度の調査にあたる。この頃、私立東亜医学校で衛生学を講義した。
明治十七年（一八八四年）二十二歳　六月、陸軍衛生制度と軍陣衛生学研究のため、ドイツ留学を命ぜられ、八月、横浜を出航。十月、フランスを経てドイツに着き、ライプチッヒ大学でホフマン教授の指導を受ける。
明治十八年（一八八五年）二十三歳　「ビイルの利尿作用に就いて」の研究を続ける。一月、ハウフ原作童話を漢訳した『盗俠行』を「東洋学芸雑誌」に発表。二月、独文で『日本兵食論』『日本家屋論』の著述に従う。五月、陸軍一等軍医に昇進。十月、ドレスデンに移り、軍医監ロートにつく。衛生将校会で「日本陸軍衛生部の編制」を講演、翌年二月にかけて軍陣衛生学の講習会に出席。
明治十九年（一八八六年）二十四歳　一月、地学協会で「日本家屋論」を講演。三月、ミュンヘンに移り、ペッテンコーフェルを師とする。大学衛生部に入る。
明治二十年（一八八七年）二十五歳　四月、ベルリンに移る。北里柴三郎とともにコッホを訪ねる。五月、コッホの衛生試験所に入る。九月、石黒軍医監に従ってカルルスルーエで開催された赤十字社の会議に出席し、日本代表に代り演説した。十月、ベルリンに帰り、衛生試験所にかよう。
明治二十一年（一八八八年）二十六歳　三月より七月まで、プロシア近衛歩兵第二連隊の軍隊医務に就く。九月、帰国。陸軍軍医学舎教官になる。ドイツ留学中の恋人エリスが後を追って来日したが、鷗外が直接会わずに、妹婿《むこ》小金井良精と弟篤次郎が会って説得し十月帰国させる。十一月、陸軍大学校教官になる。十二月、『非日本食論将失其根拠』（橘井堂刊）を私費で刊行。
明治二十二年（一八八九年）二十七歳　一月、下谷根岸金杉一二二に住む。「東京医事新誌」を主宰。『医学の説より出でたる小説論』を「読売新聞」に発表し、文学活動を始める。三月、「衛生新誌」を創刊。西周の媒妁《ばいしゃく》で海軍中将赤松則良の長女登志子と結婚。五月、下谷上野花園町一一に転居。七月、兵食試験委員になる。東京美術学校専修科美術解剖学講師になる。八月、訳詩編『於母影《おもかげ》』を新声社訳として「国民之友」に発表。十月、軍医学校陸軍二等軍医正教官心得になる。「しがらみ草紙」（柵草紙）を創刊。この年、医学に関する著述が非常に多い。

明治二十三年（一八九〇年）二十八歳　一月、「医事新論」を創刊。『舞姫』を「国民之友」に発表。八月、『うたかたの記』を「しがらみ草紙」に発表。九月、長男於菟《おと》誕生。まもなく、妻登志子と離婚。十月、本郷駒込千駄木町五七に転居、千朶山房と呼んだ。十一月、『うたかたの記』について石橋忍月と論争する。

明治二十四年（一八九一年）二十九歳　一月、『文づかひ』を〈新著百種〉の第十二号として吉岡書店より刊行。二月、東京美術学校美術解剖学嘱託教官となる。八月、医学博士の学位を受ける。九月、『山房論文』を「しがらみ草紙」に載せ、「早稲田文学」による坪内逍遥《しょうよう》と没理想論争を展開する。

明治二十五年（一八九二年）三十歳　一月、千駄木町二一に転居。千住から祖母、父母がきて同居する。七月、小説・翻訳集『美奈和集』（水沫《みなわ》集）を春陽堂より刊行。八月、観潮楼を建設する。九月、慶応義塾大学講師となり審美学を講じる。十一月、アンデルセン『即興詩人』を「しがらみ草紙」（後に「めざまし草」）に継続し、三十四年二月完結）に連載。

明治二十六年（一八九三年）三十一歳　十一月、陸軍一等軍医正になり、軍医学校長になる。

明治二十七年（一八九四年）三十二歳　八月、日清《にっしん》戦争開戦。第二軍兵站《へいたん》軍医部長として、中国盛京省花園口に上陸。

明治二十八年（一八九五年）三十三歳　四月、陸軍軍医監になる。五月、日清講和成立。宇品に帰国。台湾に赴任。八月、台湾総督府陸軍局軍医部長になる。九月、東京に帰り、十月、軍医学校長になる。

明治二十九年（一八九六年）三十四歳　一月、陸軍大学校教官になる。「めざまし草」（目不酔草）を創刊。三月、合評「三人冗語」を幸田露伴、斎藤緑雨とともに「めざまし草」誌上で七月まで行なう。四月、父死去。

『つき草』（都幾久斜）評論集（十二月、春陽堂

刊）

明治三十年（一八九七年）三十五歳　一月、中浜東一郎、青山胤通等と公衆医事会を設立し「公衆医事」を創刊。三月、陸軍一等軍医正になる。

『かげ草』翻訳・評論集、喜美子と合著（五月、春陽堂刊）

明治三十一年（一八九八年）三十六歳　十月、近衛師団軍医部長兼軍医学校長になる。

明治三十二年（一八九九年）三十七歳　六月、陸軍軍医監となり、第十二師団軍医部長に補せられ小倉に赴任。十二月、師団将校のためにクラウゼヴィッツの「戦争論」を講演する。

『審美綱領』上・下、大村西崖共編（六月、春陽堂刊）

明治三十三年（一九〇〇年）三十八歳　十一月、小倉の安国寺住職玉水俊虠《しゅんこ》を知る。十二月、俊虠より唯識《ゆいしき》論の講義を受け、彼に哲学入門を講義する。

明治三十五年（一九〇二年）四十歳　一月、判事荒木博臣の長女志げと観潮楼で再婚。三月、第一師団軍医部長になり上京。六月、上田敏等と「芸文」を創刊、八月廃刊。十月、新たに「万年艸」を創刊。十二月、処女戯曲『玉篋両浦嶼《たまくしげふたりうらしま》』を「歌舞伎」号外に発表。

『即興詩人』上・下、翻訳（アンデルセン原作、九月、春陽堂刊）

明治三十六年（一九〇三年）四十一歳　一月、長女茉莉《まり》誕生。

『長宗我部信親』叙事詩（九月、国光社刊）

明治三十七年（一九〇四年）四十二歳　二月、日露戦争開戦。三月、第二軍軍医部長になり、四月、宇品を出航し、中国に渡る。陣中で『うた日記』を作る。

明治三十八年（一九〇五年）四十三歳　奉天会戦に勝利し、奉天残留のロシア赤十字社員の護送に全権をもって尽力した。九月、日露講和条約締結。

明治三十九年（一九〇六年）四十四歳　一月、東京に帰還。六月、歌会「常磐《ときわ》会」を山県有朋《ありとも》を中心におこし、賀古鶴所とともに幹事になる。七月、祖母清子死去。八月、第一師団軍医部長に戻り、軍医学校長事務取扱を兼ねる。

『ゲルハルト・ハウプトマン』評伝（十一月、春陽堂刊）

明治四十年（一九〇七年）四十五歳　三月、与謝野寛、伊藤左千夫、佐佐木信綱等と「観潮楼歌会」を開く。六月、西園寺《さいおんじ》公望《きんもち》主催の歌会「雨声会」に出席。八月、次男不律《ふりつ》誕生。十一月、陸軍軍医総監、陸軍省医務局長になる。

『うた日記』詩歌句集（九月、春陽堂刊）

明治四十一年（一九〇八年）四十六歳　一月、弟篤次郎死去。二月、次男不律死去。五月、文部省の臨時仮名遣調査委員会委員になり、文部省案に反対。十一月、小説家に対する政府の処置について建議する。

『仮名遣意見』（六月、自費出版）

明治四十二年（一九〇九年）四十七歳　一月、木下杢太郎《もくたろう》、吉井勇等によって「スバル」（昴）が創刊され、以後終刊まで最も熱心な寄稿者となる。三月、最初の口語体小説『半日』を「スバル」に発表。五月、次女杏奴《あんぬ》誕生。七月、文学博士の学位を受ける。『ヰタ・セクスアリス』を「スバル」に発表したが、これにより同誌発禁になる。

四月、『仮面』（スバル）八月、『鶏』（スバル）十二月、『予が立場（Resignation の説）』（新潮）

明治四十三年（一九一〇年）四十八歳　二月、慶応義塾大学刷新に協力し、文学科顧問になる。三月、『青年』を「スバル」（四十四年八月完結）に連載。

一月、『杯』（中央公論）六月、『普請中』（三田文学）

『涓滴《けんてき》』小説集（十月、新潮社刊）

明治四十四年（一九一一年）四十九歳　二月、三男類《るい》誕生。五月、文芸委員会委員になる。七月、文芸委員会より『ファウスト』の翻訳を委嘱される。九月より、『雁《がん》』を「スバル」（大正二年五月完結）に連載。

二月、『カズイスチカ』（三田文学）三月、『妄《もう》想《ぞう》』（三田文学、四月完結）十月、『百物語』（中央公論）『灰燼《かいじん》』（三田文学、大正元年十二月中絶）

『烟塵』小説集（二月、春陽堂刊）

明治四十五年・大正元年（一九一二年）五十歳　一月、『ファウスト』訳了。七月、明治天皇崩御。九月、大葬の日、乃木大将夫妻殉死。十月、初めての歴史小説『興津弥五右衛門の遺書』を「中央公論」に発表。

一月、『かのように』(中央公論)
大正二年(一九一三年)五十一歳　一月、『阿部一族』を「中央公論」に発表。
四月、『佐橋甚五郎』(中央公論)　十月、『護持院原の敵討』(ホトトギス)
『ファウスト』翻訳戯曲(第一部一月、第二部三月、冨山房刊)
『青年』(二月、籾山書店刊)
『意地』小説集(六月、籾山書店刊)
『走馬燈』『分身』二冊揃、小説集(七月、籾山書店刊)
大正三年(一九一四年)五十二歳
一月、『大塩平八郎』(中央公論)　二月、『堺事件』(新小説)　四月、『安井夫人』(太陽)　九月、『栗山大膳』(太陽)
『かのように』小説集(四月、籾山書店刊)
『天保物語』小説集(五月、鳳鳴社刊)
『堺事件』小説集(十月、鈴木三重吉方刊)
大正四年(一九一五年)五十三歳　一月、『山椒大夫』を「中央公論」に、『歴史其儘《そのまま》と歴史離れ』を、「心の花」に発表。十一月、大嶋次官に辞意を表明する。この年、澀江抽斎《しぶえちゆうさい》の探究を始める。
四月、『津下四郎左衛門』(中央公論)　六月、『二人の友』(アルス)　七月、『魚玄機』(中央公論)　八月、『余興』(アルス)　九月、『じいさんばあさん』(新小説)　十月、『最後の一句』(中央公論)
『雁』(五月、籾山書店刊)
『塵泥《ちりひじ》』小説集(十二月、千章館刊)
大正五年(一九一六年)五十四歳　一月、『高瀬舟』を「中央公論」に、『寒山拾得』を「新小説」に発表。『澀江抽斎』を、「東京日日新聞」「大阪毎日新聞」(五月完結)に連載。漢詩『題千葉周作劔道秘訣』を「大正詩文」に発表して以来、八年までしばしば漢詩を載せる。三月、母峰子死去。四月、依願予備役になり軍務の一線から退いた。
六月、『伊沢蘭軒』(東京日日新聞、大阪毎日新聞、六年九月完結)
大正六年(一九一七年)五十五歳　十二月、帝室博物館総長兼図書頭《ずしよのかみ》になり、高等官一等に叙せられる。
九月、エッセイ『なかじきり』(斯論)
大正七年(一九一八年)五十六歳　十一月、正倉院

御物風通しを見に奈良へ行く。この年より正倉院拝観の特例を開く。
『高瀬舟』小説集（二月、春陽堂刊）
大正八年（一九一九年）五十七歳　九月、帝国美術院が創設され初代院長に就任。
『蛙』小説・戯曲・抒情詩・翻訳集（五月、玄文社出版部刊）
大正九年（一九二〇年）五十八歳　一月から二月まで腎臓を病む。三月、警察官のため社会問題について講演。
大正十年（一九二一年）五十九歳　六月、臨時国語調査会長になる。秋頃から時々下肢に浮腫《ふしゅ》が出て腎臓病の徴候があらわれはじめた。
大正十一年（一九二二年）六十歳　四月、英国皇太子正倉院参観のため奈良に行き、五月帰京。旅行中しばしば病臥《びょうが》する。六月十五日から役所を休む。二十九日、萎縮腎《いしゅくじん》と診断される。肺結核の徴候も見られた。七月六日、賀古鶴所に遺言を代筆してもらう。九日午前七時死去。法号、貞献院殿文穆思斎大居士。墓表は鷗外の遺言にしたがって、「森林太郎墓」とのみ中村不折の書によって彫られている。向島弘福寺に埋葬。後大正十三年、東京府三鷹村禅林寺に改葬。

（この年譜は、諸種のものを参考にし、編集部で作成した。）

表記について

新潮文庫の文字表記については、原文を尊重するという見地に立ち、次のように方針を定めました。

一、旧仮名づかいで書かれた口語文の作品は、新仮名づかいに改める。
二、文語文の作品は旧仮名づかいのままとする。
三、旧字体で書かれているものは、原則として新字体に改める。
四、難読と思われる語には振仮名をつける。
五、漢字表記の代名詞・副詞・接続詞等のうち、特定の語については仮名に改める。

本書で仮名に改めた語は次のようなものです。

彼此→かれこれ　…切→…きり　此→この
併し→しかし　宛→ずつ　其→その
…丈→…だけ　溜まらない→たまらない　詰まらない→つまらない
兎(に)角→と(に)かく　亦→また　…迄→…まで
儘→まま　丸で→まるで　最早→もはや
矢張→やはり

新潮文庫の新刊

永井紗耶子著
木挽町のあだ討ち
直木賞・山本周五郎賞受賞
「あれは立派な仇討だった」と語られる、あだ討ちの真実とは。人の情けと驚愕の結末が感動を呼ぶ。直木賞・山本周五郎賞受賞作。

武内涼著
厳島
野村胡堂文学賞受賞
謀略の天才・毛利元就と忠義の武将・弘中隆兼の激闘の行方は――。戦国三大奇襲のひとつ〝厳島の戦い〟の全貌を描き切る傑作歴史巨編。
近衛龍春著
伊勢大名の関ヶ原
男装の〈姫武者〉現る！　三十倍の大軍毛利・吉川勢と戦った伊勢富田勢。戦国の世を生き抜いた実在の異色大名の史実を描く傑作。

望月諒子著
野火の夜
血染めの五千円札とジャーナリストの死。木部美智子が取材を進めると二つの事件に思わぬつながりが――超重厚×圧巻のミステリー。

藤野千夜著
ネバーランド
同棲中の恋人がいるのに、ミサの家に居候を始めた隆文。出禁を言い渡されても隆文は態度を改めず……。普通の二人の歪な恋愛物語。

平松洋子著
筋肉と脂肪
身体の声をきく
筋肉は効く。悩みに、不調に、人生に。アスリートや栄養士、サプリや体脂肪計の開発者に取材し身体と食の関係に迫るルポ&エッセイ。

阿部《あべ》一族《いちぞく》・舞姫《まいひめ》

新潮文庫　も - 1 - 4

昭和四十三年四月二十日　発行
平成十八年四月二十五日　七十六刷改版
令和七年九月三十日　九十一刷

著者　森《もり》鷗《おう》外《がい》
発行者　佐藤隆信
発行所　株式会社新潮社

郵便番号　一六二―八七一一
東京都新宿区矢来町七一
電話　編集部(〇三)三二六六―五四四〇
読者係(〇三)三二六六―五一一一
https://www.shinchosha.co.jp

価格はカバーに表示してあります。

乱丁・落丁本は、ご面倒ですが小社読者係宛ご送付ください。送料小社負担にてお取替えいたします。

印刷・錦明印刷株式会社　製本・株式会社植木製本所
Printed in Japan

ISBN978-4-10-102004-4 C0193